EL TRANSFOF

Asesinato Misterio Romance

Serie de detectives Gideon

LIBRO 6

por

Sidney St. James

*Abajo a **Gehenna** o arriba al trono, viaja más rápido que viaja solo.*

-—Rudyard Kipling

Tabla de Contenido

Publicado por BeeBop Publishing Grupo

Georgetown, Texas

A menos que se indique lo contrario, todas las citas de las Escrituras provienen de la versión King James (KJV) de la Biblia y son de dominio público.

Esta es una obra de ficción. Los nombres, personajes, lugares e incidentes son producto de la imaginación del autor o se usan de manera ficticia, y cualquier parecido con personas reales, vivas o muertas, negocios, empresas, eventos o lugares es pura coincidencia.

Si bien el autor ha hecho todo lo posible para proporcionar números de teléfono y direcciones de Internet precisos en el momento de la publicación, ni el editor ni el autor asumen responsabilidad alguna por los errores o cambios que ocurran después de la publicación. Además, el editor no tiene control ni asume ninguna responsabilidad por el autor, los sitios web de terceros o su contenido.

Un crimen, misterio y romance

El formato y el diseño de la cubierta de esta novela son imágenes comerciales protegidas y marcas registradas de Sidney St. James y BeeBop Publishing Grupo.

Fabricado en los Estados Unidos de América

Publicado simultáneamente en Canadá

Datos de catalogación en publicación de la Biblioteca del Congreso

1 3 5 7 9 10 8 6 4 2

PRÓXIMAMENTE EN RÚSTICA Y AUDIO

DEDICACIÓN

Con gratitud y admiración, este libro está amorosamente dedicado a todos los que aprecian la emoción de lo desconocido y abrazan la belleza de un misterio cautivador.

-—SSJ

PRÓLOGO
UNA FRÍA, FRÍA NOCHE DE OCTUBRE

E l detective Vincent Gideon tenía la intención de pasar la velada en la grandeza del Club VIP, en lo alto del imponente edificio que albergaba su ático en el centro de Portland. Sin embargo, mientras la fría noche de octubre envolvía la ciudad con sus gélidos zarcillos, estaba demasiado cansado para aventurarse a salir, contento con disfrutar del calor reconfortante de su acogedora chimenea.

Acomodándose en su enorme y lujoso sillón, lo empujó hacia atrás frente a la chisporroteante chimenea de su biblioteca, las vacilantes llamas proyectaban sombras danzantes sobre la habitación. Aunque esperaba la llegada de los chicos de secundaria con leños nuevos, las llamas artificiales de los leños falsos tendrían que ser suficientes por ahora.

Levantando una pierna debajo de sí mismo, Gideon se acomodó en los cojines profundos, encontrando consuelo en la compañía de su novela más reciente y el abrazo aromático de su pipa llena de tabaco de cereza. Había elegido la obra maestra de Sidney St. James, "Rosenthall", un misterio de asesinato brillantemente elaborado que prometía cautivar todos sus sentidos. Estaba tan absorto en las páginas que su entorno se desvaneció, el tiempo se deslizó inadvertido entre sus dedos.

Pero la entrada de Billy Bob Turner, el mayordomo de confianza, hizo añicos el capullo de soledad de Gideon y lo devolvió al presente con un sobresalto inesperado. Apartando con un parpadeo la comprensión persistente de la historia, miró hacia la repisa de la chimenea, donde las resonantes campanadas del reloj de Westminster anunciaban que era tarde. Habían sonado once campanas, un recordatorio de que la noche se había deslizado hacia adelante mientras él hurgaba en las profundidades de la palabra escrita.

Gideon apreciaba sus momentos de lectura ininterrumpida, saboreando la libertad de perderse en las páginas de una historia cautivadora. Sin embargo, el destino había conspirado en su contra en esta fría noche de octubre, intercalando interrupciones no deseadas que desgastaron su paciencia y encendieron su sarcasmo.

"Maldita sea, Billy Bob, ¿qué pasa ahora? ¿Soy solo un niño para que me recuerden mi hora de acostarme?" Las palabras de Gideon destilaban ingenio mordaz, ajeno al aguijón no intencionado.

El semblante del mayordomo, por lo general estoico, mostraba una melancolía inusual, su cabeza se balanceaba adelante y atrás con un aire lúgubre. El comentario hecho por su empleador perforó su sentido del deber, rozando el insulto.

"Señor, un hombre que dice ser el conductor de la Sra. Klein le ha entregado este mensaje escrito", respondió Billy Bob, su tono teñido con los ecos del sarcasmo de Gideon. "Él espera pacientemente su respuesta, sentado en su automóvil en la rotonda".

Extendiendo un sobre blanco, el mayordomo se lo presentó a Vincent. Sus orígenes se remontan a Abigail Klein, anteriormente conocida como Abigail Hoffmann. Gideon abrió el sobre, sus ojos escanearon el mensaje conciso pero urgente.

"Vincent, por favor apúrate. ¡Se le ha pedido a mi conductor que espere tu respuesta! ¡Te necesito!"

Con una sacudida de urgencia, Gideon saltó de su silla, la urgencia reverberando a través de cada fibra suya. "¡Billy Bob! ¡Trae mi sombrero y mi abrigo!" gritó, corriendo hacia la puerta. Sin embargo, antes de cruzar el umbral, se detuvo, un rastro de contrición suavizó su tono. "Me disculpo por mi comentario anterior. Sabes que no lo dije en serio".

La lealtad inquebrantable del mayordomo irradió a través de su respuesta. "Sí, señor. Lo sé".

"Tengo mi llave. No me esperes despierta".

Mientras Gideon paseaba por el pasillo, su impaciencia era tangible, esperaba la llegada del ascensor. Cada segundo parecía una eternidad, su ferviente deseo de llegar a su destino llevándolo casi al frenesí. Finalmente, las puertas se abrieron, permitiéndole el paso, y él avanzó, impulsado por la gravedad de su propósito.

Entrando ansiosamente en el vestíbulo, Gideon se apresuró hacia las puertas giratorias, emergiendo a los escalones donde estaba el chofer de la Sra. Klein, listo para abrir la puerta del auto. En unos momentos, el poderoso Rolls Royce avanzó, atravesando las calles de la ciudad en ruta hacia la propiedad de Klein ubicada en la orilla del río Portland a lo largo de Whitcomb Drive.

Mirando por la ventana, la mirada de Gideon se fijó en el paisaje urbano que pasaba, un borrón de luces y sombras. Recuperando la nota del bolsillo de su chaqueta, comenzó a romperla en innumerables fragmentos, desgarrándola repetidamente hasta que parecía un confeti de secretos triturados. Con un empujón, el detective abrió el ala de viento, liberando los restos dispersos en la noche, un testimonio de su precaución: las cartas, en su frágil vulnerabilidad, podrían albergar verdades comprometedoras.

Mientras el dedo del detective trazaba patrones distraídos en la ventana empañada, sus pensamientos se agitaron, un torbellino de preguntas e incertidumbres. ¿Por qué Abigail había roto su voto de separación y se acercó a él cuando acordaron disolver su conexión? ¿Qué la obligó a iniciar el contacto, a encender las brasas de su pasado? Sin lugar a dudas, algo andaba mal, una tormenta se estaba gestando debajo de la superficie. Y a pesar de todo, su amor por ella se mantuvo firme, una llama duradera que se negaba a extinguirse.

Sin embargo, el incesante viaje del automóvil hacia la casa de Abigail no logró calmar la creciente ansiedad de Gideon. Sabía demasiado bien la futilidad de su amor, una devoción desesperada atada al vínculo inquebrantable de su matrimonio con otro, un hombre al que permanecería leal mientras él respirara. Mientras su corazón permanecía atrapado, las palabras susurradas por Gedeón, llevadas por el viento, revelaron la amargura que carcomía su alma. "¡Ese hijo de puta no la merece!"

Había pasado un año desde que la búsqueda incesante de Gideon había recuperado la riqueza que Abigail había traído de Oldenburg: cuatrocientos cincuenta mil dólares, el legado de su difunto padre. Tres meses después del cierre triunfal del caso, Gideon y Abigail se encontraron en el precipicio de la felicidad conyugal, su compromiso sellado con promesas de devoción eterna. Aunque Gideon había deseado casarse sin demora, los sueños de Abigail de una gran celebración los obligaron a esperar, a planificar meticulosamente cada detalle del trascendental día.

Pero, oh, el paso del tiempo: seis meses habían ido y venido, y aún así, Gideon esperaba. Los deseos de Abigail se cumplieron cuando Wolfgang Klein, la encarnación de la riqueza y la elegibilidad, la hizo perder el control y su presencia alteró el curso de su futuro. Y ahora, el detective estaba sentado en el asiento trasero del opulento Rolls Royce, impulsado hacia la propiedad de Klein, testigo de un amor que no podía reclamar.

Si alguien se atrevía a preguntar sobre la profundidad de su enfado, Gideon proclamaría que no albergaba mala voluntad hacia Abby, ya que nunca se había permitido culparla por el tormento que le había infligido. Sin embargo, tres semanas antes de sus tan esperadas nupcias, Abigail apareció ante Vincent, con las palabras confusas y el rostro inundado de lágrimas. Ella dijo poco, se quitó el anillo que él le había puesto en el dedo seis meses antes y lo dejó suavemente sobre el escritorio de su oficina.

Y en medio de sus sollozos entrecortados, solo pronunció una súplica, una petición desesperada por el amor inquebrantable de Gideon. Ella le imploró que nunca la volviera a ver si realmente la amaba. Al principio, el detective cuestionó la naturaleza de su declaración, considerando su conexión con sus lágrimas. Pero el rostro manchado de lágrimas de Abby no reveló respuestas, su único estribillo fue una repetición de su súplica, exigiendo que cumpliera su deseo de cancelar la boda inminente.

Gideon, siempre un detective astuto, no podía comprender por qué Abigail dejaría de lado su futuro compartido con su boda a punto de convertirse en realidad. Él le suplicó que reconsiderara, sus palabras mezcladas con desesperación. No era simplemente su vida lo que pendía de un hilo; era el amor que habían forjado a través de angustiosas pruebas, un amor destinado a perdurar.

Finalmente, Gideon había desentrañado la red retorcida de la verdad cuando Abigail, entre lágrimas, le contó la historia completa a Vincent. Una revelación lo golpeó como un rayo caído del cielo: la existencia del hermano de Abigail, Ludwig. Sin que el detective lo supiera, ella lo había protegido y apreciado, asumiendo un papel maternal desde la muerte de su madre.

Abigail divulgó que, a su llegada a Estados Unidos, se creía la única sobreviviente de su familia inmediata, excepto por una tía perdida hace mucho tiempo que residía en algún lugar del este de los Estados Unidos. Sin embargo, el destino intervino cuando Ludwig se unió a ella tres meses después y encontró refugio bajo los auspicios de Wolfgang Klein, el director de Klein Savings and Loan en Portland. Con su experiencia bancaria en Alemania, Ludwig asumió el papel de cajero, ajeno a los motivos ocultos de Klein.

Circulaban rumores de que Ludwig le recordaba a Wolfgang una versión más joven de sí mismo, lo que alimentó su insidioso control sobre el joven impresionable. A los pocos meses de su llegada, Ludwig cayó en espiral en las garras del vicio, quedando atrapado por el encanto del juego y la bebida.

Abigail continuó su historia, revelando los eventos de una fatídica noche solo tres días antes. Ludwig había sido atraído a una sala de juegos clandestina, donde la intoxicación y una disputa por sus ganancias lo llevaron a enfrentarse con un adversario formidable. Acorralado y superado, Ludwig se encontró en una posición peligrosa hasta que Wolf, como lo llamaba Abigail, le entregó un revólver oculto. En un acto desesperado de autodefensa, Ludwig disparó dos tiros fatales, acabando con la vida de su agresor.

Con el hombre tirado sin vida en el suelo, Wolfgang caminó con calma hacia la pared, activando un interruptor oculto que activó una ruta de escape. Juntos, huyeron de la escena y regresaron rápidamente a la residencia de Wolf. Se empacó apresuradamente una maleta, se otorgaron fondos a Ludwig y él abordó un tren con destino al Este.

La mente de Gideon dio vueltas con incredulidad cuando Abby contó la historia. Recordó haber leído sobre el incidente en el Portland News: un asesino que permaneció sin identificar, perseguido por las implacables autoridades. Sin embargo, Wolfgang tenía el conocimiento irrefutable de la identidad del asesino, esgrimiéndolo como un arma para obligar a Abby a convertirse en su novia.

Abrumada por el peso de la revelación, las lágrimas de Abigail fluyeron sin cesar. "Qué iba a hacer, Vincent?" ella sollozó, su cara enterrada en sus manos temblorosas. "Wolf Klein es un hombre despiadado. Mi hermano no sería un fugitivo si no fuera por él. Mi querido hermano... sacrificaría cualquier cosa para protegerlo".

Gideon, por lo general ingenioso en sus respuestas, se quedó sin habla. Ningún argumento parecía adecuado para contrarrestar las terribles circunstancias que enfrentaban. Los ojos llenos de lágrimas de Abby suplicaron comprensión mientras le imploraba que soportara la carga por su bien. El amor exigiría sacrificio, y Gideon tuvo que enfrentar la desgarradora realidad de dejarlo ir.

"Vincent, sabes que te amo con cada fibra de mi ser. Pero debes ser fuerte por mí. Debo cumplir con las demandas de Wolf para salvar a mi hermano. Mi amor por ti es inquebrantable, pero este es el único camino que podemos seguir". caminar."

Las lágrimas de Abigail persistieron, pero Gideon permaneció en silencio. Su mente se agitó con emociones conflictivas, su resentimiento hacia la situación se encendió, la empatía alimentó su ira hacia Wolfgang y sus maquinaciones manipuladoras que atraparon a Ludwig.

Al regresar a su morada solitaria, el detective se retiró a su escritorio, sus pensamientos consumidos por el doloroso dilema que tenía ante él. Pasaron los días, y repetidamente buscó su sombrero, listo para salir por la puerta y regresar al lado de Abby. Sin embargo, el peso de los pensamientos negativos lo contuvo, el agonizante conocimiento de perderla a manos de un vil tirano sofocando su mente. Inmerso en los recuerdos de su noviazgo, luchó con la única solución que podía imaginar: un final abrupto para la vida de Wolfgang Klein. Pero la idea lo horrorizó. Gedeón no era hombre para cometer tal crimen.

Con la luz de la mañana entrando a raudales por la ventana, despertándolo de una noche inquieta, Gideon recuperó cierta claridad. La cordura prevaleció, recordándole que sus pensamientos irracionales no deben manifestarse en la realidad. Además, ¿qué sabía realmente sobre Wolfgang Klein más allá de su influencia corruptora sobre el hermano de Abby? ¿Quién podría decir? Después de todo, tal vez Wolf sería un marido adecuado para Abby.

Sin embargo, a pesar de sus racionalizaciones, el dolor en el corazón de Gideon persistió, inflexible en su control. El dolor no fue mitigado por reflexiones filosóficas. Sin embargo, a instancias de Abby, decidió dedicarse a su trabajo, un intento de enterrar los restos de su amor bajo capas de dedicación profesional.

Pero olvidar era una ilusión, y cuando Gideon se embarcó en su viaje hacia la opulenta mansión de Abby, la noche oscura y lúgubre preparó el escenario para el misterio que le esperaba. El viento aullaba a través de los árboles, proyectando una atmósfera espeluznante como si cien ojos invisibles observaran cada uno de sus movimientos. Corriendo escaleras arriba, con la mano preparada para tocar el timbre, el detective sintió un miedo palpable corriendo por sus venas.

CAPÍTULO UNO
UN MISTERIO EXTRAÑO DE HECHO

El timbre resonó en el silencio, lo que provocó que Abby abriera la puerta y empujara a Gideon adentro con urgencia. Con un movimiento rápido, cerró la puerta con llave, con los ojos muy abiertos con un sentido de urgencia. Se llevó un dedo a los labios y lo condujo en silencio al salón, donde pudieron hablar sin temor a que los intrusasen.

La preocupación de Gideon crecía con cada momento que pasaba, desconcertado por el aire de secreto que impregnaba la invitación de Abby a su casa. Desesperado por respuestas, le imploró: "Qué pasa, Abby? Por favor, dime".

En lugar de responder de inmediato, Abby tiró de su brazo, instándolo a agacharse en un sofá cercano presionado contra la pared. Ella lo miró a los ojos, con la cabeza inclinada, sus dedos acariciando con ternura las sienes canosas de su cabello una vez negro como el cuervo.

"¿Yo causé estas canas, Vincent? No recuerdo haberlas visto la última vez que estuvimos juntos", murmuró entrecortadamente. "Oh, espero no haberlo hecho. Si lo hice, lo siento muchísimo".

"¡Abigail!" Gideon exclamó bruscamente, sorprendido por su repentina muestra de remordimiento. Pero antes de que él pudiera decir más, ella se arrodilló, su cara enterrada en sus manos, sus sollozos resonaron por la habitación. Habló entre jadeos: "Por favor, perdóname. A veces siento que estoy perdiendo la cordura en esta gran casa. Es tan silencioso y, además, mi única compañía es la secretaria de Wolf para su negocio".

Abby empujó a Gideon cuando el sonido de pasos se acercó desde el pasillo. Su cabeza se levantó de golpe, sus ojos muy abiertos por la alarma. "¡Silencio, Vincent! ¡Escucha!" Tomando respiraciones rápidas y superficiales, se esforzó por detectar cualquier señal de un intruso. Me pareció oír a alguien acechando fuera de la puerta.

Gideon aguzó el oído, pero no oyó nada. Aún así, para aliviar los temores de Abby, corrió hacia la puerta y la abrió de golpe. Saliendo al pasillo, el detective escudriñó las sombras que se disipaban en el hueco de la escalera débilmente iluminado. Sin embargo, una extraña sensación se apoderó de él y se apresuró a regresar a la habitación, cerrando la puerta de forma segura detrás de él.

A su regreso, Gideon encontró a Abby recuperando el control de sus emociones, sentada en el borde del diván. Él le ofreció una sonrisa amable, tomando asiento junto a la mujer que nunca había dejado de amar desde el día en que se casó con Wolfgang.

"Pensé que podría manejarlo, pero no tienes idea de lo que he soportado viviendo aquí, casada con Wolfgang", pronunció, su voz teñida de cansancio. Ella se levantó y se dio la vuelta, luego lo enfrentó una vez más. —¡No, Vincent, por favor! Sus manos temblorosas cubrieron su rostro.

"Perdóname, Abby. No puedo soportar ser testigo de tu angustia. Todavía te amo", confesó Gideon, con sus emociones arremolinándose.

"Yo también, Vincent. Pero lo hecho, hecho está. Debes escucharme. Hay otra razón por la que te pedí que vinieras esta noche", dijo, y sus palabras resonaron como el tañido de una campana distante en los oídos de Gideon.

Antes de que comenzara a hablar, Gideon no pudo evitar observar cada movimiento que hacía. Su corazón se hundió cuando observó su apariencia: su fragilidad, las líneas grabadas en su frente por el sufrimiento y la incapacidad de su maquillaje para enmascarar las marcas de angustia alrededor de su boca delicada y torcida hacia abajo.

Su mirada se desvió brevemente hacia la puerta cerrada y la amargura brotó de su interior, maldiciendo el día en que Wolfgang Klein se había cruzado en el camino de Abigail. Si Wolfgang atravesara esa puerta en ese momento, Gideon sabía que estaría tentado a terminar con la vida del hombre en ese mismo momento.

Abigail, al percibir los pensamientos de Gideon, intervino rápidamente. "¡No, no, Vincent, eso no!" El latido de su corazón se aceleró en su pecho. "Ven, siéntate a mi lado, por favor".

Gideon obedeció, y cuando Abby tomó su mano con fuerza, su voz se convirtió en un susurro, sus ojos recorrieron la habitación como si temieran la presencia de otro. "He tenido la inquietante sensación de que Adolph Keiser, el secretario de Wolf, está constantemente observándome, espiando cada uno de mis movimientos. Cada vez que lo veo, sus ojos oscuros me taladran y su humildad perpetua enmascara una sonrisa siniestra". Hizo una pausa, sus dedos se entrelazaron ansiosamente en su regazo.

"Abby, pensé que tu tío de Alemania se quedaría contigo". preguntó Gideon, su voz mezclada con preocupación.

"Su salud se deterioró y el médico le aconsejó que se tomara un descanso y descansara un poco. Últimamente ha estado bajo una tensión inmensa. Creo que está programado para regresar a casa en los próximos días", respondió Abby, con los ojos distantes, bruñidos con un parpadeo. de anhelo

Abby tomó un pañuelo, tratando de secarse las lágrimas, pero continuaron cayendo por sus mejillas. Durante todo el tiempo que Gideon la había conocido, nunca había sido testigo de su lucha por contener sus emociones. Luchó contra la marea de lágrimas, pero era una batalla que no podía ganar.

"Suficiente, Abby", intervino Gideon suavemente, tomando sus manos temblorosas entre las suyas. "Por qué me convocaste esta noche? ¿Cómo puedo ayudarte? Dime".

Abby retiró las manos, todavía temblando, su toque dejó una marca indeleble en los sentidos de Gideon. Juntó las manos con fuerza sobre su regazo y habló con cansancio: "Vincent, ¿qué puedo decir? Estaba sola, consumida por el remordimiento por cómo traté el amor que compartíamos, cancelando nuestra boda después de que esperaste con tanta paciencia. Oh, Dios, ¿Por qué? ¿Por qué hice eso? Todavía te amo". Agotada, se sentó y confesó: "Anoche, hice algo tonto. Me encerré en mi habitación y te derramé mi corazón en una carta". Sus ojos ardían, privados de sueño.

"Abby, querida", pronunció Gideon en voz baja, incapaz de encontrar otras palabras en respuesta.

"Estuvo mal, Vincent. Sentí una sensación de alivio después. Deseé haberte dado la carta, pero la culpa me consumía y la rompí en innumerables pedazos, arrojándolos a la papelera junto a mi mesita de noche", confesó, secándose algunas lágrimas persistentes.

"Esta tarde, justo antes de la medianoche, Adolph llamó a mi puerta. Me informó que Wolf quería verme en su estudio".

"Tu fuiste?" preguntó Gideon, con un toque de inquietud en su voz.

"Sí, no tuve otra opción", respondió Abby con cansancio. "Seguí a Adolph al estudio, donde Wolf estaba sentado reclinado en su silla. Mi carta rota estaba frente a él, meticulosamente ensamblada en una hoja de papel más grande".

Vincent reconoció la letra al instante, pronunció el nombre en voz baja —*Keizer*— y no dijo nada más.

"Sí, Vincent, encontró la carta. Rebusca en mi papelera como si buscara pruebas para presentárselas a Wolf", continuó. "Un marido infiel siempre sospecha de su mujer".

"Qué hizo él, Abby?" preguntó Gideon, su curiosidad teñida de aprensión.

"No puedo revelar todos los detalles de lo que Wolf dijo; la mayor parte escapó a mi atención. Realmente no estaba escuchando. Pero sabía que tenía que hablar cuándo comenzó a hablar sobre buscar venganza contra ti, traerte a tu rodillas. Tenía que decir algo. Sin embargo, salió de la habitación antes de que yo pudiera y le gritó a Adolph que se iría de la casa por un tiempo".

"Fue entonces cuando me escribiste la nota?" preguntó Gideon, tratando de reconstruir la secuencia de eventos.

"Sí, envié a mi criada con la nota y las instrucciones para mi conductor. Tenía que advertirte", respondió Abby, su voz cargada de urgencia.

"Advertirme? ¿Sobre qué? Me he enfrentado a adversarios más fuertes en el pasado. No tengo miedo de enfrentarme a Wolfgang de frente. ¡Puedo manejarlo!" La impaciencia de Gideon se deslizó en sus palabras, su frustración burbujeando a la superficie.

"Vincent, por favor prométeme que te mantendrás fuera de su camino. ¡Te lo ruego, por mi bien!" Abby suplicó, agarrando los brazos de Gideon con fuerza, sus ojos llenos de desesperación. "Si no lo haces, solo hará las cosas más difíciles para mí, Vincent", continuó, con voz temblorosa.

"¡Deja de preocuparte por mí, Abby!" El tono de Gideon se tornó casi enojado. "Necesitas pensar en ti mismo para variar. No entiendo. ¿Por qué no te divorcias, o al menos te separas de ese bastardo?"

"No, no puedo. Si lo hago, se desquitará con Ludwig. No hay nada que pueda hacer. Él tiene control total sobre mí", confesó Abby, su voz llena de resignación.

Fue inútil persuadirla, ya que Gideon reconoció la justicia en sus palabras. ¡Maldito sea Wolfgang, el hijo de puta! Que traiga lo mejor de sí. Gideon lo aplastaría. Respirando profundamente para calmarse, Gideon compuso sus pensamientos y preguntó: "Abby, crees que hay alguna forma de que podamos recuperar esa carta de su estudio?". Una leve sonrisa de desafío se dibujó en las comisuras de sus labios.

"Por qué?" Los ojos de Abby cayeron, evitando la mirada inquebrantable de Gideon.

"Porque si alguna vez decide dejarte a un lado, podría usar esa carta para probar tu infidelidad en la corte. Y, lo que es más importante, podría usarla como un arma en mi contra", explicó Gideon, el peso de la situación se apoderó de él.

Abby retrocedió, dándose cuenta de cómo esa carta podría incriminar a Gideon en cualquier plan nefasto. Podría usarse para arruinarlo por completo. "Lo guardaba en el cajón superior derecho de su escritorio. Quédate aquí. Intentaré colarme en la habitación y recuperarlo", susurró.

Empezó a alejarse, pero rápidamente se dio la vuelta y rodeó a Gideon con sus brazos. "Gracias, Vincent, por venir esta noche", pronunció, soltando su abrazo casi tan rápido como lo había iniciado.

Gideon la miró, desconcertado por su repentino cambio de comportamiento. Abrió la puerta del salón y cruzó el pasillo hasta el estudio, dejándolo entreabierto. Se colocó en las sombras de la puerta abierta, observando cada uno de sus movimientos.

Incapaz de presenciar los eventos en el interior, Gideon dio unos pasos hacia el pasillo, esforzándose por escuchar para captar cualquier sonido débil. En cambio, se encontró con un profundo silencio, roto solo por las campanadas de un reloj de pie que tocaba dos campanas al final del pasillo.

Entonces, en la quietud de la noche, el aire se hizo añicos con un disparo ensordecedor. Gideon saltó, con los ojos muy abiertos por la sorpresa, mientras el sonido reverberaba por la casa. Un trago. Siguió un completo silencio, una quietud misteriosa y profunda.

Reaccionando rápidamente, Gideon entró corriendo en el estudio y gritó: "¡Abby! ¡Abby!". Pero se detuvo abruptamente, meros pasos dentro de la habitación. Bajo el débil resplandor de una lámpara de Lo que el viento se llevó en una mesa cercana, vio a Wolfgang desplomado en su silla de respaldo alto en el escritorio.

Acercándose con cautela, Gideon se arrodilló junto al cuerpo sin vida, extendiendo la mano para comprobar el pulso. Fue inútil. Wolfgang se había ido, y una sensación de desolación y desilusión se apoderó de él.

Poniéndose de pie, Gideon miró a Abby, a solo seis pasos de distancia. Ella estaba de pie con una expresión vacía en su rostro. "¡Abby! ¿Qué has hecho?" el demando.

Abby dejó caer el revólver que había estado sosteniendo y gritó: "¡Yo no lo hice! ¡Yo no lo hice!". Sus gritos estaban llenos de una violencia que igualaba la fuerza de un huracán. Sus sollozos histéricos la consumieron, haciendo eco a través de la habitación mientras su dolor emocional estallaba incontrolablemente.

"¡Vicente!" Abby recuperó la compostura después de una pausa prolongada. "¡Seguramente, no puedes creer que maté a mi esposo!" Su rostro se puso pálido como si estuviera cubierto de lechada blanca, sus labios casi imperceptibles. Dando dos pasos hacia Gideon, de repente se derrumbó en el suelo de madera, colapsando como una marioneta con cuerdas cortadas.

Gideon corrió a su lado, levantando a Abigail en sus brazos. Se quedó allí, sosteniéndola, su mirada alternando entre su forma sin vida y el cuerpo muerto ante él. La habitación se inundó de luz cuando Keizer pulsó el interruptor cerca de la puerta, revelando su tranquila figura parada allí como si nada hubiera pasado.

¿Llamo a un médico, señor Gideon? inquirió Keizer, su voz con un trasfondo de una sonrisa lasciva.

"Sí", respondió Gideon, su mente corriendo para comprender la situación. Necesitaba tiempo para procesar los hechos antes de involucrar a la policía. "Y la policía también?"

Gideon sabía que la policía eventualmente se involucraría, pero quería realizar su investigación antes de su llegada. Primero llama al médico, Adolph. La policía puede esperar.

"Muy bien, detective", respondió Keizer, su sonrisa inquebrantable. Llamaré al doctor Dreyfus.

Mientras Keizer hacía la llamada, Gideon permaneció en la habitación, con los ojos fijos en la secretaria. No podía deshacerse de su desconfianza, sospechando que Keizer tenía más respuestas de las que dejaba ver. ¿Había estado presente cuando Abby entró en la habitación? ¿Estaba al acecho en las sombras, esperando a que su patrón regresara y se encontrara con su muerte? Nada de esto tenía sentido. ¿Y por qué Abby tenía la pistola humeante?

Con la mente arremolinada con pensamientos analíticos, Gideon se dio cuenta de que había estado parado en el centro de la habitación, sosteniendo a Abigail Klein inconsciente. De mala gana, dejó a Keizer solo en el estudio y se dirigió al sirviente de Abby en el pasillo. "Señor Keiser, por favor lléveme a la habitación de Abby".

Cuando Keizer salió del estudio, Gideon tomó la llave maestra de la puerta y la aseguró detrás de ellos. Cerró la puerta, manteniendo la habitación aislada antes de proceder a la habitación de Abby, acunándola en sus brazos.

Anillo. Anillo. Anillo. El sonido del timbre resonó por toda la casa. La mirada de Gideon se desvió hacia la puerta principal, sus manos frotándose nerviosamente. La chimenea, una vez tímida, ahora rugía con calor, lanzando una luz parpadeante en la habitación. "Debe ser el doctor Dreyfus. Vive cerca", comentó Keizer apresuradamente.

Gideon se sintió aliviado ante la mención del médico. Cualquier cosa que pospusiera la llegada de la policía y sus inevitables preguntas sobre la muerte de Wolfgang era crucial. "Tráelo de inmediato", instruyó a Keiser, quien salió de la habitación sin hacer ruido, como si caminara en el aire.

Gideon se quedó quieto junto a la cama, mirando a Abby. Sus oídos captaron fragmentos de conversaciones que emanaban de la puerta de abajo. Sabía que la policía llegaría pronto. Mientras tanto, esperaba la llegada del doctor, sus pensamientos aceleraban para dar sentido al caos que se había desatado.

El doctor Dreyfus entró en la habitación y Gideon quedó desconcertado por su apariencia juvenil. Era difícil creer que alguien tan joven pudiera ser médico. Con piernas como zancos y un rostro adornado con pecas, la cabeza del médico parecía desproporcionadamente pequeña.

El doctor Dreyfus examinó minuciosamente el cuerpo inmóvil de Abby.

"Doctor, está en estado de shock. Acaba de descubrir el cuerpo sin vida de Wolfgang abajo. ¿No puede darle algo para ayudarla a dormir? Ha estado histérica desde que lo encontró muerto", suplicó Gideon con un sentido de urgencia, su voz. teñido de desesperación.

El doctor Dreyfus evaluó rápidamente a Gideon, considerando la sugerencia apropiada en tal situación. Él asintió con la cabeza, entendiendo la importancia de sedar a Abby antes de que la policía tuviera la oportunidad de interrogarla en su estado actual. "Sí, señor Gideon, estoy de acuerdo. Es mucho más crucial calmarla ahora que someterla a un interrogatorio mientras está en estado de shock. La policía puede esperar hasta mañana".

Gideon le ofreció una breve sonrisa, impresionado por el astuto juicio del doctor. Quizás uno no debería juzgar un libro por su portada después de todo.

"No hay nadie más en la casa que pueda quedarse con la Sra. Klein?" preguntó Gideon con insatisfacción evidente en su tono. "Dónde está Beatrice, su sirvienta?"

—Duerme en el ala de los sirvientes, doctor Dreyfus.

—Ve a buscarla inmediatamente, Adolph. Date prisa.

Cuando la criada llegó a la escena, el médico, satisfecho de que alguien estaría allí para Abby, dijo: "Llévame con Wolf".

Mientras bajaban las escaleras, el médico preguntó con voz autoritaria: "Alguien ha notificado a la policía?"

"No, señor. Estaba esperando su llegada antes de llamarlos", respondió Gideon, sabiendo que la presencia del médico sería vital antes de involucrar a las autoridades.

"Será mejor que envíes por ellos de inmediato, Adolph".

Keizer se movió rápidamente hacia el teléfono del pasillo, el médico observándolo de cerca. Mientras Keizer marcaba el número en el dial giratorio, Gideon sacó discretamente la llave de su bolsillo y abrió la puerta del estudio, decidido a investigar sin ser detectado.

Mientras tanto, el doctor continuó por el pasillo, llegando a la puerta de la habitación donde el cuerpo sin vida de Wolfgang se desplomó en la silla.

El doctor Dreyfus se acercó al cuerpo y examinó meticulosamente el área alrededor de la mancha de sangre, tomando notas mentales en silencio mientras evaluaba hábilmente la herida de bala.

Al observar atentamente las acciones del médico, los instintos de investigación de Gideon se activaron. El estudio era amplio, mucho más grande que cualquier oficina que hubiera ocupado. Se extendía por lo menos quince metros de ancho, adornado con lujosos muebles y puertas francesas tapizadas en color burdeos, en armonía con los lujosos detalles de la habitación.

En el centro había un magnífico escritorio de caoba detrás de la forma sin vida de Wolfgang. Contra la pared se alzaba una inmensa caja fuerte, su superficie pulida reflejaba el rostro sin vida del difunto con la claridad de un espejo con respaldo plateado, muy parecido al que colgaba en el lado opuesto de la habitación.

Gideon juntó fragmentos del rompecabezas, su mente trabajando a toda velocidad. Se podría decir que una vez que has visto un cadáver, los has visto a todos. Sin embargo, la vista siempre afectó profundamente a Gideon. Era un recordatorio constante de la fragilidad de la vida.

Con una oleada de náuseas, se acercó a las ventanas, examinándolas apresuradamente. Pero sus esperanzas de encontrar una ruta de escape se desvanecieron cuando se dio cuenta de que estaban cerradas, con rejas de acero resistente. Escapar por las ventanas parecía inverosímil, descartando esa posibilidad.

Acercándose, Gideon vio que el doctor continuaba con su investigación del cuerpo. ¿Maldición, podrían haber pasado más de treinta minutos desde que sonó el disparo? Wolfgang aún estaba vivo cuando llevé a Abby a su habitación? Lo encerré aquí, solo, sin saberlo, sellando su destino. Si tan solo hubiera reaccionado de manera diferente, podría haberle salvado la vida. ¿Qué estaba pensando?

"¡Doctor Dreyfus! ¿Me está diciendo que acaba de morir? ¿Se podría haber hecho algo para salvarlo?" preguntó Gideon, su voz tensa por el arrepentimiento.

"No, Vincent. El disparo dañó gravemente su arteria, e incluso si hubiéramos llegado aquí antes de atender a Abby, habría muerto de todos modos", respondió el médico en voz baja, sus palabras ofrecieron poco consuelo.

Estallido. Estallido. Estallido.

El llamador de la puerta resonó por el pasillo, interrumpiendo su conversación.

El médico se dio cuenta de que no les quedaba tiempo para hablar del tiroteo. En unos momentos, Keizer condujo a cinco policías a la habitación: el sargento y dos de sus hombres, acompañados por dos detectives del Departamento de Policía de Portland.

Los dos oficiales, junto con el sargento, comenzaron a reunir a todos los que estaban en la casa y los escoltaron hasta el salón, excepto Abby y su sirvienta, Maggie, que se quedaron arriba en el dormitorio.

Cerrando su maletín médico, el doctor Dreyfus declaró: "No creo que haya nada más que pueda hacer aquí. Infórmeme cuando se llame a la investigación y le proporcionaré mis hallazgos".

El sargento se volvió hacia Gideon, su mirada escrutadora. "Soy el sargento Sean Connors. ¿Y usted?"

"Vincent Gedeón."

El reconocimiento del sargento del nombre de Gideon fue inmediato. "Ah, Vincent Gideon. Bien. Cuéntame tu opinión sobre la situación hasta ahora", pidió, su tono más bajo y más ronco.

"No mucho, sargento. En el salón al otro lado del pasillo, escuché un solo disparo de un revólver en el pasillo. Corrí a la habitación de inmediato y encontré a Wolfgang muerto en su silla".

El sargento registró diligentemente el relato de Gideon en su cuaderno mientras sus dos detectives examinaban varios artículos en una mesa cercana.

Un detective le susurró algo al sargento y le entregó un papel extraído del cajón del escritorio de Wolfgang.

La reputación del detective lo precedía, pero el oficial no tuvo más remedio que pedirle a Gideon que se quedara en la casa. "Señor Gideon, necesito que se ponga cómodo y se quede aquí hasta que llegue el forense del condado para examinar el cuerpo".

"No hay problema, sargento. ¿Le importa si me retiro por el resto de la noche? Acabo de terminar una vigilancia de tres días y me vendría bien dormir un poco".

"No hay problema, Vincent", estuvo de acuerdo el sargento, instruyendo a uno de sus oficiales para que acompañara a Gideon a un dormitorio y montara guardia frente a su puerta hasta la mañana.

Adolph guió a Gideon a una habitación libre en el piso de arriba, aprovechando la oportunidad para recordarle que lo había mantenido al margen de la conversación, evitando cualquier sospecha de su participación en el asesinato de su jefe.

Sin duda, la policía descubriría que Abby también había estado en el estudio. En cualquier caso, Gideon había ganado algo de tiempo y Abby unas cuantas horas más de libertad, sabiendo que una vez que se despertara por la mañana, el caso inevitablemente arrojaría su sombra sobre ella.

CAPITULO DOS

EL ASESINATO ACECHA LA INOCENCIA Y EL AMOR

Gideon se despertó al día siguiente, con los ojos parpadeando ante la brillante luz del sol que inundaba la habitación. Los rayos fluían a través de las ventanas del piso al techo, su ubicación era un defecto de diseño hecho por arquitectos que deberían haberlo sabido mejor.

Al mirar su reloj, se dio cuenta de que era casi mediodía. La habitación se sentía sofocante, el calor intensificado por el sol implacable. Con un profundo suspiro, respondió a la llamada desde abajo, sabiendo que el forense había llegado para realizar la investigación. El condado no perdió tiempo reuniendo a todos los involucrados en la investigación.

Con ropa prestada que le proporcionó Adolph, Gideon bajó las escaleras y entró en el estudio. El cuerpo había sido retirado, pero en su lugar estaba sentado el forense del condado, rodeado de papeles esparcidos por la hermosa superficie de caoba del escritorio.

Gideon observó la habitación y notó que todo seguía como la noche anterior, excepto por un cambio. La silla principal había sido reposicionada sobre el escritorio, ofreciendo al forense una vista clara de la puerta de entrada.

En un rincón del estudio, Adolph estaba sentado con uno de los detectives de la noche anterior, enfrascados en una conversación. Al otro lado de la habitación, los sirvientes de la casa ocupaban sillas que les traían, sus expresiones llenas de miedo, como un rebaño de ovejas perseguido por un lobo.

Los sirvientes domésticos estaban reunidos alrededor de una mesa de conferencias cerca del escritorio principal, con los ojos fijos en la forense mientras revolvía los papeles y lanzaba miradas ocasionales en su dirección.

El miedo se apoderó de ellos, cada uno temiendo que la culpa de este terrible crimen recaería sobre ellos.

El tamaño de la habitación proporcionó cierto alivio. Detrás del jurado, el doctor Dreyfus y el médico forense entablaron una acalorada discusión, sus expresiones traicionando la intensidad de su conversación.

Muy cerca de los médicos, cuatro periodistas esperaban ansiosamente el desarrollo de la historia, acompañados por el asistente del fiscal de distrito, Bulldog Dennison.

Gideon cruzó la habitación y se sentó en una silla desocupada junto a un hombre que le resultaba vagamente familiar. No podía ubicar el nombre del hombre. Mientras se sentaba, su mirada continuó explorando la habitación, fijándose finalmente en la entrada. Abby todavía estaba ausente.

Al escuchar la conversación del hombre con su vecino, Gideon captó fragmentos de su conversación. Hablaron de la intención del forense Owens de evitarle a Abby dificultades innecesarias, considerando la terrible experiencia que ya había soportado al perder a su esposo.

Antes de recuperar el aliento, el forense miró alrededor de la habitación y golpeó suavemente el escritorio con un mazo de goma. "Hola a todos. Soy el doctor Alastair Owens, el médico forense jefe del condado. Procedamos con esta investigación. Llamo al doctor Dylan Dreyfus a la silla de testigos". Hizo un gesto hacia una silla vacía al lado del escritorio.

"Doctor Dreyfus, por favor infórmenos sobre sus hallazgos al llegar anoche", se dirigió a él el forense, levantando la barbilla y encontrando la mirada del médico de frente.

"Sí, señor. Wolfgang Klein recibió un disparo en el pulmón derecho. Según mi opinión profesional, la muerte se debió a una hemorragia interna. La víctima no murió de inmediato, pero sobrevivió durante aproximadamente treinta minutos antes de sucumbir".

"¿Examinó al señor Klein inmediatamente después de su llegada a la escena?"

"No, señor. Atendí a la señora Klein primero al llegar a la casa del señor Klein. Unos quince o veinte minutos después, me dirigí al estudio para investigar el estado de Wolfgang".

"¿Qué observaste cuando llegaste por primera vez?"

"Lo encontré acostado en su silla, con una sonrisa inusual jugando en sus labios. Una mano agarraba un pañuelo mientras la otra colgaba sin fuerzas sobre el brazo de la silla. A juzgar por la temperatura del hígado, determiné que el cuerpo había muerto recientemente".

"¿Notó algún otro detalle peculiar, Doctor?"

"De hecho, lo hice. Había una abrasión reciente en el dedo meñique de su mano derecha, lo que sugiere que recientemente se quitó un anillo. La piel parecía pálida en el lugar donde una vez estuvo el anillo".

"Gracias, doctor. Una pregunta más. ¿Es usted el médico de familia del señor Klein?"

"No, señor. Solo he visto al difunto en fotos de periódicos y he leído sobre él brevemente. Me llamaron porque resultó ser el médico más cercano".

Se produjo una discusión lateral entre el forense y su médico, quien corroboró el testimonio del doctor Dreyfus. Coincidieron en que la naturaleza de la herida indicaba que la muerte no fue instantánea, estimando que el señor Klein sobrevivió no más de treinta minutos. La evidencia sugería fuertemente que el disparo había sido disparado desde la distancia, descartando la posibilidad de suicidio.

El juez presidente resumió los procedimientos. "El examen post mortem prueba de manera concluyente que el señor Klein murió a las dos de la mañana o poco después. El testimonio del señor Keiser demuestra que el disparo se hizo cuando el reloj dio las dos campanadas. Teniendo en cuenta estos factores, el señor Klein debe haber muerto rápidamente. El disparo se hizo a las dos y el doctor Dreyfus no llegó más tarde de las dos y media.

"Doctor Dreyfus, por favor, absténgase de interrumpir el proceso con información no solicitada", intervino el presidente del tribunal, tratando de mantener el orden. Se volvió hacia su médico y continuó: "Por favor, continúe, doctor. ¿Estaba diciendo?"

Dreyfus parecía molesto, encogiéndose de hombros mientras la ira cruzaba su rostro. Caminó de regreso a su asiento al lado de Gideon, su respiración dificultosa. No le gustaba ser reprendido por el forense. A pesar de su juventud, Gideon confiaba en el diagnóstico del médico, habiendo manejado numerosos casos que desafiaron el libro de reglas.

El médico de la oficina del forense añadió sal a la herida, menospreciando aún más al doctor Dreyfus. "El doctor Dreyfus es relativamente joven en su profesión y depende en gran medida del conocimiento de las revistas médicas. Este es su primer caso criminal real, por lo que se aferra a lo que ha aprendido. Por lo tanto, el buen doctor cree en el resultado que sugieren sus revistas". declaró el médico, exudando una sensación de pomposa superioridad.

Gideon no podía creer lo que escuchaba. Las palabras del médico socavaron la pericia del doctor Dreyfus. Aunque Gideon inicialmente había pensado que el médico era joven, no tenía dudas sobre la precisión de su diagnóstico. Como un detective que confiaba en la intuición y la experiencia en lugar de un libro de reglas, Gideon se encontró a sí mismo muy inclinado a estar de acuerdo con el Doctor Dreyfus.

El forense Owens llamó a uno de los detectives de la noche anterior para que se adelantara. El detective levantó la bala extraída del cuerpo del señor Klein, yuxtaponiéndola con un revólver dorado calibre .45 de cañón corto.

"Esta pistola, caballeros", anunció el detective, caminando de un lado a otro frente al jurado, "fue encontrada en el piso cerca de la silla de la oficina donde yacía la víctima. Miren por ustedes mismos. Una recámara ha sido descargada. La bala Tengo cerillas del calibre de las balas de esta pistola. Wolfgang Klein fue asesinado con esta arma".

Caminó hasta el final del jurado, permitiéndoles inspeccionar la posición rota del revólver, revelando los cartuchos sin gastar y la única ronda gastada. "El señor Klein estaba de pie junto a su silla cuando le dispararon. Estaba escribiendo algo en su escritorio y se puso de pie para enfrentarse a su agresor".

La tensión en la sala aumentó a medida que se desarrollaba la investigación, dejando a la audiencia al borde de sus asientos, esperando ansiosamente nuevas revelaciones.

Detective Givens, ¿por qué cree que estaba de pie?", preguntó el forense Owens.

El detective Givens, con una actitud tranquila, explicó sus hallazgos. "Hay una alfombra de felpa en la habitación y descubrí una carta en la que Klein había estado escribiendo el nombre de alguien. Sin embargo, no terminó de escribir la palabra en el papel. Echó la silla hacia atrás y se puso de pie, dejando marcas de sus zapatos. en la alfombra de felpa. Creo que conocía al asesino porque, cuando lo encontramos, había una sonrisa en su rostro".

Gideon permaneció sentado, observando al detective Givens mientras presentaba sus descubrimientos. Quedó impresionado por la astuta deducción del detective con respecto a la posición de Klein en el momento del tiroteo. Sin embargo, no podía quitarse de encima la preocupación por la sonrisa en el rostro de Klein. Sin embargo, Gideon sabía que tenía que esperar su momento.

El forense Owens centró su atención en los sirvientes de la casa. Su primer testigo fue Theodore Ramsey, el anciano mayordomo. Gedeón estimó que tenía alrededor de setenta años. El rostro de Ramsey comenzó a mostrar una expresión vidriosa de desesperación.

"Señor Ramsey, cuánto tiempo ha trabajado como sirviente para el señor Klein?" preguntó el forense Owens, su voz amable.

"Más de treinta y cinco años", respondió Ramsey, su rostro reflejaba una mezcla de cansancio y tristeza.

El forense Owens sonrió cálidamente, confiado en la confiabilidad de alguien que había servido a otro durante mucho tiempo. "Señor Ramsey, según mi información", miró sus notas, "usted es responsable de asegurar la casa por la noche. ¿Es correcto?"

"Sí, señor", confirmó Ramsey, mordiéndose el labio y desviando la mirada.

"A qué hora de la noche cierras todas las puertas?" El forense Owens continuó con su interrogatorio.

"Depende de si el señor Klein está fuera solo por la noche o por períodos prolongados. Si se ha ido por días, cierro mientras él está fuera. Así era antes de que se casara con la señorita Abigail", respondió Ramsey, el cansancio en su voz aparente.

"Cuál es su horario actual ahora que el señor Klein y la señorita Hoffmann están casados?" preguntó el forense Owens, su curiosidad era evidente.

"Cuando la Sra. Klein sube, cierro toda la casa", respondió Ramsey, su tono teñido con un sentido del deber.

"Muy bien, señor Ramsey. ¿A qué hora cerró la casa anoche?" Presionó el forense Owens, inclinándose ligeramente.

"A las diez en punto, señor", respondió Ramsey, lamiéndose los labios con nerviosismo.

"Estás seguro de que cerraste todas las puertas y ventanas?" El forense Owens investigó más.

"Sí, señor. Excepto por el estudio. El señor Keizer me sorprendió cuando entré a cerrar, diciendo que él mismo aseguraría las ventanas", explicó Ramsey, su voz teñida con un toque de sorpresa.

"Señor Ramsey, mencionó que el señor Keizer lo sorprendió cuando entró al estudio", comentó el forense Owens, con un destello de curiosidad en sus ojos.

"Sí, señor", confirmó Ramsey.

"Por qué te sorprendió ver al señor Keizer en el estudio?" preguntó el forense Owens, su voz firme.

"El señor Klein siempre mantiene el estudio cerrado con llave. Solo él y yo tenemos una llave. Uso mi llave para abrir la habitación para que la sirvienta limpie cada dos días cuando él no está aquí. Además, generalmente llamo a su puerta cuando estoy". cerrando por la noche. Si no recibo una respuesta, entro solo para asegurarme de que todo esté seguro", explicó Ramsey con preocupación.

"Señor Ramsey, por favor dígales a todos cuánto tiempo ha estado siguiendo esta rutina", solicitó el forense Owens, con tono amable.

"Durante al menos quince años, tal vez más. No recuerdo exactamente", respondió Ramsey, su voz teñida con un toque de incertidumbre.

"Anoche, ¿el señor Keizer explicó cómo accedió a la habitación?" preguntó el forense Owens, su curiosidad picada.

"No, señor. Cuando entré, me aseguró que todo estaba bien y que él se encargaría de cerrar con llave. Inmediatamente me di la vuelta y me fui, cerrando la puerta detrás de mí", explicó Ramsey, evitando el contacto directo con los ojos.

"¿Después de eso, a dónde fuiste?" Presionó el forense Owens, ansioso por obtener más información.

"Me aseguré de que todos los sirvientes se retiraran a sus habitaciones para pasar la noche. Una vez que están en el ala de los sirvientes, es imposible escuchar ningún sonido de la casa principal. Todos nos retiramos anoche y recién nos enteramos de la muerte del señor Klein esta mañana temprano". cuando el señor Keizer nos informó", explicó Ramsey con una sensación de resignación.

"¿Entonces, todos los sirvientes estaban en sus habitaciones anoche en el momento del asesinato?" El forense Owens buscó confirmación.

"Sí, todos excepto el conductor de la Sra. Klein y su criada. No regresan a las habitaciones de los sirvientes hasta que la Sra. Klein los despide ", afirmó Ramsey, su voz teñida con un toque de cansancio.

"Gracias, señor Ramsey. No tengo más preguntas para usted ahora", declaró el forense Owens, señalando el final de su interrogatorio.

El forense Owens intervino cuando el mayordomo se levantó de su silla, listo para partir: "Espere un momento, señor Ramsey. Tengo algunas preguntas más para usted".

"Muy bien, señor", respondió Ramsey, levantando las cejas con curiosidad.

"Puedes recordar cuándo fue la última vez que viste vivo al señor Klein?" preguntó el forense Owens, su voz mesurada.

"Creo que fue alrededor de las cinco de la tarde de ayer cuando estaba saliendo", respondió Ramsey, con la voz teñida de nostalgia.

"Entonces no estuvo presente en casa durante la cena de anoche?" El forense Owens presionó, buscando una aclaración.

"El señor Keizer y la señora Klein cenaron solos anoche. Incluso el señor Thomas no estaba aquí", reveló Ramsey, su voz insinuando resignación.

"Señor Tomás?" El forense Owens cuestionó, intrigado.

"Sí, Blair Thomas. Es el sobrino del señor Klein y ha vivido en esta casa desde que era un niño", explicó Ramsey, proporcionando más contexto.

El interrogatorio adicional de los otros sirvientes arrojó resultados mínimos, pareciendo ser una mera formalidad. Fueron despedidos para que reanudaran sus funciones habituales, excepto el conductor y la doncella de la señora Klein.

El forense Owens pidió a Maggie, la doncella de la señora Klein, que se sentara en la silla que tenía delante. Bajó la mirada a sus papeles, revolviéndolos un poco antes de dirigirse a ella. "¿Déjame ver, tu nombre es Tabitha, correcto?"

"Sí, señor", confirmó Tabitha, ofreciendo una suave sonrisa al jurado y una ligera reverencia en dirección al forense. Era una chica joven y hermosa.

"Tabitha, en lugar de que te haga una serie de preguntas, por qué no me dices todo lo que sabes de anoche, asegurándote de no omitir ningún detalle?", sugirió el forense Owens con calidez, su sonrisa irradiaba genuina amabilidad.

Tabitha hizo una pausa momentánea, organizando sus pensamientos, antes de contar los hechos. "Anoche, alrededor de la medianoche, llamaron a la puerta de la Sra. Klein. Ella se estaba preparando para retirarse por la noche. Era el Sr. Keiser. Dijo que el Sr. Klein quería verla en su estudio de inmediato. La Sra. Klein no No dudé y seguí al señor Keizer fuera de la habitación y escaleras abajo hasta la oficina del señor Klein. No había terminado de tender su cama y ella ya había regresado.

"Está bien, necesito que seas más preciso con respecto al tiempo que estuvo fuera. ¿Fue un minuto? ¿Dos minutos? ¿Diez minutos?" El forense Owens probó su voz firme pero no acusatoria.

Tabitha vaciló al darse cuenta de que la habían pillado mintiendo. Bajó la cabeza cuando admitió: "Lo siento, señor. Salí al pasillo y me incliné sobre la barandilla de la escalera, tratando de escuchar cualquier sonido. Vi a la Sra. Klein corriendo escaleras arriba, y Regresé rápidamente a su habitación para terminar de tender la cama. Miré el reloj y eran veinte minutos pasada la medianoche".

"Tenga cuidado con las falsedades, Tabitha. Tienen una manera de alcanzarla", advirtió el forense Owens, con voz firme pero comprensiva.

"Sí, señor. Me disculpo. Me confundí", confesó Tabitha, tratando de recomponerse.

"Por favor, continúe", instó el forense Owens, ansioso por obtener más información.

"Después de entrar corriendo a la habitación, la señora Klein cerró la puerta de golpe detrás de ella. No dijo una palabra y simplemente acercó su silla al escritorio y comenzó a escribir. Puso el papel en un sobre blanco y me indicó que lo entregara. a Samuel".

"Quién es Samuel?" preguntó el forense Owens, intrigado.

"Samuel Wallace, el chofer", aclaró Tabitha, su voz teñida de emociones encontradas.

"Está bien, por favor continúe", alentó el forense Owens.

"Me dijo que le dijera que se apurara con la nota y fuera a la casa del señor Gideon, con la esperanza de que regresara con el detective rápidamente.

Después de entregarle el sobre a Samuel, se suponía que debía regresar a mis habitaciones," continuó Tabitha.

"Regresaste a tus aposentos como se te indicó?" preguntó el forense Owens.

"Lo hice, pero volví más tarde", admitió Tabitha.

"Por qué volviste? ¿Olvidaste algo?" El forense Owens investigó más.

"No, señor. En algún momento de la mañana. No estoy seguro de la hora exacta. El señor Keizer vino y me pidió que regresara a la habitación de la señora Klein. Ella se había enfermado. Cuando llegué, el doctor Dreyfus estaba allí y me pidió que Quédate con ella hasta la mañana. No fue hasta la mañana siguiente, cuando bajé a desayunar, que Theo me informó de la muerte del señor Klein", explicó Tabitha, con la voz teñida de incertidumbre y preocupación.

"Una vez más, ¿sabes lo que había en la nota?" preguntó el forense Owens, esperando más información.

"No, señor. Estaba sellado ", respondió Tabitha, su voz transmitiendo certeza.

Gideon escuchó atentamente el relato de Tabitha y se dio cuenta de que se acercaba el momento de testificar durante la investigación. Se había preparado para las preguntas del forense, pero temía que sus respuestas no fueran suficientes para despejarlo de sospechas.

El forense Owens llamó al chofer, Samuel Wallace, para que se adelantara. Samuel confirmó la veracidad del testimonio de Tabitha, evitando una repetición completa de los hechos. Sin embargo, un jurado inquisitivo planteó una pregunta durante la audiencia informal. "La criada te dio la dirección del señor Gideon?"

"No, señor. Yo era el chofer de la Sra. Klein incluso antes de que se casara con el Sr. Klein, ya menudo llevaba al Sr. Gideon a casa por las noches", respondió Samuel, su expresión bajo un escrutinio minucioso.

El forense Owens observó a Samuel cuidadosamente, buscando signos reveladores en sus expresiones mientras respondía a la pregunta del jurado. "Entonces, lo que estás diciendo, Samuel, es que la Sra. Klein ya conocía a Vincent Gideon antes de su matrimonio con Wolfgang Klein. ¿Es eso correcto?"

El forense interrumpió, planteando una pregunta propia. ¿No te pareció extraño que la señora Klein te llamara a medianoche y te dijera que fueras a buscar a Vincent Gideon?

"Para nada, señor Owens. No pensé mucho en ello de una forma u otra. Simplemente estaba haciendo mi trabajo. Me pagan para llevar a cabo las instrucciones de la señora Klein o del señor Klein", respondió Samuel. su tono refleja un sentido de profesionalismo.

Gideon se sentó en su silla, acompañado por el hombre de la barba roja, durante cuatro horas sin ser llamado a declarar. Sin duda, el testimonio del chófer había arrojado luz sobre el detective Gideon, y él sabía que su hora se acercaba rápidamente.

Luego, el forense golpeó suavemente con su mazo sobre el escritorio, aplazando la investigación para un breve receso y almuerzo. Era casi la una de la tarde.

Theo Ramsey se acercó al grupo e indicó a Gideon y a algunos otros que se dirigieran a la habitación al otro lado del pasillo, donde se entregarían los sándwiches. Mientras esperaban, Gideon no pudo evitar escudriñar los movimientos de la gente en el pasillo, con la esperanza de ver a Abigail. Sin embargo, para su decepción, no se la vio por ninguna parte durante el recreo.

Theodore finalmente entró en la habitación y pidió a todos que regresaran al estudio. El forense Owens estaba listo para reanudar el proceso.

Vincent entró en la habitación y se sentó cerca de la ventana, lo que le permitió ver claramente las caras y expresiones de los testigos. Sorprendentemente, desde las primeras cuatro horas de la indagatoria, su compañero volvió a sentarse en la silla junto a Gideon.

Grifo. Grifo. Grifo.

"La investigación ahora llegará al orden. ¿Ha regresado Tillman?" preguntó el forense Owens.

"Sí, señor", dijo una voz desde el otro lado de la habitación. Tillman cruzó la habitación, levantó la mano en un saludo fingido al forense y se sentó.

"Spencer, ¿qué descubriste sobre la coartada del ayuda de cámara esta mañana?" preguntó el forense Owens, su tono expectante.

"El gerente del club de música confirmó que el ayuda de cámara estaba allí en el momento del tiroteo. También hablé con una mujer joven que afirmó haber estado con él hasta la madrugada", informó Spencer, proporcionando una actualización de su investigación.

"Muy bien. Gracias, Spencer. Eso será todo", reconoció el forense Owens, despidiendo al oficial de policía.

Gideon, que normalmente mantenía una actitud serena, no pudo hacerlo esta vez. Cuando el forense Owens despidió al oficial de policía, dirigió su mirada hacia sus papeles en el escritorio antes de escanear la habitación hasta que sus ojos se posaron en el renombrado detective.

Maldición. Es mi turno. Gotas de sudor se formaron en la frente de Gideon.

El forense Owens dijo: "Adolph Keiser, el secretario privado de Wolfgang Klein, acérquese y tome asiento junto al escritorio", señalando la silla con la palma abierta.

CAPÍTULO TRES

SECRETARIO ADOLPH KEIZER BAJO ESCRUTINIO

"**J**esucristo, ¿qué diablos dirá Adolph?" Gideon se preguntó en voz alta, su mente corriendo con pensamientos.

No pudo evitar recordar que Abby mencionó que podía escuchar los pasos de Adolph por toda la casa. Gideon reflexionó sobre cuánto podría haber observado Adolph de los eventos de la noche anterior.

Adolph Keizer cruzó la habitación con los ojos brillantes de ira dirigida a Gideon. Gideon tenía un sentimiento muy arraigado de que este hombre haría todo lo posible para dañarlo a través de su testimonio.

"Ese bastardo no trama nada bueno, tal como lo sospeché desde el momento en que lo vi", pensó Gideon. Estaba convencido de que su actitud firme y decidida de la noche anterior volvería a atormentarlo. Creía que Adolph era lo suficientemente astuto como para usar a Abby para vengarse de él. Inclinándose hacia adelante en su silla, Gideon se esforzó por captar cada palabra que pronunciaba el secretario.

El forense Owens se dirigió a Adolph con voz autoritaria. "¿Usted es la secretaria del señor Klein, correcto?"

"Sí, señor", respondió Adolfo.

"Indique su nombre completo para el registro", solicitó el forense.

"Adolfo Keiser."

"Cuál es tu papel y nivel de responsabilidad en el hogar, Adolph?"

"Soy el secretario del señor Klein. Estoy encargado de administrar sus asuntos comerciales".

"Trabajas principalmente desde esta casa?"

"Sí, a veces. Sin embargo, trabajo principalmente desde la oficina central de Ahorros y Préstamos".

"Encuentro desconcertante que un hombre de la riqueza y el éxito del señor Klein tenga a alguien como usted, un empleado común, colocado en pie de igualdad con la familia aquí en la casa", comentó el forense, su tono mezclado con curiosidad.

Adolph vaciló por un momento, pareciendo nervioso. Se retorció en su silla y Gideon observó atentamente el endurecimiento de sus expresiones faciales. Para su sorpresa, el hombre que estaba sentado a su lado sonrió deliciosamente, su espesa barba roja agregando un toque de intriga.

"No es inusual, señor. Soy pariente lejano de la familia", respondió Adolph. "Wolfgang me invitó a hacer mi hogar con él hace dos meses".

"Cuánto tiempo has estado trabajando para el señor Klein?" inquirió el forense.

"Dos meses."

"Dado que reside en la casa, también debe estar familiarizado con los asuntos privados del señor Klein", insistió el forense.

"No, señor, señor Owens. Solo estoy familiarizado con sus asuntos relacionados con inversiones y otros asuntos comerciales", aclaró Adolph.

"Cómo eran las actividades diarias del señor Klein?" preguntó el forense, profundizando en la vida personal del señor Klein.

"Se desempeñó como director de Klein Savings and Loan", respondió Adolph. "También se dedicó a la negociación en el mercado de valores".

La siguiente pregunta del forense tomó a todos en la habitación con la guardia baja. "También se involucró en asuntos ilícitos dentro de su vida personal?" La astucia del forense superó las expectativas de los presentes.

Un silencio llenó la habitación mientras todos los ojos se volvían hacia Adolph, esperando su respuesta. El secretario pareció desconcertado por varios momentos antes de emitir una risa débil. "Sí, señor Owens, ciertamente no estaba en buenos términos con su esposa, si eso es lo que está preguntando. Puedo asegurarle que estaba lejos de ser un esposo modelo".

A su lado, el compañero de Gideon susurró lo suficientemente alto para que Gideon lo escuchara: "¡Es un maldito idiota!". La sala estalló con conversaciones secundarias, cada vez más ruidosas. El forense Owens golpeó suavemente el escritorio con su mazo, intentando restaurar el orden.

Gideon giró la cabeza para escuchar cualquier comentario adicional del secretario. Estaba más interesado en las palabras de la secretaria que en lo que su compañero vecino sentía por él.

Sintiendo la necesidad de volver a centrar la investigación en los acontecimientos de la noche anterior, el forense reanudó su interrogatorio. "Dónde estabas cuando se disparó el arma anoche?"

"Estaba en el hueco de la escalera, regresando a mi habitación. Había estado en una habitación pequeña más allá del estudio, tratando de completar un trabajo. Acababa de subir las escaleras cuando escuché el reloj de pie en el pasillo tocar dos campanas. Luego, escuché el eco del disparo desde el estudio", relató Adolph.

"Qué hiciste después?" inquirió el forense.

"Estaba aterrorizado por mi vida. Al principio, contemplé correr escaleras arriba lo más rápido que pude. Pero luego, considerando que acababa de ver a la Sra. Klein entrar al estudio, temí por su seguridad. Dudé, sin saber qué hacer. hacer", admitió Adolph.

"Al final regresaste a la habitación?" presionó el forense.

"Sí, señor, regresé. Vi al señor Gideon salir del salón al otro lado del pasillo y dirigirse hacia el estudio. Se detuvo en la puerta, miró por un momento, antes de desaparecer de mi vista y entrar en la oficina del señor Klein. ", recordó Adolfo.

"¿Entonces, el señor Gideon entró en la habitación antes que tú?" el forense buscó una aclaración.

"Sí, señor. Me apresuré y me detuve en la puerta. No estaba seguro de si habría más disparos, y no quería arriesgarme a recibir un disparo ", confirmó Adolph.

Gideon estaba junto a la puerta, concentrado en el testimonio de Adolph. Escuchó a Adolph hablar con Abby dentro de la habitación.

"Qué le dijo?" el forense investigó más.

"Gritó en voz alta, '¡Abby!' Al escuchar su voz, dejó caer algo brillante de su mano y se derrumbó en los brazos del señor Gideon", relató Adolph.

"Entonces que hiciste?" preguntó el forense, tratando de entender las acciones de Adolph.

"Alcancé el interruptor de la pared y encendí las luces de la habitación. Fue entonces cuando me di cuenta de que el señor Klein se desplomó en su silla, con el pecho manchado de sangre", explicó Adolph.

"Déjame aclarar esto, Adolph. ¿Cuándo entraste inicialmente al estudio, estaba oscuro?" el forense buscó una aclaración.

"No, señor. Había una pequeña lámpara encendida en el escritorio. Sin embargo, solo iluminaba el área inmediata alrededor del escritorio, no toda la habitación", aclaró Adolph.

"Y cuando encendiste el interruptor de la luz, ¿cuántas personas había en el estudio?" inquirió el forense.

"Tres personas. El señor Gideon, la señora Klein y yo", respondió Adolph.

"Podría alguien haber salido de la habitación a través de las puertas francesas antes de que llegaras?" cuestionó el forense, explorando la posibilidad de una ruta de escape.

"No, señor. Cerré las ventanas a pedido del señor Klein a medianoche, y todavía estaban cerradas cuando llegó la policía", afirmó Adolph.

"Podría el asesino haber salido del estudio por la puerta del pasillo?" el forense continuó con su línea de interrogatorio.

"Cuando escuché el disparo, me volví para mirar hacia el estudio. No vi a nadie salir corriendo. Además", testificó Adolph, "el señor Gideon estaba en la puerta casi inmediatamente después del disparo", agregó Adolph.

"Muy bien. Ahora, repasemos tu declaración anterior. Mencionaste que la Sra. Klein sostenía algo brillante en su mano. ¿Pudiste discernir qué era?" indagó el forense, ansioso por conocer más detalles.

"Sí, señor. Era un revólver de oro", declaró Adolph, su mirada se encontró con la de Gideon en ese mismo momento.

De repente, una fuerte voz interrumpió el proceso. "¡Eres un maldito mentiroso! ¡Hijo de puta!" El chofer se alejó de un grupo de sirvientes y se acercó a la secretaria. Se enfrentó a Adolph, acercándose a él personalmente. "¡Estás diciendo mentiras, miserable bastardo! ¡Retracta tu declaración, o te rompo el maldito cuello!"

El chofer fue rápidamente escoltado fuera del estudio para restaurar el orden. Gideon no pudo evitar sonreír, apreciando la lealtad del chofer hacia Abby.

El forense Owens, inseguro de cómo manejar la interrupción, ahora duda del testimonio de la secretaria. Se dio cuenta de la necesidad de corroborar la declaración de Adolph con más pruebas.

¿Tiene algún motivo para sospechar de la señora Klein, aparte de que sostenía el revólver? preguntó el forense Owens, su voz severa.

Adolph clavó los ojos en Gideon, una expresión triunfante iluminando su rostro. "Ella sabía muy bien que el señor Klein tenía el arma en su escritorio. Tuvieron una pelea unas horas antes del incidente", afirmó Adolph con confianza.

El forense solicitó más detalles. "Por favor, explique la naturaleza de su argumento".

"El señor Klein regresó alrededor de las once y media después de salir a cenar. No había reloj en el estudio", comenzó Adolph, con voz firme. Gideon, el hombre de barba roja sentado a su lado y todos los demás en la sala escucharon atentamente.

"Usted estaba presente en el estudio cuando regresó", confirmó el forense.

"Sí", respondió Adolfo.

"Anteriormente dijiste que estabas en tu oficina al final del pasillo del estudio. Entonces, ¿por qué estabas en el estudio entonces?" el forense sondeó, buscando claridad.

"Estaba atendiendo una correspondencia que el señor Klein me había dejado para completar", explicó Adolph.

"El señor Ramsey testificó anteriormente que solo él y el señor Klein tenían las llaves del estudio, que normalmente estaba cerrado. ¿Posees un duplicado de la llave del estudio, Adolph?" preguntó el forense, profundizando en el acceso.

"No, señor. No tengo llave. El señor Klein dejó el estudio abierto para que terminara su correspondencia", respondió Adolph con calma.

"Muy bien. Continúe por favor", instruyó el forense.

"Después de la medianoche, el señor Klein entró en el estudio y me pidió que fuera a buscar a la señora Klein. Cuando comenzaron a hablar, sus voces se hicieron más fuertes y se convirtieron en una acalorada discusión", continuó Adolph, contando los hechos.

El forense buscó más detalles. "Podría arrojar algo de luz sobre el contenido de su pelea a gritos?"

"Sí, señor. El señor Klein amenazó con hacerle daño al señor Gideon. La señora Klein pasó corriendo junto a mí y subió corriendo a su habitación", reveló Adolph.

"Qué pasó después?" —inquirió el forense, picada su curiosidad.

Gideon, sentado al lado de Adolph, escuchó atentamente, al igual que todos los demás en la sala.

"El señor Klein me indicó que vigilara de cerca a la señora Klein. Dijo que me llamaría y que, cuando lo hiciera, le informaría de cualquier hallazgo. Era como si no confiara en ella", explicó Adolph.

"Y luego?" el forense insistió más.

"Más tarde, escuché a la Sra. Klein instruir a su doncella para que llamara a Samuel y le dijera que fuera a buscar al señor Gideon", reveló Adolph con voz firme.

"Después de un tiempo, estaba cerca del estudio y escuché voces en el pasillo. De pie junto a la escalera, retrocedí hacia las sombras mientras la Sra. Klein bajaba las escaleras. Observé mientras pasaba a mi lado y entraba en el salón. encendiendo las luces", continuó Adolph, pintando vívidamente la escena.

El forense investigó: "Cuándo llegó el señor Gideon? El reloj al final del pasillo acaba de dar una campanada. ¿Sería seguro asumir que fue aproximadamente veinte minutos más tarde, aunque no está seguro?".

"Sí, señor. Debe haber sido alrededor de veinte minutos después de la campanada. No puedo dar una hora exacta", aclaró Adolph.

"Quién abrió la puerta cuando llegó el señor Gideon?" el forense cuestionó, buscando cada detalle.

"La Sra. Klein abrió la puerta principal y dejó entrar al señor Gideon. Luego cerró la puerta detrás de ella y la echó llave. La observé girar la llave en la cerradura. Después de eso, lo llevó al salón al otro lado del pasillo del estudio", respondió Adolfo, pintando un cuadro claro de los acontecimientos.

"Aproximadamente quince minutos después, el señor Klein pasó por mi pequeña oficina y me pidió que me uniera a él en el estudio. Me indicó que informara cualquier hallazgo inusual. Se sentó en su escritorio, tomó su bolígrafo y estaba en esa posición cuando lo descubrimos baleado", relató Adolph.

El forense profundizó en las secuelas. "Qué le dijiste?"

"Todo lo que acabo de compartir contigo", respondió Adolph.

"Y cómo reaccionó?" inquirió el forense.

"Dejó caer su bolígrafo sobre el escritorio, se reclinó en su silla y se echó a reír", reveló Adolph.

"Risa?" repitió el forense, buscando confirmación.

"Sí, señor", confirmó Adolph.

Con cada palabra que pronunciaba el secretario, Gideon se ponía cada vez más tenso. Inicialmente, el detective había tratado de mantener la compostura, reprimiendo sus réplicas y ofreciendo una sonrisa. Sin embargo, su ira había estado hirviendo a fuego lento como una bomba de relojería a punto de explotar.

"Dijo algo después de que terminaras tu informe?" preguntó el forense.

"Sí, señor. Él dijo: 'Así que tenemos un puto playboy en la casa, ¿eh? Debería saber cómo jugar rápido y suelto. ¡Haré que sea útil, este playboy amante de Abigail!", relató Adolph. sus palabras llenas de desdén.

Alastair, el forense, no pudo evitar notar las emociones hirvientes de Gideon. Necesitaba redirigir el curso de la investigación para evitar más caos. "Keiser, es suficiente", intervino con firmeza, sintiendo que Adolph había ido demasiado lejos.

Gideon luchó por mantener la compostura, sentado en su silla junto al hombre de barba roja, incapaz de defenderse a sí mismo oa Abby. La voz suavemente insinuante del secretario, repitiendo las palabras del hombre odioso, era casi insoportable para él.

"¡Detener!" Gideon se levantó abruptamente, incapaz de contenerse por más tiempo. "Su Señoría, se lo ruego, ¡esto es inaceptable! ¡Está mal introducir tales asuntos en esta investigación! ¡Está mal, se lo digo!" Gideon suplicó apasionadamente.

"Ya basta, señor Gideon. ¡Siéntese!" El forense Owens declaró con firmeza, intentando restablecer el orden.

Alastair conocía bien el pasado aventurero y el historial casi perfecto de Vincent Gideon. También entendía la larga mecha de Gideon y temía enemistarse aún más con el detective. "Señor Keiser, por favor, absténgase de seguir hablando de ese asunto. No necesita repetir ningún comentario adicional hecho por el señor Klein", intervino Alastair, tomando el control de la situación.

"Por favor, continúe. ¿Qué hizo después?" el forense redirigió la línea del interrogatorio.

"El señor Klein me indicó que asegurara las ventanas y me permitió irme. Ya había escuchado suficiente. Cuando salí de la habitación, él estaba sentado en su silla, todavía riéndose", concluyó Adolph.

Una interrupción informal provino de una mujer miembro del jurado. "Sabes qué pudo haber causado la pelea entre el esposo y la esposa?" inquirió, buscando más información.

"Sí, señora. Era una carta de amor que la Sra. Klein le había escrito al señor Gideon", respondió Adolph con una mueca de disgusto en su rostro.

Alastair miró a Gideon, consciente de las emociones hirvientes del detective. Necesitaba pasar rápidamente a otra pregunta para que la secretaria no divulgara el contenido de la carta, lo que podría desencadenar el caos. "No más preguntas, señor Keiser. ¡Spencer!" gritó el forense. "Ve al Hotel Riverside y pregunta por Blair Thomas. Si está allí, tráelo de vuelta a esta investigación".

"Inmediatamente, señor", respondió Spencer, el policía, y abandonó el estudio para cumplir con las órdenes del forense.

Alastair miró al famoso detective y su voz se suavizó. "Vincent, es hora de escuchar tu versión. Dado tu ilustre pasado, confío en que serás un testigo invaluable en este caso".

Gideon no podía negar su nerviosismo, algo raro en él. El amor tenía una forma de interrumpir todos los pensamientos tranquilos y serenos. ¿Maldita sea, por qué no nací ciego? ¿O mejor aún, por qué no estaba a mil millas de distancia cuando sonó ese disparo en el estudio al otro lado del pasillo? ¿Qué es eso? Deja de hablar conmigo mismo. No puedo imaginar cómo mi testimonio hará algo más que dañar aún más a la mujer que amo.

"Vincent, por favor, comparte con el jurado lo que ocurrió anoche", solicitó el forense, su tono más suave.

"No, señor, no dadas las circunstancias", respondió Gideon con firmeza.

"Bajo qué circunstancias, ¿detective?" inquirió el forense, buscando una aclaración.

"En la discusión entre el señor y la señora Klein, como la describió la secretaria, el señor Klein amenazó con arruinarme o causarme daño. ¡La señora Klein me mandó llamar para advertirme que su marido me estaba atacando!", Gideon explicó, enfatizando la gravedad de la situación.

Algunos miembros del jurado intercambiaron empujones y Gideon se dio cuenta de que sería mejor construir un caso contra la Sra. Klein en lugar de dejar que consideraran las posibilidades escandalosas que surgían de su negativa a responder.

El forense Owens preguntó: "¿No podría haberle escrito, aconsejándole que fuera cauteloso con las intenciones de su esposo?".

"Puedo responder a tu pregunta, pero sería una especulación de mi parte. Tal vez ella creyó que mostraría una preocupación excesiva y vendría de todos modos, por lo que decidió que era mejor dar la advertencia en persona", razonó Gideon, ofreciendo una posible respuesta. explicación.

El forense intervino rápidamente después de la respuesta de Gideon, ansioso por mantener la investigación en marcha. "¿Pero, no habría sido suficiente la mañana siguiente para que ella se comunicara contigo?"

"Lo siento, pero no puedo hablar por la señora Klein", respondió Gideon encogiéndose de hombros.

El jurado observó a Gideon atentamente mientras aumentaba la presión. Su reputación hablaba por sí sola. Su nombre y rostro habían aparecido en innumerables titulares de primera plana de periódicos en los últimos años. Era conocido por la fama, mientras que Klein era conocido por la riqueza.

"Vincent, conocías a la Sra. Klein como amiga antes de su matrimonio?" preguntó Alastair, adoptando un tono más suave para no ofender al detective.

Gideon se frotó las sienes, su pelo canoso entre los dedos. Sabía que sería imprudente sacar a relucir los secretos de la familia, especialmente considerando las posibles consecuencias para Ludwig con la policía. Revelar tal información también podría socavar los sacrificios ganados con tanto esfuerzo por Abby.

Gideon asintió y respondió con un tono sereno: "Sí, su señoría, en verdad era un amigo".

Alastair pasó dos páginas de un lado a otro, examinando las palabras escritas en ellas. Miró brevemente en dirección a Gideon antes de reanudar el interrogatorio. "Vincent, mencionaste que enviaste a la Sra. Klein al estudio para recuperar papeles valiosos. ¿Es eso correcto?"

"Sí," afirmó Gideon.

"Es este el papel?" preguntó Alastair, mostrando un documento escrito a mano que parecía ser el que Abby había mencionado.

"No tengo idea", respondió Gideon.

"Si no tienes idea, por qué afirmaste haberla enviado a buscar papeles del estudio?" presionó Alastair, buscando una aclaración.

"Porque la Sra. Klein me informó que su esposo poseía una carta que podría usarse en mi contra, arruinándome potencialmente. Por lo tanto, su señoría, no tengo forma de saber si el papel en su mano es el que ella mencionó", explicó Gideon. haciendo hincapié en la incertidumbre.

Alastair se cansó de caminar de puntillas alrededor del detective. Aunque la fama de Gideon lo precedía, era hora de hacer negocios. "Escuchaste a Adolph Keizer decir que era una carta de amor que te escribió la Sra. Klein, no es así?"

Una vez más, el jurado intercambió empujones y comenzaron las discusiones paralelas. El juez golpeó suavemente su mazo sobre el escritorio, indicando orden.

Alastair sabía que tenía que andar con cuidado. Vincent Gideon se había ganado su reputación a través de una aguda observación y reuniendo pruebas de la escena del crimen. Sabía que Gideon tendría una respuesta a su pregunta.

"Sí, sí, lo escuché. Todos en esta sala te escucharon preguntarle sobre el contenido de la carta. Sin embargo, no te escuché preguntarle cómo se enteró. recolectó y reconstruyó numerosos fragmentos desgarrados de la correspondencia privada de la Sra. Klein del bote de basura únicamente para satisfacer la curiosidad de Wolf", declaró Gideon, volviendo su mirada hacia el jurado, aprovechando la oportunidad para revelar la verdad sobre la carta.

La repugnancia cruzó por los rostros de los miembros del jurado y del forense, levantando sospechas sobre Keizer y si era tan inocente como decía. Mientras tanto, Gideon se sintió aliviado de haber tenido la oportunidad de exponer la verdad sobre la carta al jurado.

Al darse cuenta de que su línea de interrogatorio era ineficaz, Alastair cambió rápidamente su enfoque. "Volviendo a cuando enviaste a la Sra. Klein al estudio. ¿Por qué la enviarías si ambos sabían que su esposo estaba presente en la habitación?"

"Eso no es cierto. El señor Klein le había informado a su esposa que se iba. Ella no tenía conocimiento de que hubiera alguien en el estudio", aclaró Gideon, refutando la suposición.

"Pero, Vincent, si la Sra. Klein lo encontró inesperadamente, no podría haberle disparado con el revólver dorado para asegurar la carta?" Propuso Alastair, explorando un posible escenario.

Gideon sabía que no tenía derecho a hacer una pregunta capciosa como esa en un tribunal de justicia real. Sin embargo, respondió a la consulta de Alastair ya que se trataba de una inquisición informal. "¡Imposible! Estuvo en el estudio menos de un minuto antes de que sonara el disparo", afirmó Gideon, dirigiéndose al jurado. "Simplemente no tuvo suficiente tiempo para confrontar a Wolfgang, abrir su cajón, recuperar el revólver y cometer un asesinato. Además, la habitación estaba completamente oscura cuando ella entró".

Hubo una pausa mientras Gideon ordenaba sus pensamientos. "Dejó la puerta entreabierta, y cuando salí al pasillo, escuché claramente el reloj dando dos campanadas. Aparte de eso, había un completo silencio en el estudio. Estaba envuelto en la oscuridad".

Gideon fue interrumpido por una expresión peculiar del forense, que detuvo su oración prematuramente. "¿Estás seguro de que el estudio estaba completamente oscuro, Vincent?"

"Sí, señor, estaba completamente oscuro", reafirmó Gideon.

Se produjo una batalla de palabras entre Gideon y Alastair Owens. Había mucho en juego cuando se enfrentaron verbalmente. Era hora de que Alastair abandonara la familiaridad de dirigirse a Gideon por su nombre de pila y acelerara el paso. "Señor Gideon, está sugiriendo en serio que la habitación estaba totalmente a oscuras, a pesar de que testimonios anteriores indicaban que el señor Klein estaba escribiendo una carta unos segundos antes de que le dispararan?" desafió Alastair, su tono chorreando sarcasmo.

Maldita sea, tiene razón. Me olvidé por completo del testimonio del detective Givens sobre Wolf escribiendo una carta en el momento del disparo. "Por supuesto, no estaba dentro de la habitación en sí, pero a juzgar por la entrada lenta de la Sra. Klein y la ausencia de luz que se derramaba en el oscuro pasillo cuando abrió la puerta, deduje que el estudio estaba envuelto en oscuridad", Gideon defendido, decidido a defender su testimonio.

"Es eso así?" Alastair respondió con palabras rápidas.

Gideon sacudió la cabeza de un lado a otro, necesitando reiterar su punto. "¡Estoy convencido de que la habitación estaba oscura y mantengo mi testimonio!" Gideon miró hacia el hombre de barba roja que estaba sentado junto a su silla vacía, notando la suave sonrisa en su rostro.

Alastair se dio cuenta de que estaba avanzando poco con las respuestas de Gideon a su línea de preguntas y decidió cambiar de rumbo. "Viste a la Sra. Klein sosteniendo el revólver en su mano?"

"Cuando sonó el disparo, di unos pasos más y corrí a la habitación. Pude ver que Wolfgang había recibido un disparo en el pecho y que la señora Klein estaba de pie junto a su silla", relató Gideon.

Alastair negó con la cabeza, en desacuerdo. "Ahora se está contradiciendo, señor Gideon. Afirmó que el estudio estaba completamente oscuro". El forense creyó que había atrapado al detective en una mentira.

"Su señoría, la habitación estaba oscura. Cuando abrí la puerta, la lámpara se encendió ", aclaró Gideon.

"Crees que podría haber alguien más en la habitación. ¿Es eso correcto, Vincent?" Alastair suavizó su tono, volviendo a hablar por su nombre de pila.

"Sí, lo hago", confirmó Gideon.

"¿Desde dónde estabas en el pasillo, viste a alguien entrar o salir de la habitación?" Alastair sondeó.

"No, no lo hice."

"Vincent, escuchaste el testimonio sobre las ventanas de la habitación, ¿no?" preguntó Alastair, dirigiendo la línea de interrogatorio.

"Sí, lo hice."

"Aún mantienes que alguien más estaba en la habitación?" presionó Alastair, con la esperanza de socavar la afirmación de Gideon.

Alastair se vio envuelto en un duelo verbal con Vincent Gideon, uno de los detectives más renombrados del mundo. Gideon casi había derribado a Rosenthall y resuelto muchos otros casos aparentemente irresolubles. Se había convertido en un nombre familiar para muchos.

Entonces, aquí es donde nos encontramos. Alastair está tratando de atraparme en una respuesta contradictoria para tomar represalias por mi terquedad con respecto a la luz en el estudio. Él no me atrapará. "No puedo estar seguro, su señoría. Sin embargo, estoy seguro de una cosa: no tenía conocimiento de la presencia del señor Keiser en la habitación hasta que encendió la luz principal. Todavía no estoy preparado para decir si ya estaba en la habitación". habitación cuando entró la señora Klein o si entró después de mí", afirmó Gideon.

Cuando Keizer perdió los estribos y se levantó de su silla, estalló una segunda ola de conmoción en la investigación. "¡Eso es una mentira!" exclamó Keizer, su rostro aún más pálido que antes. "Yo no estaba en la habitación. ¡Estaba cerca de la escalera en el pasillo cuando se disparó! ¡Por qué dices eso, Gideon!"

El intento de Keiser de atacar a Gideon y llamarlo mentiroso solo generó más sospechas entre el jurado y el forense. Comenzaron a cuestionar si Keizer era realmente tan inocente como decía. Mientras tanto, Gideon se sintió aliviado por el giro de los acontecimientos en el interrogatorio, sabiendo que la posición de Abby podría fortalecerse.

Sin embargo, su respiro duró poco. El forense preguntó: "Considerando que la Sra. Klein estaba en el estudio, por qué engañó a la policía, dándoles la impresión de que escuchó el disparo desde arriba?"

"Ella no se encontraba bien. No quise sugerir que estaba arriba en el momento del disparo. Simplemente quería asegurarme de que no la molestarían ", explicó Gideon, tratando de aclarar sus intenciones.

"En otras palabras, Vincent, tenías miedo de decir la verdad", afirmó el forense, haciendo una declaración en lugar de plantear una pregunta.

Gideon no vio ninguna razón para seguir respondiendo. Protestar solo exacerbaría la ya incómoda situación.

"Vincent, como sabes, si un hombre muere sin testamento, su esposa hereda su propiedad, correcto?" preguntó Alastair, buscando confirmación.

Gideon no respondió verbalmente, pero asintió suavemente, indicando su acuerdo. Parecía desconcertado.

"El señor Klein murió intestado", reveló Alastair. Haciendo una pausa por un momento, levantó otras dos páginas de papel. Y esto es en lo que estaba trabajando el señor Klein cuando le dispararon: una última voluntad y testamento, señor Gideon. Y no es a favor de la señora Klein.

"No estoy seguro, su señoría, por qué está haciendo esta pregunta. ¿Por qué debería tener conocimiento de los asuntos personales de Wolfgang?" preguntó Gideon, perplejo.

Gideon esperó una respuesta, pero le preocupaba que estos nuevos documentos, potencialmente otro testamento, pudieran agregar peso al motivo por el cual Abby le disparó a su esposo.

El forense siguió adelante. "Esto favorecerá a Ava O'Neill. ¿Alguna vez has oído ese nombre antes, Vincent?"

"Lo siento, pero no puedo decir que lo haya hecho", respondió Gideon.

"¿Reconoces este pañuelo?" inquirió el forense, levantando la tela roja y blanca manchada de sangre.

"No, nunca lo había visto antes de hoy cuando se presentó durante la investigación", respondió Gideon. Miró al hombre de barba roja, quien asintió sutilmente. *¿Qué tiene este hombre?* Gideon no podía identificarlo, pero tenía la intención de averiguarlo.

"El pañuelo podría pertenecer a la señora Klein. Por eso pregunté", explicó el forense.

"Lo siento, no lo sé", concluyó Gideon.

"Eso concluye mi interrogatorio por ti, Vincent. Gracias por tu cooperación", declaró Alastair sin dudarlo. Rápidamente continuó: "Señor Ian MacDonald, por favor proceda".

CAPÍTULO CUATRO
LA INQUISICIÓN CONTINÚA

Vincent se levantó y caminó resueltamente hacia su silla, colocada contra la pared. Al mismo tiempo, el hombre alto de barba roja también se levantó de su asiento y se dirigió a la silla de los testigos, saludando a Gideon con un asentimiento y una cálida sonrisa mientras pasaba.

La altura imponente del hombre excedía los seis pies y cuatro pulgadas, y su barba se jactaba de una mezcla de tonos rojos. Su cabello también mostraba el mismo tono moteado, con rastros de canas intercalados entre los mechones de fuego. Uno de sus ojos requería unas gafas, que guardaba en el bolsillo superior, usándolas para escudriñar cualquier cosa de cerca o, en este caso, para examinar las pruebas que pudiera presentar el forense.

"Señor MacDonald, usted es el abogado del señor Klein, ¿correcto?" el forense se dirigió a él.

"Sí", fue la respuesta áspera, casi susurrada. "Por favor, disculpe, pero estoy sufriendo de laringitis y me duele la garganta. Es un desafío para mí hablar largo y tendido".

"Por supuesto, señor MacDonald. Esta indagatoria difiere de un procedimiento judicial normal en el que suele practicar. Será breve", le aseguró el forense.

En respuesta, MacDonald ofreció una sonrisa sardónica, o al menos así lo interpretó Gideon. Observó cuidadosamente cada expresión que hizo el hombre mientras respondía las preguntas. Algo sobre el escocés no le sentaba del todo bien a Gideon, aunque no podía precisar qué era.

"Señor MacDonald, infórmenos hoy si el testamento destruido encontrado en el estudio favorecía a la Sra. Klein", preguntó el forense.

"De hecho, lo hizo", afirmó MacDonald.

"¿Estás absolutamente seguro?"

"Escribí su última voluntad y testamento cuando se casó con Abigail Hoffmann".

"Sabes si el señor Klein guardó papeles valiosos en esa caja fuerte?" preguntó el forense, señalando hacia una caja fuerte en la pared adyacente a la silla de Gideon.

"Solo puedo especular. No creo que haya guardado nada de valor en la caja fuerte aquí en su casa. Sus documentos valiosos están asegurados en la Caja de Ahorros y Préstamos", respondió MacDonald.

¿Tiene algo de valor, señor MacDonald?

"Hace dos noches, el señor Klein retiró todos sus valores de mi oficina", reveló MacDonald, haciendo una pausa para frotarse la garganta con evidente dolor. Él asintió después.

"Por qué los quitó?"

"Realmente no lo sé. Supongo que los necesitaba para sus tratos comerciales en Wall Street. No estoy involucrado en sus asuntos comerciales".

"¿Si fue reservado sobre sus valores, es posible que los haya puesto en la caja fuerte de su casa?"

"Lo siento, pero no tengo idea. No me dijo nada". MacDonald vaciló antes de ofrecer un comentario sarcástico al forense. "¡Tal vez puedas abrirlo para satisfacerte!"

"¿Señor MacDonald, conoce la combinación de su caja fuerte?"

"No, no lo hago."

El forense se volvió hacia el detective Givens y le preguntó: "Puedes abrir la caja fuerte?".

"Creo que puedo, con unos minutos", respondió el detective.

"Muy bien. Tomemos un breve descanso. Nos volveremos a reunir en quince minutos".

Gideon se acercó a la caja fuerte del piso y se arrodilló, girando con cautela la perilla mientras escuchaba atentamente que los tambores se alinearan. Mientras tanto, MacDonald paseaba hacia la ventana, contemplando el jardín y admirando las rosas que florecían cerca de los cristales.

Mientras permanecía sentado en su silla, Gideon no podía quitarse de encima la sensación de que había algo peculiar en MacDonald. Se había colocado de manera que le permitía ver el reflejo del hombre barbudo en el cristal de la ventana. El reflejo parecía emanar una sensación de placer siniestro.

¡Chillido!

El sonido del éxito reverberó cuando las puertas de la caja fuerte se abrieron. Gideon desvió su atención hacia el detective Givens, quien volvió a arrodillarse y metió la mano en las profundidades de la caja fuerte.

Gideon no pudo evitar notar que MacDonald se acercaba al detective ya él cerca de la caja fuerte. El resto de una sonrisa amarga aún permanecía en los labios del abogado mientras se acariciaba distraídamente la barba roja con una mano, una mano que parecía no haber tocado nunca un azadón o una pala en toda su existencia.

Espera un segundo. Ahora recuerdo. Hace tres años, en el Sid's Gentleman Club del centro. Después de un partido de fútbol, un amigo y yo compramos unas cervezas. MacDonald entró con varias strippers del club de topless al otro lado de la calle.

Su tren de pensamientos fue interrumpido por el detective Givens. "No hay nada en la caja fuerte excepto algunos billetes y un anillo de oro viejo sin piedra".

"Un qué, ¿Givens?" preguntó Gideon, buscando una aclaración.

El detective llevó el anillo al escritorio, donde se encontraban las demás pruebas, y se lo entregó al forense Owens. El forense lo examinó brevemente y comentó: "Esto es peculiar. ¿Por qué alguien tan rico como Wolfgang Klein guardaría un anillo aparentemente sin valor en su caja fuerte?".

MacDonald levantó la mano, ansioso por arrojar algo de luz sobre el asunto. "Creo que puedo dar una explicación, señor Owens. ¿Puedo echarle un vistazo más de cerca?"

El forense no tuvo objeciones y le entregó el anillo a MacDonald. "Mi cliente, como sugerirían algunos de los tabloides que cubrían sus hazañas, tenía predilección por las damas. Varios meses antes de casarse, conoció a una mujer en el teatro local. No recuerdo su nombre en este momento".

"¿Señor MacDonald, se trata de olvidar su nombre o prefiere no divulgarlo?" investigó el forense.

"No, señor, su señoría, realmente no puedo recordar. Mencionó que tenía la intención de convertir a esa mujer en su esposa. Me mostró este anillo, que, en ese momento, presentaba uno de los diamantes azul-blanco más grandes que jamás había visto. en mi vida." MacDonald le devolvió el anillo al forense. "Echa un vistazo al interior del anillo. Encontrarás una inscripción". MacDonald se aclaró la garganta y luchó por hablar, principalmente cuando encadenaba muchas palabras.

El forense Owens inclinó la cabeza de un lado a otro, examinando el anillo bajo la luz para leer la inscripción. Recitó: "A mi único amor".

"Le dije a Wolf que estaba loco por darle un anillo tan caro a una mujer. Tal vez después de que se casaran, pero no antes. Él solo se rió y dijo: 'Todas las chicas me quieren, ella no me dejará'. "

"Bueno, eso es todo, ¿señor MacDonald?" inquirió el forense.

"Ni por asomo. Vino a mi oficina por negocios y me mostró una carta que recibió de ella, junto con el anillo, menos el diamante blanco azulado. Tan pronto como ella se lo envió por correo a Wolf, se subió a un tren a un destino desconocido". MacDonald miró el anillo en la mano de Owens y agregó: "No tengo idea de por qué habría conservado esa cáscara vacía y sin valor de un anillo".

El forense se volvió hacia Givens y le preguntó: "Dónde encontraste el anillo en la caja fuerte?"

"Estaba en el estante inferior. Cuando pasé la mano por encima, una de las puntas me arañó", respondió Givens.

Cuando el forense lo llamó, MacDonald estaba a punto de regresar a su asiento. "¿Conoce al sobrino del señor Klein, Blair Thomas?" El forense siguió haciendo preguntas, decidido a reconstruir todo.

"Sí, lo he visto varias veces", confirmó MacDonald.

El forense hojeó varias páginas hasta que encontró otra en su escritorio. Después de leerlo brevemente, preguntó: "No hubo última voluntad y testamento a favor del sobrino?"

"Hubo uno en algún momento, pero fue destruido cuando se casó. Se hizo un nuevo testamento ", suspiró MacDonald, cada vez más cansado del incesante cuestionamiento.

"El señor Klein mencionó algo acerca de querer cambiar su testamento en los últimos meses?" inquirió el forense.

"Desde que se casó?" repitió el abogado, buscando una aclaración.

"Sí, desde que se casó".

"No."

"Alguna vez has oído hablar de Ava O'Neill?"

"No señor."

"Me resulta desconcertante. El señor Klein no le ha mencionado nada sobre la alteración de su testamento desde que se casó y, sin embargo, lo encontraron muerto en su escritorio mientras escribía un nuevo testamento con el nombre de ella".

"¡Ciertamente! Esto es una novedad para mí, su señoría. Wolfgang no me confió todos sus asuntos. De hecho, se sabía que empleaba a varios abogados, cada uno de los cuales manejaba diferentes transacciones comerciales".

Alastair levantó las cejas con curiosidad. Se le escapó una risita. "El señor Klein era algo peculiar en ese sentido", comentó, dirigiéndose al jurado. "Un abogado debería ser suficiente para cualquier hombre bien equilibrado".

Alastair le indicó a MacDonald que regresara a su asiento en la sala. No tenía más preguntas.

MacDonald se levantó y miró al forense. "Tiene razón, su señoría", dijo con una extraña sonrisa jugando en las comisuras de su boca. "Pero tal vez mi cliente no estaba muy bien equilibrado".

Un silencio cayó sobre el estudio mientras fuertes gritos resonaban en el pasillo. Todos los ojos se volvieron hacia la puerta, anticipando la entrada de alguien. Sus expectativas se cumplieron cuando la puerta se abrió de golpe y un policía corpulento y corpulento irrumpió en la cámara.

"Qué pasa, Connors?" sus palabras salieron secas e impacientes, la molestia grabada en su rostro.

"Disculpas, señor. Hay un joven en el pasillo y se necesitan dos policías para contenerlo. ¡Es increíblemente fuerte!" informó Connors.

"Qué es lo que quiere?"

"Afirma que su nombre es Blair Thomas. Pero creo que es otro reportero que intenta obtener algunas noticias".

"¡Al diablo con ese maldito reportero!" una voz gritó cuando la puerta se abrió de nuevo.

El hombre logró sortear a Connors y se apresuró hacia el escritorio principal, dejando a Owens mirando al joven con asombro. "Qué diablos significa esto, jovencito?" exigió el hombre.

Volviéndose hacia Owens, el rostro del niño no mostraba rastros de lágrimas ni marcas de huellas. Sus ojos se entrecerraron, fríos e inflexibles. "¡Mi tío! ¿Qué le pasó a mi tío? Nadie me dirá nada".

El forense no vio la necesidad de andarse con rodeos y dio la noticia sin rodeos. "Al señor Klein le dispararon anoche".

"Disparado. ¡Eso no puede ser! ¿Estás diciendo que fue asesinado?" susurró horrorizado.

"No dije asesinado. ¿Por qué pensarías eso? ¡Siéntate, joven! Tengo algunas preguntas que hacerte".

Tomando una respiración profunda, el chico soltó una serie de jadeos cortos. "Adelante. Te ayudaré en lo que pueda. ¿Quién mató a mi tío?"

"Reduzca la velocidad. Déjame hacer las preguntas", ordenó el forense.

"Lo siento."

Blair, un muchacho alto con hombros anchos y penetrantes ojos verdes que escanearon todo el estudio, parecía estar luchando con emociones fuertes. La contracción involuntaria de sus músculos faciales lo delató. Agarró los brazos de la silla con fuerza, sus nudillos se pusieron blancos.

"¿Tuviste un desacuerdo con tu tío ayer por la mañana, es correcto?" la voz del forense resonó con autoridad.

Al principio, Blair permaneció en silencio, con la mirada fija en Adolph al otro lado de la habitación, con una mirada salvaje en sus ojos. Sabía que debía haber sido Adolph quien compartió su argumento con todos los presentes.

"Señor Thomas, le agradecería una respuesta, por favor", presionó el forense.

Franz comenzó a reírse. "Yo no lo llamaría un desacuerdo. Fue más una pelea", respondió, con la voz ligeramente temblorosa, tocado por alguna emoción.

"Muy bien. ¿Por qué estaban peleando ustedes dos?"

"Te diré por qué. Trató a Abigail tan mal, constantemente abusaba de ella. No la amaba", la voz de Blair era aguda.

"¿Él la lastimó físicamente?"

"No, señor. La menospreció. La llamó perra. Nunca le mostró ningún afecto, a pesar de que ella era su esposa".

"¿Qué pasó?" la voz del forense se mantuvo firme y serena.

"¡Se ofendió por lo que percibió como mi impertinencia y me ordenó hacer las maletas y salir de su casa! ¡Y así lo hice! Fue todo menos agradable allí".

"Qué quieres decir?"

"El tío Wolf siempre estaba discutiendo con el tío de Abigail. Nunca los vi entablar una conversación civilizada. Nunca".

"Cómo se llama el tío de la Sra. Klein?"

"Jacob Hoffman."

"Entiendo que él y el señor Klein también discutían con frecuencia. ¿Es eso cierto? ¿Y si es así, sabes la razón detrás de sus frecuentes peleas?"

"No estoy del todo seguro. Creo que mi tío debe haber tenido algo importante con el señor Hoffmann. Lo llamó nombres terribles, del tipo que, si me hubiera llamado así, ¡habría saltado sobre la mesa y lo noquearía! " La voz de Blair se volvió fría y precisa.

"Gracias, Blair. Ahora, debo preguntarte, ¿qué te trajo de regreso a la casa esta tarde?"

"Regresé para recoger algunas de mis pertenencias. Hice una salida bastante rápida".

"Cuándo viste a tu tío por última vez?"

"Justo ahí, donde estás sentado. Él estaba en esa silla". El joven señaló la silla donde Wolfgang había sido encontrado muerto.

"Cuando?"

"Ayer por la mañana."

"Llevaba un anillo en el dedo meñique de su mano derecha?"

"Eso es fácil. Mi tío nunca usó anillos", dijo Blair.

"El médico de nuestro departamento notó que le habían quitado un anillo a la fuerza de su dedo. ¿Podría estar equivocado?"

"Estoy seguro. La última vez que lo vi, mi tío no tenía anillos puestos. Pero estaba tan furioso que podría no haberlo notado".

Owens se inclinó sobre la mesa y recogió el pañuelo rojo y blanco. "Blair, has visto esto antes?"

El joven respiró hondo, seguido de varias respiraciones cortas, enderezando la espalda. "No, señor. No lo reconozco".

"Lo siento, pero tuviste una expresión inusual cuando lo sostuve frente a ti. Déjame preguntarte de nuevo. ¿Has visto este pañuelo antes?"

"Pensé que podría ser uno que llevaba Abigail. Pero estoy seguro de que no es el que recuerdo. Estoy seguro".

"¿Puedes jurarlo, jovencito?" preguntó el forense en voz baja y serena.

"Mira, anciano, si crees que estoy mintiendo, que así sea. Pero te digo a ti, y a todos los demás en esta sala, que pensé que podría pertenecer a Abigail, pero tras una inspección más cercana, estoy seguro que no es de ella!" La cara del niño se sonrojó, sus ojos ardían mientras miraba al forense. "No diré nada más sobre el asunto".

Gideon observó, impresionado por la habilidad de Owens para empujar al niño a la defensiva, dejando la impresión deseada para el jurado: que el pañuelo, de hecho, pertenecía a Abigail. Y por alguna razón, el sobrino de Wolf estaba intentando protegerla.

"Blair, ya basta de preguntas. Déjame preguntarte algo. ¿Alguna vez has oído el nombre de Ava O'Neill?". Las palabras de Owens flotaron en el aire, y el detective Gideon, colocado contra la pared, pudo sentir que el niño se dio cuenta del nombre tan pronto como se mencionó. Sin embargo, también sabía que Blair negaría conocerla.

El joven respondió vacilante: "No, no conozco a la mujer".

"Muy bien. Déjame hacerte otra pregunta. Cuando entraste corriendo a esta habitación hoy, por qué viniste directamente a mí, ¿creyendo que algo le había pasado a tu tío? Recuerdo que incluso preguntaste si lo habían asesinado". Gideon se inclinó hacia adelante en su silla, apoyó la cabeza en su mano, con la mirada fija en Blair, esperando su respuesta.

"¿Estás insinuando que yo maté a mi tío?" Los ojos de Blair se oscurecieron por la emoción.

"No, señor, no lo soy. Es una pregunta simple", aclaró el forense.

"Viejo, basta de preguntas simples. ¡Vine aquí para recuperar mis pertenencias, no para que me interroguen sobre algo de lo que no sé nada!" Blair exclamó enojada. "¡Me niego a responder más preguntas!"

El niño se puso de pie y comenzó a caminar. "Blair, si persistes, quizás tengas la oportunidad de contar tu historia en un tribunal de justicia una vez que te arresten por obstruir la justicia".

Ignorando la advertencia, Blair siguió caminando, pero se detuvo y se dio la vuelta. Levantando la mano, saludó al forense con un solo dedo. "¡No sé nada de todo esto, te digo!" exclamó, exasperado.

Continuó caminando, eligiendo no tomar la silla ofrecida, y miró enojado a Owens.

"Tus huellas, joven, fueron descubiertas esta mañana en el parterre de flores afuera de las puertas francesas del estudio. ¿Qué estabas haciendo allí anoche?" preguntó Owens.

Los hombros de Blair se hundieron en cuestión de segundos como si le hubieran succionado el aire. Luego, estalló en carcajadas, ya sea por alivio o por histeria era una incógnita. "Hice esas huellas, viejo, ayer por la mañana cuando salí de la casa por las puertas francesas del estudio. Me detuve, hice un gesto con la mano e incluso le di el puño. Sí, recuerdo exactamente lo que hice antes de irme. —replicó sarcásticamente.

"Blair, si pudieras esperar un momento más, concluiremos. ¡Ramsey!" El forense llamó al mayordomo para que se acercara al escritorio.

El mayordomo de cabello plateado caminó tímidamente por la habitación, su ligera cojera era evidente por la artritis en sus rodillas.

"¿Señor Ramsey, vio a este chico saliendo de la casa ayer por la mañana?" preguntó Owens.

"No, señor. Sabía que había ido al estudio después del desayuno, pero nunca lo vi salir", respondió Ramsey.

"Gracias, señor Ramsey. ¡Adolph Keiser!" llamó el forense.

El secretario se levantó y se acercó al lugar donde había estado el mayordomo. Sin necesidad de repetir la pregunta, dijo: "Blair Thomas salió de la casa a través de las puertas francesas del estudio ayer por la mañana".

"¿Está absolutamente seguro de esto, señor Keiser?" preguntó Owens.

"Sí, señor."

El niño dijo: "Se me permite irme?"

Owens le concedió permiso para salir del estudio. Cuando Blair salió, preguntó: "Se me permite ver el cuerpo de mi tío?". Se detuvo en la puerta.

"Su tío ha sido llevado a la funeraria. Si desea presentar sus respetos, creo que lo acomodarán", respondió el forense.

Con un gesto de disgusto, ejecutado por su infame saludo con un solo dedo, el joven salió del estudio.

Una pausa llenó la habitación mientras Owens revolvía los papeles en su escritorio. Todos sabían que quedaba una persona más por entrevistar, y esta vez, el forense no necesitaba gritar el nombre. Todos sabían que era Abigail Klein.

Alastair miró en dirección a donde estaba sentado Gideon y susurró: "MacDonald", lo suficientemente alto para que el abogado lo escuchara. MacDonald se acercó al forense y, después de susurrar algunas palabras, salió de la habitación y sus pasos se hicieron audibles mientras subía las escaleras.

"Damas y caballeros, según lo que hemos escuchado hasta ahora, la Sra. Klein merece representación legal. El señor MacDonald ha accedido amablemente a actuar en esa capacidad esta tarde", anunció Owens.

Gideon observó el procedimiento, cada vez más preocupado de que esta investigación hubiera pasado de una mera entrevista a un interrogatorio completo. Su malestar alcanzó un máximo histórico.

CAPÍTULO CINCO
LLEGA VEREDICTO DE LA INQUISICIÓN

Pasaron dos minutos, envueltos en un pesado silencio que se apoderó del estudio. La anticipación de los pasos que se acercaban llenó el aire, haciéndose más fuertes a medida que resonaban por la escalera y en el pasillo. Todas las personas en la habitación quedaron inmóviles, con los sentidos agudizados, fijos en la entrada.

Gideon se levantó de su silla, con el corazón latiendo contra su pecho, mientras la habitación cobraba vida con susurros silenciosos. Abigail Klein entró por la puerta, seguida de cerca por un joven de unos veinte años, que se colocó cerca de la puerta.

"Sra. Klein, gracias por acompañarnos. Por favor, venga y tome asiento", señaló Owens hacia la silla junto a él en el escritorio de la oficina.

"Gracias", respondió ella, llegando al asiento designado. Mientras tanto, Craig Stewart, un experto forense en el campo de las huellas dactilares, esperaba su turno para presentar un informe antes de que se pudiera llegar al veredicto en el caso.

"Me opongo, señor Owens. Todavía no hemos escuchado lo que la Sra. Klein tiene que decir. Es prematuro llegar a conclusiones basadas en los hallazgos de un experto en huellas dactilares. Creo que a todos los presentes hoy en esta sala les gustaría escuchar su versión de los hechos". historia antes de intentar incriminarla por el asesinato del señor Klein", objetó MacDonald, de pie al lado de Abby.

Una expresión de perplejidad cruzó el rostro de Abby cuando MacDonald protestó contra declararla culpable. Parecía que había entrado en la habitación solo para enfrentarse a un veredicto sin que se le permitiera compartir su cuenta. Su corazón se aceleró y sus ojos aterrorizados escanearon la habitación hasta que se posaron en Gideon.

Gideon pudo leer de sus labios en un débil susurro, y ella suplicó: "Vincent, soy inocente. Por favor, te juro por la Biblia que no hice esto. ¡Dime que no me crees culpable!".

Dejando de lado la precaución, Gideon cruzó la habitación y se agachó para tomar su mano. "Abigail, cuando te encontré en el estudio, me sorprendió, pero nunca creí que fueras culpable. Sentado aquí hoy, estoy seguro de tu inocencia".

Abby soltó la mano de Gideon, pareció recuperar algo de compostura y se recostó en su silla, lista para contar su historia. Lo que más le importaba era que Vincent Gideon la consideraba inocente. Sabía que estaba en buenas manos. Sin embargo, no era la opinión de Gideon la que tenía más peso; era al jurado al que necesitaba convencer.

Vincent entendió que Owens tenía un trabajo que hacer y lo observó mientras se dirigía amablemente al testigo afligido. "Sra. Klein, quiero que comparta su versión de lo que sucedió anoche".

De pie a su lado, MacDonald aconsejó: "Señora Klein, su mejor enfoque es explicar todo con total franqueza. Diga la verdad".

Abby miró a Gideon y respondió: "Sí, por supuesto. ¿Ya que soy inocente, por qué no debería compartir todo con el señor Owens?".

Gideon respiró hondo, dándose cuenta de que no podía ayudarla desde el margen ya que el forense había elegido su consejo. Abby retorció un pañuelo azul y blanco en sus manos temblorosas y comenzó su narración.

"La puerta estaba ligeramente entreabierta cuando entré al estudio anoche. El pasillo estaba tenuemente iluminado por una lámpara a la mitad de las escaleras. Mientras caminaba desde el pasillo hacia el estudio, la oscuridad me envolvió, obstaculizando mi visión. Aunque había estado en la habitación innumerables veces, tuve que abrirme camino a través de la cámara, buscando a tientas el escritorio. Finalmente, localicé el cajón.

"La puerta no se movía al principio, pero ejercí más fuerza hasta que finalmente se abrió. Entonces, ¡me congelé de miedo! Podía sentir el aliento de alguien en mi cuello, o pensé que sí. Pero después de un rato, me pregunté si mi paranoia me estaba jugando una mala pasada. No era nada, y seguí alcanzando los papeles en el cajón. Sin embargo, tan pronto como apreté mi agarre alrededor de los documentos y comencé a sacarlos, escuché una respiración pesada. De pie en el la oscuridad era terrible, sin saber qué pasaría después. Era como si alguien estuviera tratando de respirar, pero no pudiera. Es difícil de explicar".

Abby hundió la cara en sus manos temblorosas, incapaz de continuar. Un miembro del jurado intervino: "Theo, por favor, tráigale a la Sra. Klein un vaso de agua".

Ramsey, el mayordomo, se acercó con una sonrisa, trayendo un vaso de agua. "Aquí tiene, señora Klein", dijo en voz baja.

Tomó un sorbo y expresó su gratitud: "Gracias, Theodore".

Cuando Ramsey se retiró, Gideon notó que se limpiaba una lágrima con la mano. Era evidente que el testimonio inicial de Abby había tocado algo más que las emociones del mayordomo.

Abby reanudó su relato con un tono más apagado, sin la fuerza que había exhibido anteriormente. Rápidamente saqué mi mano del cajón, agarré los papeles y me alejé dos pasos del escritorio de mi esposo. De repente, un destello brillante acompañado de un sonido ensordecedor me sobresaltó. Me zumbaban los oídos y me encontré incapaz de moverme. Luego, en cuestión de segundos, me armé de valor y corrí hacia la puerta, pero accidentalmente pateé algo en el suelo. Me agaché y lo recogí. Mientras me levantaba, la lámpara iluminó la habitación, revelando la horrible vista del cuerpo sin vida de Wolf desplomado. en su silla, sangre brotando de su pecho.

"No tenía idea de lo que había recogido del piso. Sin embargo, cuando miré hacia abajo y vi que era un arma y luego vi a Vincent entrar en la habitación, dejé escapar un grito de horror y me desmayé. Eso es todo lo que recuerdo".

El escepticismo dibujó una sonrisa en el rostro de Owens, reflejada en las expresiones del jurado. Abby había inventado una historia convincente, pero había demasiadas incoherencias.

"Por qué no encendiste la lámpara del estudio en lugar de buscar a tientas en la oscuridad?" cuestionó Owens.

"Porque sabía que Adolph me estaba espiando, acechando a cada paso. Lo vi en el pasillo cuando entré por la puerta del estudio, y caminé de puntillas para evitar que me siguiera y descubriera mis acciones", respondió Abby, sin saberlo, proporcionando una coartada. para la única persona que podría haber estado en la habitación durante el tiroteo fatal.

Ella no se dio cuenta, pero Gideon sí. Observó la expresión de alivio que inundó el rostro pálido de Adolph Keiser.

"Sra. Klein, reconoce esta pistola?" Owens levantó el revólver utilizado en el tiroteo de Wolfgang.

"Sí, lo sé. Es de Wolf. Como mencioné, es la misma arma que recogí en el estudio", afirmó.

El forense Owens se encontró perplejo. O Abigail era inocente o era una actriz extraordinaria. En cualquier caso, decidió intensificar su línea de cuestionamiento, adoptando un tono cada vez más duro. "Sra. Klein, usted y su esposo no estaban en buenos términos. ¿Sabía que él estaba redactando una nueva última voluntad y testamento antes de que le dispararan?"

"Tu pregunta no tiene sentido. ¿Cómo podría saber lo que estaba haciendo mi esposo cuando ni siquiera sabía que estaba en casa?" Abby respondió, desconcertada.

"Conoces a alguien llamada Ava O'Neill?" insistió Owens.

-Ava, ¿quién? La voz de Abby tembló ligeramente.

"O'Neill."

"No." Su voz se hizo más firme.

"Estas seguro?"

"¿No le respondí ya eso, señor Owens? ¡No conozco a esta persona!" ella respondió con firmeza.

"Era Ava O'Neill, a quien su esposo planeaba dejarle toda su fortuna en lugar de a usted. Aparentemente, la tenía en alta estima y rompió el antiguo testamento", divulgó Owens.

"Disculpe, señor Owens", declaró Abby, sentándose erguida en su silla, con una oleada de fuerza atravesándola. Miró a Gideon y recibió una sonrisa tranquilizadora. "Los asuntos comerciales de mi esposo son suyos. No sé nada sobre ellos. No tengo ningún interés en ellos en absoluto".

"Ni siquiera hasta el punto de perder varios cientos de miles de dólares?" intervino un jurado.

Abigail no prestó atención al comentario del jurado. Mirando a Alastair Owens, continuó: "Hubo un acuerdo legal que firmamos en el momento de nuestro matrimonio, que establece que mi esposo era libre de disponer de la riqueza que había adquirido antes de nuestro matrimonio como mejor le pareciera".

La misma jurado volvió a levantar la voz. "Entonces, lo que está diciendo es, 'como mejor le parezca', no es así, ¿señora Klein?"

"Señor Owens, me opongo a estas acusaciones", protestó Abby.

Gideon miró a MacDonald, preguntándose dónde estaba. El abogado de Abby parecía estar poniéndose al día con su descanso, y aparentemente se quedó dormido durante la entrevista.

Sin embargo, el forense no tenía intención de despertar al abogado dormido. Justo cuando el jurado estaba a punto de interrumpir el interrogatorio nuevamente, Owens intervino secamente: "Tenga la amabilidad de permitirme llevar a cabo esta investigación".

"Procedamos, señora Klein. ¿Su esposo usaba anillos con frecuencia?" preguntó Owens.

"Nunca vi a Wolf usar un anillo", respondió Abby, con el rostro contraído por la confusión.

"¿Sin embargo, podría haber usado uno anoche?"

"No lo sé. Supongo que podría haberlo hecho", respondió ella con incertidumbre.

"No se lo quitó, verdad, ¿señora Klein?" Owens presionó.

"¿Por qué repite sus preguntas, señor Owens? ¡Ciertamente no lo hice!" Su voz se hizo más fuerte.

"¿Su señoría, puedo sugerir una línea diferente de interrogatorio?" ¡MacDonald finalmente se despertó!

"Ciertamente, señor MacDonald".

"No veo cómo este anillo es relevante para la investigación. Podría habérselo puesto y quitárselo, pero tuvo dificultades para hacerlo. ¿Quién sabe?".

"Tiene razón, por ahora, señor MacDonald. El anillo tiene poco que ver con el asesinato real del señor Klein. Gracias, señor MacDonald".

MacDonald se recostó en su silla junto a Abigail, con una sonrisa sardónica en su rostro. Mientras tanto, el forense Owens recogió un pañuelo rojo y blanco de la mesa de pruebas. "¿Es esto suyo, señora Klein?"

"No, señor, no lo es".

"¿Está seguro?"

"Sí, estoy seguro".

"¿Puedo ver su pañuelo por un momento, por favor?"

Abby le entregó su pañuelo a Owens, quien lo comparó con el que se encontró en la escena del crimen. Ambos tenían patrones y telas idénticos, la única diferencia era el color. Abby tenía un pañuelo azul y blanco.

"Wolf me compró este mientras compraba en los grandes almacenes de Duncan. Me compró solo uno, no dos".

"No fue extraño que te comprara solo uno?"

"Dado que está muy claro por el testimonio de hoy que no amabas a Wolfgang Klein, por qué te casaste con él?" preguntó Owens.

"No discutiré mis asuntos privados, señor. No tienen nada que ver con la muerte de Wolf. ¡Son míos!" Abby exclamó, su compostura preocupada.

"Usted les responderá, Sra. Klein. Su silencio ciertamente jugará en su contra si no lo hace".

"Muy bien, señor Owens. No puedo evitarlo", respondió ella, con los ojos llenos de lágrimas.

"Solo una cosa más. ¿Cuál es la dirección actual de tu tío? ¿Dónde está?"

"La dirección de mi tío? Seguramente no pensará... No me gusta a dónde se dirige, señor Owens. Él no estuvo aquí anoche".

Owens bajó la voz y adoptó un tono amable. "Lo sé, señora Klein. Es simplemente una formalidad".

Abigail miró a su abogado y lo vio sentado con la barbilla apoyada en el pecho. No fue de ayuda. Su mirada se desvió hacia una silla cerca de Gideon, sintiendo una profunda desesperación porque no podía ofrecerle consuelo. Ella susurró: "Vincent, debería decírselo?".

"Sí, Abby, creo que es lo mejor. Adelante", respondió con una voz suave y tranquilizadora.

Se está quedando con la señora Clark en Black Rock Cove.

"Gracias, señora Klein. Por favor, quédese sentada mientras nos dirigimos al señor Steward".

"Sí, señor." Miró a Gideon durante unos segundos, retorciendo nerviosamente las manos en su regazo.

El experto en huellas dactilares dio un paso adelante y se sentó junto a Owens.

"Señor mayordomo, explique sus hallazgos".

"Examiné el revólver utilizado en el tiroteo y obtuve impresiones de las marcas de los dedos del mango perlado. Tengo las ampliaciones aquí y me gustaría compararlas con un juego tomado de la señora Klein, con su permiso, forense".

Gideon observó la situación y se preguntó por qué Owens le había asignado un abogado a Abigail si iba a ser incompetente y quedarse dormido durante el juicio. Sin embargo, solo podía observar y esperar para ver qué se desarrollaba.

"Sí, señora Klein, coopere con el señor Steward", instruyó Owens.

El experto abrió una almohadilla de tinta y guió a Abby para que brindara la asistencia necesaria para obtener las impresiones. Mientras ella obedecía, todo el estudio quedó en silencio, todos se inclinaron hacia adelante en sus sillas, observando el examen.

El señor Steward recogió las huellas dactilares y, con un enérgico movimiento de cabeza, pasó las huellas al jurado para que las examinara.

"Bueno, señor mayordomo, ¿cuáles son sus hallazgos?" preguntó Owens.

"Las huellas dactilares encontradas en el revólver pertenecen a la Sra. Klein. El jurado está examinando las huellas en el arma y las que acabo de obtener de la Sra. Klein. No hay otras huellas en el revólver. Ella es la única persona que manejó la pistola anoche".

Las conversaciones estallaron en toda la sala del tribunal, llenando el estudio con ruido desde todos los rincones. MacDonald se sacudió en su silla, levantando la cabeza. "¡Me opongo!"

Nadie le prestó mucha atención, incluidos Abigail, Gideon y los miembros del jurado.

Owens golpeó la mesa con su mazo, ignorando la objeción del abogado. "Apreciaría que el jurado vaya al salón al otro lado del pasillo para deliberar y llegar a una decisión".

La espera no se hizo esperar. Los miembros del jurado salieron del estudio y aparentemente regresaron casi de inmediato. No podían haberse ido por más de diez minutos.

Gideon se sintió absolutamente impotente. Sabía que ella era inocente, pero tuvo que esperar el veredicto del jurado antes de ejecutar su plan para probarlo. Él, junto con todos los demás, ya sabía el resultado. Wolfgang Klein fue asesinado por un revólver con solo las huellas dactilares de Abby. Dame un respiro, pensó el detective.

Abigail se puso de pie y se acercó a Vincent, quien se levantó para encontrarse con ella. Mirándolo profundamente a los ojos, preguntó en un tono apagado: "Vincent, todavía crees en mí?".

"Con todo mi corazón y mi alma, querida", se atragantó, con la voz atrapada en la garganta.

Abigail se inclinó, su cara a centímetros de la de él, y susurró: "Te amo, Vincent".

"Y te amo. Creeré en ti, incluso contra todos en este estudio de hoy".

Con una mirada llena de profundo amor, Abigail se derrumbó en el suelo por segunda vez en dos días. Pero esta vez, el renombrado detective la atrapó mientras todos en el estudio observaban, incapaces de ofrecerle consuelo.

CAPÍTULO SEIS

EL JUICIO ESTÁ FIJADO PARA LA TEMPORADA NAVIDEÑA

El asesinato de **Wolfgang Klein, un hombre** de inmensa riqueza y prominencia social, había cautivado a toda la costa oeste, como se relató anteriormente en los capítulos anteriores. La noticia de su muerte a manos de su esposa había dominado la primera plana de todos los periódicos. En particular, el renombrado detective Vincent Gideon se encontró sirviendo a regañadientes como testigo clave de la acusación, le gustara o no.

El posterior arresto de Abigail por el asesinato conmocionó al público, despertando un interés generalizado y convirtiéndose en tema de conversación diaria. La abrumadora cobertura de los medios ya había condenado a Abigail incluso antes de que comenzara su juicio. Como resultado, el fiscal de distrito Bulldog Dennison no tuvo más remedio que programar el juicio para el primer día de diciembre, solo unos meses después de que ocurriera el atroz crimen.

Los titulares sensacionalistas y las constantes discusiones en torno al caso habían pintado a Abigail como una parte culpable a los ojos del público en general. Aunque Gideon carecía de la riqueza de Wolfgang, tenía fondos suficientes en su cuenta bancaria para contratar la representación legal de Abigail. Habiendo perdido en la investigación, MacDonald fue descalificado para ser su abogado. Otra derrota en la corte seguramente sellaría el destino de Abigail.

Después de considerar cuidadosamente sus opciones, Gideon recordó a su amigo del caso Rosenthall seis años antes, Mathias Cooper de Cooper and Novak. El socio principal, Mathias, estaba disponible, mientras que Malcolm Novak, el abogado más joven, estaba fuera de la ciudad.

Aunque Gideon hubiera preferido el enfoque entusiasta de Malcolm, estaba contento con Mathias, aunque se esperaba el retiro a su edad. Sin embargo, Mathias aportó experiencia legal y experiencia de detective privado a la mesa.

Mathias, un practicante experimentado que había sido testigo de todo el espectro de casos criminales, escuchó atentamente mientras Gideon exponía los detalles del caso. El abogado observó con ojos cautelosos y sin imaginación, fijándose en cada detalle. Una vez que Vincent hubo presentado todos los hechos conocidos, Mathias negó con la cabeza y miró al renombrado detective con una mezcla de lástima y comprensión.

"Vincent, te das cuenta de que, si bien manejé una buena cantidad de casos penales en mi juventud, mi enfoque principal ahora se encuentra en los casos civiles", señaló amablemente el anciano.

La presión arterial de Gideon se disparó ante esta revelación. "No estaba al tanto de eso", respondió, levantándose de su asiento y acercándose a la puerta. "Busqué su ayuda en base a su manejo del caso Rosenthall hace años. No cargaré a su bufete de abogados con la defensa de Abigail si va en contra de sus reglas profesionales". Con un firme agarre en el pomo de la puerta, abrió la puerta.

"¡Vincent, muchacho, espera, hijo! No dejes que mi comentario inicial te moleste y te haga irte enojado. Eso no ayudará a la causa de Abigail. Cierra la puerta, regresa y toma asiento".

Gideon se congeló en seco, se volvió lentamente y miró a Cooper con ojos penetrantes. "Entonces, tomarás el caso, ¿Mathias?"

"Por supuesto, me encargaré del caso", respondió Mathias vacilante.

Gideon volvió a su silla, el alivio lo inundó. "Estaremos agradecidos por su consejo en la defensa de la Sra. Klein. Sin embargo, debe entender, Vincent, que no tenemos pruebas abundantes con las que trabajar".

"Ella posee un carácter excelente y es incapaz de asesinar. He proporcionado un relato claro de los eventos en el estudio esa noche", argumentó Gideon.

Mathias se inclinó hacia adelante, colocando ambas manos planas sobre su escritorio. "Mi querido muchacho", dijo, tocando suavemente la mano de Gideon, "eres joven y estás enamorado. Puedo verlo en tus expresiones y en tu gran respeto por Abigail. Es natural que tus emociones nublen tu juicio. Has ganado fama como detective, y ahora no es el momento de abandonar tu verdadera naturaleza. Una cálida sonrisa cruzó su rostro.

"Considera los hechos, Vincent. Necesitas ayudarnos porque enfrentamos una batalla cuesta arriba. Para decirlo suavemente, el testimonio de Abigail sobre esos breves momentos en el estudio esa noche es muy imaginativo".

Gideon intervino: "Eso puede ser cierto, pero-"

"Sí, de hecho", intervino Mathias con dulzura. "Pero, amigo mío, debes recordar que doce ciudadanos honestos fueron elegidos para la investigación, y su convicción se basó en los hechos presentados, no en nociones fantasiosas".

"En ese caso, ¿qué sugieres?"

"En primer lugar, entrevistaré a la señorita Klein, escucharé su relato y me encargaré de su defensa. Me esforzaré por hacer que se sienta más cómoda".

"¿Y qué papel ves para mí?"

"Oh, Vincent", respondió Mathias, su tono lleno de calidez, "haz lo que mejor sabes hacer. Reúne más pruebas, pruebas sustanciales e irrefutables. Utiliza tus habilidades excepcionales y haré lo que mejor sé hacer".

Gideon regresó a casa, consumido por los detalles presentados durante la investigación del forense. Cuanto más los repetía en su mente, más grave parecía el resultado para la mujer que amaba.

Cuando entró en su sala de estar, un abrumador cansancio se apoderó de él. Se derrumbó en la silla de la que había sido convocado abruptamente unos días antes. Los periódicos de los últimos tres días, dejados en el borde de su escritorio por su mayordomo, Billy Bob, llamaron su atención. Examinó los titulares y hojeó algunas de las historias. Sin embargo, su creciente preocupación arrugó su frente, causando que arrugara cada página con frustración antes de arrojarla a la chimenea cercana. Una tras otra, las páginas sucumbieron a su exasperación.

Se cansó de leer los relatos repetitivos del rico y prominente Wolfgang Klein y su supuesta esposa asesina. Agarrando el último periódico, lo desenrolló ligeramente, vislumbrando el titular, antes de tirarlo a las llamas. Ya fue suficiente. Sin embargo, un destello de reconocimiento lo golpeó cuando el papel abandonó su mano. El nombre de Ava O'Neill le había llamado la atención.

Sobresaltado, saltó de su silla, agarró un atizador de fuego y apartó el papel de las llamas, apagándolas. Acercando la página desechada a sus ojos, devoró con voracidad la columna dedicada a la mujer cuyo nombre aparecía en el último testamento de Wolfgang.

Los pensamientos de Gideon viajaron de regreso a sus primeros días como periodista en el Portland News. Recordó vívidamente haber aparecido en la primera plana cuando descubrió la residencia de Ava O'Neill y se dispuso a entrevistarla.

Deteniendo su lectura, miró el reloj de la pared. "¡Maldita sea! ¿Por qué no fui a buscar a esta mujer? ¿He perdido mi toque? Esto no es propio de mí".

Volviendo al artículo, Gideon descubrió que el reportero no había conseguido una entrevista con Ava, pero había logrado hablar con el administrador del complejo de apartamentos. Según el gerente, Ava había salido alrededor de las diez de la noche del asesinato, cargando una maleta. Cuando se le preguntó sobre su destino, simplemente dijo que se embarcaba en un largo viaje y le aseguró al gerente que no se preocupara. Regresaría una vez que completara su viaje.

El reportero le había preguntado al gerente si sabía adónde había ido Ava. La respuesta había sido una negativa resuelta a entrometerse siempre que la inquilina pagara el alquiler a tiempo.

El último párrafo de la columna decía que Ava O'Neill había hecho las maletas la noche del asesinato, apenas unas horas antes de la prematura muerte de Wolfgang. ¿Podría ser que el testimonio dado durante la investigación unos días antes hubiera sido exacto? Abigail había entrado en el estudio y se había enzarzado en una acalorada discusión con su marido por una carta. Enfurecido, rompió su último testamento y, en un acto desafiante, comenzó a redactar uno nuevo, incluido el nombre de Ava O'Neill para fastidiar a su esposa. En respuesta, ella tomó la pistola del cajón y acabó con su vida.

"¡Ese maldito tonto!" exclamó Gideon, arrojando el papel de regreso a la chimenea con frustración. "¡Eso es un montón de tonterías! Él no es un reportero; simplemente está persiguiendo la fama. ¿Ese bastardo joven y arrogante piensa que todo eso podría haberse desarrollado en cuestión de minutos? Estos malditos reporteros serán la muerte de Abigail. ¿Todos realmente creen que ella es culpable?" Su diatriba apasionada reverberó en la habitación, nadie más la escuchó.

Billy Bob Turner, el mayordomo veterano que prácticamente se había convertido en un miembro de la familia, no pudo evitar escuchar las exclamaciones de Gideon. Regresó al estudio, su tono respetuoso cuando dijo: "Es una situación terrible, señor".

"Es terrible lo que está pasando. ¡Terrible!" Gideon respondió abatido. "Billy Bob, si fueras miembro del jurado, según lo que has leído en los periódicos y tabloides, considerarías a Abigail inocente o culpable?"

"Puede que no le guste mi respuesta, señor".

"Necesito saber. Por favor, dime lo que piensas".

"Muy bien, señor. Si yo fuera uno de los doce miembros del jurado, probablemente la consideraría culpable", respondió Billy Bob con deferencia. "Sin embargo, habiendo conocido personalmente a la señorita Abigail durante bastante tiempo, diría con confianza que es inocente".

Vincent levantó la cabeza, permaneciendo en silencio.

"Vincent Gideon, eres como un hijo para mí. Siempre lo has sido, especialmente desde la muerte de tu padre. Pero, Dios mío, muchacho, levanta la cabeza de la arena. ¿Qué te pasa?"

Gideon se limpió la nariz con el dorso de la mano izquierda. "Billy Bob, tienes razón. He resuelto casos más desafiantes que este si tan solo me concentrara. He permitido que mi amor por Abigail nuble mi juicio".

Billy Bob se acercó, colocando suavemente una mano sobre el hombro de Gideon. "Vincent, eres un detective brillante. Recupérate y deja de revolcarte en la autocompasión. Salva la vida de la mujer que amas. ¡Concéntrate!"

Gideon respiró hondo y levantó la cabeza. "Billy Bob, tienes razón. Tengo trabajo que hacer. No decepcionaré a Abigail".

El detective Givens me había impresionado continuamente con sus notables habilidades, descubriendo una pista tras otra que parecía apretar la soga alrededor de Abigail.

"Sí, lo es, señor, ¿pero lo ha olvidado? Usted es el", hizo una pausa de unos segundos, con una sonrisa jugando en sus labios, "¡Gran Vincent Gideon!"

"Recuerde, usted estuvo en el agua en el lugar y momento correctos. Se encuentra en el corazón de este caso, precisamente donde debe estar. Cuando comience el juicio, puede probar la inocencia de la señorita Abigail ante el jurado. fe en ti, Vicente".

"¿Puedo sugerir algo más, señor?"

"Por supuesto, Billy Bob, ¿qué es?"

"Necesitas ayuda. Faltan menos de dos meses para el juicio. Conozco a alguien que podría ofrecerte ayuda. Después de todo, dos cabezas siempre piensan mejor que una, especialmente cuando una está enredada en el amor, ¿no estás de acuerdo?"

"Tienes razón, Billy Bob. ¿Tienes a alguien en mente?"

"Sí, señor, Jonathan Kowalski".

"¿Y quién es este Kowalski? No recuerdo haberte oído hablar de él antes".

"Es un verdadero caballero, señor, apasionado por resolver los crímenes más desconcertantes. No es una profesión para él; es escritor y hace de la resolución de crímenes su pasatiempo". Billy Bob habló con un brillo en sus ojos generalmente sombríos.

Sólo se ocupa de los casos que considera dignos de su atención. ¿Lo hace por diversión, sabe? Y si tiene éxito, escribe un libro al respecto.

"¿Por qué no sé su nombre, pero pareces saber tanto sobre él, ¿Billy Bob?" Gideon estaba completamente despierto ahora, mirando a su sirviente con un toque de sospecha.

"Me salvó la vida durante la Primera Guerra Mundial antes de que me uniera a usted y a su padre aquí. Lo ayudo con los casos de vez en cuando cuando necesita mi ayuda, señor".

"Humph. Y pensar que te empleo, Billy Bob". Gideon rió levemente.

"Ciertamente, lo hace, Vincent, y se lo agradezco. Pero también tengo mis horas libres, señor".

"¿Si lo tienes en tan alta estima, por qué no fuiste a trabajar para él una vez que terminó la guerra?"

"Es bastante excéntrico, señor. Además, nunca necesitó ni se preocupó por la presencia de sirvientes hasta hace poco. Su cabello es incluso más blanco que el mío".

"¿Crees que este Jonathan Kowalski estaría dispuesto a ayudarme, Billy Bob?"

"Sin lugar a dudas, señor, si tuviera que preguntarle".

"¿De verdad crees que puede encontrar un rayo de esperanza en medio de toda esta oscuridad que rodea a Abigail?"

"Estoy seguro de ello, señor. ¡Absolutamente positivo!"

"Muy bien. Coge mi sombrero y mi abrigo y dame la dirección del hombre. No tiene sentido estar sentado aquí mirando la chimenea y sin hacer nada".

Billy Bob regresó con el abrigo, el sombrero y un sobre de Vincent. " El señor Kowalski no recibe a extraños. Necesitará esta nota mía como presentación".

Gideon, un detective de renombre por derecho propio, partió con dudas sobre cómo obtener la ayuda de otro detective y reconoció su reputación de manejar los casos de manera independiente. Sin embargo, no podía ignorar que su juicio se había visto empañado por su amor por Abby, y ciertamente necesitaba ayuda, especialmente con el tiempo corriendo rápidamente.

Llegó a Seaview Square, de pie en la acera que conducía a la puerta principal, mirando una casa en un barrio de bajos ingresos con calles de tierra. Los vientos implacables y la niebla del Océano Pacífico lo habían transformado en una estructura gris plateada erosionada. Una chimenea tallada sobresalía del techo inclinado, dando a la casa una silueta que se asemejaba a un caprichoso sombrero de fiesta.

A medida que Gideon se acercaba lentamente a la desvaída grandeza de la antigua casa, crecían sus dudas sobre las habilidades del detective. Llamó a la puerta y, en unos momentos, una mujer negra se asomó por la ventana delantera. Su apariencia era intimidante, aparentemente diseñada para asustar a todos menos a los visitantes más audaces. Su cabello estaba erizado de puntas de lana gris, parecidas a una cerca de estacas. El blanco de sus ojos brillaba intensamente, y sus labios resplandecían con un rojo ardiente contra la suave oscuridad de su piel.

"Qué deseas?" gritó desde la ventana.

"Me gustaría ver al señor Kowalski, por favor", pidió Gideon, aunque una parte de él sintió un fuerte impulso de dar la vuelta y regresar a casa.

"Señor Kowalski?" la mujer repitió después de Gedeón.

Gideon se quedó allí, sin saber qué decir. La casa decrépita, la dudosa reputación del barrio y la formidable presencia de la negra lo abrumaron. Era casi demasiado para él quedarse.

La mujer dijo: "Señor Cooper, él no está en casa, no, señor".

"Estas seguro?" Gideon se acercó unos pasos a la ventana por donde asomaba la cabeza la mujer y le entregó la nota que le había dado Billy Bob.

" No voy a decir mentiras, jovencito".

"Podría por favor informarme de un buen momento para encontrarlo en casa?"

"Dentro de una semana, señor. Se ha ido". Metió la cabeza hacia atrás en la ventana y la cerró de golpe, causando que las paredes circundantes temblaran.

Gideon se quedó allí, congelado, con la mirada fija en la ventana cerrada. No estaba seguro de si Kowalski realmente estaba ausente o no, pero la reacción de la mujer y la apariencia de la casa lo abrumaron. De ninguna manera iba a regresar a ese lugar.

CAPÍTULO SIETE

¿QUIÉN ES EL VERDADERO HEREDERO DE LA FORTUNA DE KLEIN?

Desanimado por su visita fallida a la casa de Kowalski, Gideon regresó a su automóvil y cruzó la plaza, deteniéndose a media milla de distancia. Mientras miraba las direcciones de paso, se dio cuenta de que el complejo de apartamentos donde residía Ava O'Neill estaba en esta vecindad.

Mientras conducía, disminuyó la velocidad, recordando su nombre de la investigación. También recordó cómo el forense Owens había intentado, sin éxito, dar con el paradero de esta mujer.

Su mente reprodujo momentos de la investigación. Era extraño que, entre todos los testigos y personas en el estudio, nadie conociera a Ava O'Neill. ¿Por qué el reportero afirmó que Wolfgang escribió su nombre en su nuevo testamento cuando Abigail disparó el tiro fatal?

Si Wolf consideraba a Ava O'Neill digna de heredar su fortuna, era muy probable que Blair Thomas también la conociera. Sin embargo, Blair negó con vehemencia conocerla, aunque Gideon sabía lo contrario.

Gideon siguió conduciendo, girando por una de las calles para visitar a Blair e intentar sacarle la verdad. Sin embargo, al llegar y preguntar por el paradero de Blair, descubrió que el sobrino de Wolf se había ido por negocios.

Esto fue peculiar. ¿Por qué el joven se iría de la ciudad por negocios sin esperar el funeral de su tío? Debe haber una razón urgente detrás de su partida. Gideon tuvo el presentimiento de que Blair Thomas sabía que su tío estaba muerto, y tal vez él era el asesino.

No, eso no puede ser. Si Blair Thomas fuera el asesino, sería imprudente regresar a la casa. Y si efectivamente había asesinado a su tío, ¿cómo escapó del estudio?

Gideon había llegado a su límite. Frustrado, se dio cuenta de que no podía conocer a Kowalski. El sobrino había huido de la ciudad. Disgustado, se dio por vencido y se dirigió a casa mientras el reloj seguía corriendo.

Cuando Gideon llegó a su puerta, sacó la llave de su bolsillo. Era tarde y estaba a punto de introducir la llave en la cerradura cuando Billy Bob abrió la puerta. El mayordomo había estado esperando despierto, escuchando atentamente el regreso de Gideon.

"Buenas noches, señor. Un caballero lo está esperando en el salón", dijo Billy Bob en voz baja, ayudando a Gideon a ponerse el abrigo y el sombrero. "Él no reveló su nombre".

"Muy bien, Billy Bob".

Los dos hombres caminaron por el pasillo y, mientras lo hacían, Billy Bob agarró a Gideon por el codo. "Señor, si no le molesta mi curiosidad, ¿conoció al señor Kowalski?"

"No, no lo hice. Desafortunadamente está fuera y no volverá hasta dentro de una semana más o menos".

"Está bien. Ese hombre realmente puede ayudarlo, y juntos, ambos pueden resolver cualquier cosa antes del juicio, señor".

"Gracias, Billy Bob, por tus palabras de aliento", respondió Gideon, conmovido por el deseo de su mayordomo de consolarlo.

"Es la verdad, señor".

Continuando por el pasillo, Gideon asintió en dirección a Billy Bob. Finalmente, llegó a la puerta del salón. "¡Señor Hoffmann!"

El tío de Abigail era la última persona que Gideon esperaba ver cuando dobló la esquina hacia la sala de estar.

"Vincent. ¿Dios mío, realmente han detenido a Abigail?" Su voz estaba llena de ira y emoción.

Gideon asintió en silencio, luego se sentó abruptamente, enterrando su rostro entre sus manos. Poco después, saltó de nuevo y comenzó a caminar de un lado a otro en la habitación. Gideon lo miró impasible, sabiendo que había caminado por el suelo innumerables veces en los últimos días. Tal vez Jacob Hoffmann necesitaba compartir la carga de desgastar el piso.

El anciano se inclinó desde una silla cercana, encorvando la espalda y acercándose al fuego para calentarse las manos en la amarga tarde. Con mechones de un blanco grisáceo enmarcando su cuero cabelludo calvo y moteado, su rostro parecía curtido y su espalda ligeramente encorvada. Mientras se balanceaba hacia adelante y hacia atrás en la silla, el sonido de huesos crujiendo llenó la habitación. Tenía la mirada resignada de quien sabe que la vida ya no da a su edad, sino que quita.

"Se ha designado un abogado para defenderla, ¿Vincent?" habló en voz baja, hundiéndose con cansancio en la silla de gran tamaño. Al principio, sus palabras no se registraron en el cerebro de Gideon, obligándolo a repetirlas.

"Vincent, Abigail tiene un abogado que la represente?"

"Mathias Cooper la representará".

"¿Podrás testificar en su defensa, Vincent?"

"No, desafortunadamente no. De hecho, soy el principal testigo en su contra", respondió Gideon con tristeza.

"Qué diablos estás diciendo? ¿Contra ella?" Hoffmann estaba estupefacto.

"No has leído los periódicos últimamente?" Las cejas de Gideon se fruncieron con ofensa.

Jacob sacudió la cabeza de un lado a otro. "He estado muy enferma estos últimos días. El médico finalmente me dio un medicamento que me hizo sentir mejor. Cuando me iba, escuché a la enfermera preguntarle al médico si alguien debería informarme. Sin darle la oportunidad al médico de respondí, corrí hacia la enfermera y le pregunté qué quería decir. Cuando me dijo que mi sobrina estaba en la cárcel por el asesinato de Klein, me apresuré a regresar a Portland desde Black Rock Cové."

"¿Por qué viniste a mí, Jacob?" Gideon permaneció inmóvil en medio de la habitación.

"Bueno, muchacho, no es ningún secreto que la amas profundamente. Además, eres uno de los mejores detectives del mundo. Sé qué harás todo lo posible para liberarla. ¡Para ponerte de su lado, por así decirlo!" Las palabras de Hoffmann vacilaron mientras hablaba, su rostro enrojecido por la emoción.

Gedeón le contó a Jacob la angustiosa historia del juicio. Una vez que hubo terminado, comenzó a reír suavemente. Hoffmann lo miró, pensando que Gideon había perdido la cabeza. "Jesucristo, Vincent, ¿qué te pasa? ¡Por el amor de Dios, hombre, cálmate! ¡No puedes desmoronarme ahora, Vincent!"

El famoso detective no tenía nada que ofrecer en defensa de Abby más que palabras vacías, confiando en su reputación. Aunque habían sido suficientes para resolver numerosos casos sin resolver, de alguna manera dudaba que fueran efectivos esta vez.

Vincent se pasó el dorso de la mano por la frente con cansancio. "Supongo que tienes razón. Hay algo mal conmigo. No sé por qué no puedo evitarlo. Simplemente no lo sé".

Jacob miró a Vincent con compasión. "Hijo mío, ambos necesitamos descansar un poco. Estarás mucho mejor por la mañana después de dormir un poco".

"Quizás tengas razón, Jacob". Gideon se hundió con gracia en la silla con respaldo de mimbre al lado de Jacob.

"Te importa si me quedo aquí por la noche? No quiero volver a esa casa. Probablemente hay policías allí, y no quiero volver a pasar por todo eso con ellos". Sus palabras salieron corriendo, acompañadas de un estremecimiento.

"Por supuesto, amigo mío." Jacob luchó por levantarse del sillón de orejas de gran tamaño, pero cayó hacia atrás en él, sus piernas no pudieron sostenerlo. Era como si estuviera destinado a desmayarse, pero en su lugar se sumió en un sueño profundo.

LOS OJOS DE VINCENT se abrieron y descansó pacíficamente en su cama. Mientras Billy Bob descorría las cortinas de las antiguas ventanas con parteluz, la brillante luz del sol del mediodía dibujaba un patrón de tablero de ajedrez en el suelo de nogal oscuro.

Sobresaltado, el detective se incorporó en la cama. "Billy Bob, qué hora es?"

"Son las doce y media, señor", respondió Billy Bob, asegurando las cortinas a cada lado para permitir que entre más luz solar en la habitación.

"Esto no puede ser. ¿He estado dormido todo este tiempo?"

"Sí, señor. No durmió nada la noche anterior. Estaba exhausto. Además, señor, realmente necesitaba descansar".

"Dónde está Jacob?"

"El señor Hoffmann está abajo esperándote para el almuerzo. Ha estado preguntando por ti. Le dije que dormiste lo suficiente y que subiría para despertarte".

Los eventos de la noche anterior con Jacob pasaron por la mente de Vincent. La sangre fluyó por sus venas cuando se quitó las sábanas. Dios mío, Jacob debe pensar que soy un loco. No puedo explicar lo que pasó anoche. "Dile a Jacob que bajo enseguida, Billy Bob".

En menos de treinta minutos, Vincent bajó las escaleras y se unió a Jacob para un desayuno tardío. Después de terminar su comida, se trasladaron al salón, donde Vincent contó todos los detalles de la investigación.

No hubo un período de preguntas y respuestas durante la narración de Vincent con Jacob. Jacob se sentó en su silla, escuchando la abrumadora evidencia y el testimonio definitivo que apuntaba hacia su sobrina.

Ante los ojos de Vincent, el anciano parecía envejecer aún más. Vincent esperó la reacción de Jacob a las revelaciones. "¡Vincent! Es mi culpa, te lo digo".

"Qué quieres decir con que es tu culpa?" Vincent estaba genuinamente preocupado, sacudiendo la cabeza.

"¡Simplemente lo es! ¡Es mi culpa que Abigail haya matado a ese miserable hijo de puta!"

Vincent no respondió de inmediato. Estaba asombrado de que el tío de Abby pudiera siquiera considerar, aunque fuera brevemente, que su sobrina era culpable.

"Mi sobrino", dijo Jacob con humildad, "él me hace responsable. Simplemente lo sé. ¡Soy culpable de todas sus desgracias!" Controlaba sus emociones, pero no la sudoración profusa. Se limpió las gotas de la frente.

Gideon permaneció en silencio, permitiendo que el tío de Abby contara su historia.

"Estaba frenético, loco. Y ahora, para salvar a mi sobrino, sacrifiqué a mi sobrina. ¿Qué clase de hombre soy? Y ahora, por el amor de Dios..." Se interrumpió y comenzó a sollozar, con la cara enterrada entre las manos.

"Jacob, detente. Me juego toda mi reputación a que Abby sea inocente". Vincent se estiró y suavemente colocó su mano sobre el hombro de Jacob, conmovido por el dolor del tío de Abby.

"Gracias, Vincent", dijo Jacob, levantando la cabeza. "No merezco tu perdón por lo que he hecho".

"Es agua debajo del puente, Jacob. No podemos cambiar el pasado. Pero ahora, nuestra tarea es liberar a Abby. Ayúdame. Trabajemos juntos para asegurar la libertad de tu sobrina".

Jacob respiró hondo, recuperando la compostura. "Toma, Gideon, déjame mostrarte algo". Dudó, luego le entregó una nota a Vincent. "Lee lo que dice".

Vincent comenzó a leer la nota, fechada dos días antes del asesinato de Wolfgang.

Querido tío Jacob, Wolfgang ha tratado a nuestra familia como si fueran unos maleantes por última vez. Tengo un arma contra él que nos liberará a Abigail ya mí de su chantaje. Me voy a Black Rock Cove mañana por la mañana, y cuando termine lo que tengo que hacer, regresaré. Su sobrino, Ludwig.

Después de terminar la nota, Vincent miró a Jacob, preguntándose si sus pensamientos se alinearían con los de Jacob al leer sobre el arma. ¿Puede ser una pistola? Abby estaba protegiendo a su hermano una vez más?

La mente de Gideon comenzó a trabajar. Sacudió la cabeza. "Si Ludwig estaba en el estudio, ¿cómo diablos escapó sin que yo lo viera? Estaba a solo cuatro o cinco pies de distancia, mirando directamente a la puerta. No pudo haberse desvanecido en el aire." Sus pensamientos regresaron a la hija de Jonathan Knight seis años antes y las peculiares circunstancias que rodearon ese caso. También comenzó a considerar si Rosenthall estaba interfiriendo en este caso una vez más.

"¡Vicente!" Jacob sollozó. "No se atrevería a hacerlo de nuevo".

"Entonces, Jacob, ¿qué quiso decir con el arma?"

"¡No, no asesinato! Descubrió la verdad de que Wolfgang era su tío", susurró Jacob.

"¡Su tío!" Gideon jadeó, tomado por sorpresa por la revelación de Jacob.

"Después de que la madre de Abigail muriera, la acogí y la crié durante varios años. Era más como una hija para mí que como una sobrina. Más tarde, me casé con la hermana de Wolfgang y tuve un hijo, Ludwig. Él es el medio hermano de Abby, podrías decir."

"¿Entonces, Wolf también sabía que Ludwig era su sobrino?" Vincent hizo una pausa para recuperar el aliento.

"Nadie lo sabe excepto yo, Vincent. Nadie. Cuando Wolf no tenía más de ocho o nueve años, su padre no quería tener nada que ver con su hija, a quien consideraba la oveja negra de la familia. Se prostituyó a una edad temprana y Frank Klein la repudió. La mataron cuando Wolf era muy joven y él no sabía mucho sobre ella.

"No entiendo, Jacob. ¿Por qué no le dijiste a Wolf que Ludwig era su sobrino? Podría haber evitado toda esta exposición y el acto desesperado de Ludwig".

"Vincent, sabes tan bien como yo que no habría hecho ninguna diferencia para Wolfgang. Quería a Abigail, y si ella hubiera rechazado su propuesta, habría expuesto lo que Ludwig había hecho a las autoridades".

"Qué hay del parecido familiar, Jacob?"

"Ambos tienen una tez aceitunada oscura y una constitución similar. Aparte de eso, no hay parecido".

"¿Entonces, crees que Ludwig descubrió que era el sobrino de Wolf y esperaba usar eso como palanca para obligar a Wolf a divorciarse de Abby?"

"Ludwig pensó que, si revelaba su relación con Wolf, Wolf lo protegería de las autoridades. Ludwig probablemente creía que Wolf accedería al divorcio, manteniéndose en silencio para proteger el nombre de la familia y la reputación de Ludwig como su sobrino".

Las ruedas deductivas de Gideon comenzaron a girar, intentando encajar algunas piezas del rompecabezas. No puedo sentarme aquí y destrozar las esperanzas de Jacob derivadas de sus deducciones. Algo está mal. Gideon se frotó la barbilla mientras contemplaba.

Primero, si Jacob era el único que conocía la verdadera identidad de su esposa y no la había revelado en todos estos años, ¿cómo llegó a enterarse Ludwig? Se secó el sudor de la frente.

Ludwig tenía otra cosa en mente y la única opción plausible era la muerte de Wolfgang Klein. Parecía que Ludwig había matado antes, bajo menos provocación. ¿Qué le haría a un hombre que obligó a Abby a casarse? Además, ¿dónde estaba Ludwig? ¿Por qué no se había presentado para tratar de liberar a Abby de la cárcel? ¿Qué clase de hombre se rebajaría tanto como para dejar que su hermana cargara con el castigo por sus acciones?

Si Ludwig mató a Wolf para salvar a Abby, sería una tontería pensar que se escaparía y dejaría que ella enfrentara las consecuencias, arriesgándose a ser ejecutado.

El niño debe haber descubierto algo que podría asegurar su propia libertad de la exposición. Debo encontrarlo. Ludwig probablemente regresó a Portland al leer los titulares que anunciaban la muerte de Wolf. Con Klein fuera de escena, Ludwig no tenía nada que temer.

ANILLO. ANILLO. ANILLO.

El teléfono del pasillo hizo añicos los tumultuosos pensamientos que se arremolinaban en la mente de Gideon. "Vincent, es la jefatura de policía. El sargento Connors está en la línea". Billy Bob le pasó el teléfono.

Gideon suspiró. "Hola." Su voz debió haber resonado en el oído del sargento.

Después de un breve intercambio al otro lado de la línea, Gideon dijo: "Gracias" y volvió a colocar suavemente el teléfono en el soporte del pasillo. Miró a Billy Bob, pero permaneció en silencio.

"Qué sucede, señor? Parece que ha visto un fantasma", preguntó Billy Bob.

Billy Bob descolgó el teléfono, escuchó un momento y luego habló. "Sí, señor. Se lo diré". Miró a Gideon, pero sus palabras permanecieron en silencio.

Gideon regresó al salón, contemplando cómo darle la noticia a Jacob. La expresión de su rostro reflejaba la misma historia que le contó el rostro de Billy Bob.

Jacob se abalanzó sobre Gideon con una aguda exclamación. "¡Ludwig! ¿Qué has encontrado?"

Vincent luchó por encontrar las palabras, su rostro en blanco. "¡Vincent, por favor! Dime qué han encontrado. ¡No me dejes en suspenso! ¿Qué es?"

Gideon se acercó y colocó su mano sobre el hombro de Jacob. El anciano pronunció: "Han...?" Se tambaleó y se hundió en una silla como si sus piernas no tuvieran la fuerza para sostener su cuerpo. "Está bien, Vincent. No es necesario que me lo digas", susurró suavemente en voz baja. "Lo sé. Está muerto, ¿verdad?"

Sus ojos se movieron hacia los lados, cubiertos con un brillo de lágrimas. Cuando parpadeó, las lágrimas rodaron por sus mejillas. Apretó los labios con fuerza, suprimiendo cualquier sonido que amenazara con escapar.

"Sí, Jacob". Gideon encontró su voz, aunque se sentía extraña, sin su habitual vigor. "Ludwig". Él se detuvo por un momento. "¡Ludwig se ahogó en el río Portland esta mañana temprano!"

Vincent se conmovió por las emociones reflejadas en el rostro de Jacob. Se sintió apenado por tener que ser el portador de tales noticias. Una profunda tristeza se filtró en sus huesos en lugar de manifestarse como lágrimas en sus ojos.

CAPÍTULO OCHO
EL DÍA DEL FUNERAL

Wolfgang se rodeó de muchos conocidos de negocios que buscaban su compañía más por su riqueza que por un afecto genuino. Dejando de lado esas dudosas relaciones, llegó la hora del funeral. Gideon y Jacob se quedaron en la casa del detective, esperando la llegada del detective Givens.

Ni Gideon ni Jacob asistieron al funeral, lo que agregó otra capa de tristeza a la ya sombría ocasión. Fue desalentador saber que no todos derramaron una lágrima por su partida de este mundo.

Gideon se sentó en el salón, esperando ansiosamente la llegada del detective, pensando por qué ni él ni Jacob asistieron al funeral. La muerte en sí era angustiosa, pero la ausencia de dolientes amplificó la sensación de aislamiento.

Perdido en sus pensamientos, Gideon se acercó a la ventana y miró hacia afuera. Incluso la carne y la sangre de Wolfgang le habían dado la espalda, abandonando su funeral. "Debería estar en el funeral, asegurándome de que Wolf tenga a alguien a su lado en su viaje a la tumba", reflexionó.

De repente, las palabras resonaron desde la puerta del salón. "Señor Gideon, señor, ¿cómo está hoy?" El detective Givens interrumpió abruptamente el hilo de pensamiento del famoso detective.

Gideon miró al otro lado de la habitación, se acercó y extendió la mano. "Y este debe ser el señor Jacob Hoffmann", afirmó.

Gideon respondió: "Sí, detective. Le he informado de las desafortunadas noticias. ¿Necesita que identifique el cuerpo?".

"Desafortunadamente, Gideon", respondió Givens, su mirada llena de simpatía dirigida hacia Jacob, quien permaneció sentado, mirando por la ventana. "El cuerpo aún no se ha encontrado. Sin embargo, tenemos algunas pertenencias que se cree que pertenecen al difunto".

Givens colocó los artículos que había traído en la mesa cercana y los abrió. Entre los artículos había un traje azul, una gorra de béisbol, un reloj y un pequeño cuaderno de espiral.

"Estos artículos fueron descubiertos en una casa de huéspedes en West First Street", explicó Givens. "Cotejamos los registros de embarque con la casera, Roberta Slaton, y nos enteramos de que el huésped se registró ayer. Pasó todo el día deambulando por los muelles junto al río y regresó tarde en la noche". El detective de la policía se acercó a la mesa, recogió algunos artículos, los examinó y los volvió a colocar.

"La Sra. Slaton mencionó que esta mañana temprano, mientras el albergue preparaba el desayuno, un hombre de tez oscura se fue antes del amanecer. Inicialmente, no levantó ninguna sospecha ya que muchos huéspedes se van temprano al trabajo. Sin embargo, quince minutos después, la Sra. Slaton recibió una llamada informando que uno de sus invitados fue testigo de cómo este inquilino se ahogaba en el río".

Gideon intervino: "Detective Givens, la ropa parece ser nueva. No veo cómo pueden vincularse con Ludwig Hoffmann".

"Tiene razón, Vincent, pero mire este reloj. ¿Lo reconoce, señor Hoffmann?" Givens redirigió su atención de Gideon y se concentró en el tío de Ludwig.

Jacob examinó el reloj y asintió, entregándoselo a Gideon. Mientras Gideon inspeccionaba el reloj, notó las iniciales *"LH"* grabadas en la parte posterior. "Le regalé este reloj a Ludwig en su decimoctavo cumpleaños. Dentro de la caja, hay una foto de Abigail y Ludwig cuando eran adolescentes".

No se podía negar la propiedad del reloj ni la identidad del inquilino de la señora Slaton.

Gideon exclamó, su voz elevada, "El reloj sirve como evidencia suplementaria, nada más".

"Sí, Vincent, tienes razón", asintió Givens. Luego miró a Jacob y continuó: "En este cuaderno", sosteniendo el bloc de notas, "encontramos su nombre, señor Hoffmann, junto con el de Ludwig en la primera página de identificación".

Givens abrió el libro y mostró la página que contenía espacios para nombres, direcciones y alturas. Ludwig había completado solo su propio nombre y el de su tío.

"¿Reconoce la letra, señor Hoffmann?" Givens sondeó, buscando desentrañar este misterio.

"Sí, detective, es la letra de mi sobrino, se lo aseguro", confirmó Jacob.

"Nuestros investigadores determinaron que estos artículos pertenecían a Ludwig Hoffmann. Dado que era el hermano de Abigail Klein, los llevamos a la sede, ya que puede haber una conexión entre su suicidio y el asesinato de Wolfgang Klein".

Gideon dijo: "No creo que Ludwig haya tenido ninguna participación en el asesinato. Seguramente, detective Givens, no cree que haya matado a Wolfgang".

—Para nada, Vincent, teniendo en cuenta que no estaba en el estudio cuando ocurrió el crimen. Sin embargo, creo que podría haberlo instigado. Y la señorita Abigail puede haber sido el instrumento —sugirió Givens—.

"¡En efecto!" Gedeón se puso rígido. "Qué estás insinuando, Givens?"

—Solo esto —respondió bruscamente el detective Givens. "Esto es lo que sé hasta ahora. Hace unos seis meses, Ludwig Hoffmann regresó apresuradamente a casa con Wolfgang. Habían estado en algún lugar y tuvieron una larga discusión con usted, señor Hoffmann. En media hora, Ludwig había hecho las maletas y se dirigió al este."

"Dónde se enteró de esto, detective?"

"No importa. Sin embargo, mis fuentes también mencionaron que Wolfgang se reunió contigo y tu sobrina la noche siguiente durante horas. Después de la partida de Wolfgang, los sirvientes notaron que parecías golpeado y exhausto hasta el cansancio total".

Gideon replicó: "Lo que está citando son rumores, detective Givens. Son una familia. Las familias a menudo entablan largas conversaciones. Eso es lo que hacen".

"Entonces, Vincent, ¡explícanos por qué la mujer con la que estabas comprometido canceló tu compromiso y se casó con Wolfgang Klein dos semanas después!" Givens observó la reacción de Gideon a su pregunta, asintiendo repetidamente. Disfrutó del enfrentamiento verbal, sintiendo una ventaja sobre el renombrado detective.

Gideon permaneció en silencio, lo que permitió a Givens profundizar en su conocimiento. Necesitaba discernir el alcance de la comprensión del detective.

"Satisfecho de que haya una conexión entre la partida repentina de Ludwig y el hecho de que Abigail se case con alguien que no seas tú, particularmente con Wolfgang, comencé a rastrear los movimientos de Ludwig la noche del asesinato", continuó Givens, observando a Gideon con astucia y audacia.

"Tomó un taxi el siete de octubre y llegó al Riverside Inn alrededor de las diez de la noche, donde alquiló una habitación. El gerente del hotel dijo que Ludwig salió a caminar inmediatamente después de instalarse en su habitación. Regresó al hotel alrededor de las tres. en punto de la mañana".

Gideon intervino: "Cómo se relaciona eso con el asesinato de Wolfgang Klein?"

"Paciencia, Vincent. El recepcionista de noche mencionó que Ludwig parecía desaliñado como si hubiera estado en una pelea. Bajó las escaleras alrededor de las siete de la mañana y se registró. El conserje dijo que se fue a pie por la calle".

"La Sra. Klein afirmó que no había visto a su hermano desde que salió de su casa. Pero estoy tratando de averiguar qué estaba haciendo entre las diez de la noche y las tres de la mañana en la noche del asesinato. También quiero saber adónde fue después de irse el ocho de octubre y durante la tarde del nueve.

Gideon escudriñó las expresiones de Givens. Con experiencia en la detección de expediciones de pesca, intuyó que el detective había puesto toda la carnada.

"Ludwig Hoffmann inició el asesinato y posteriormente, por remordimiento, se suicidó? Eso es lo que pretendo averiguar", reflexionó Givens en voz alta.

Gideon creyó que era hora de entrenar más con Givens. "No, no creo que eso haya sucedido en absoluto", afirmó con firmeza. "Detective Givens, admiro sus habilidades de investigación y el alcance de sus hallazgos. Sin embargo, creo que el mejor curso de acción para mí es ser completamente honesto y directo con usted".

"Muy bien, Vincent. Por favor, continúa".

"Ludwig se vio obligado a abandonar Portland, y Wolfgang tenía poder sobre él. Wolfgang orquestó la huida de Ludwig a Black Rock Cove, aprovechando cualquier conocimiento que poseía para obligar a la señorita Abigail a casarse con él. Lo hizo para proteger a su hermano de la exposición, cualquier transgresión podría haber cometido".

"De hecho, Vincent. ¡Me estás dando la razón! El joven se desesperó y regresó con la intención de matar a Klein", declaró Givens con voz ronca.

"Sí, tiene razón, detective", respondió Gideon con entusiasmo. "Es muy probable que incluso haya venido a la casa esa noche, tal vez paseando afuera, luchando con lo que debería decirle a Wolfgang. Sin embargo, no hizo nada. Cuando salió del hotel para regresar a Portland, leyó sobre el asesinato en las noticias de la mañana. Al darse cuenta de que no podía dejar a su hermana en una situación tan grave, se quedó para ver qué había sucedido. Al enterarse del arresto de Abigail, se sintió el único responsable de toda la terrible experiencia y, en un ataque de desesperación, fue al río, sabiendo que no podía nadar, y saltó a las aguas profundas desde el puente".

El detective Givens escuchó atentamente mientras Vincent exponía su perspectiva del caso. Reconoció el historial de Gideon de resolver numerosos casos de alto perfil y se sintió obligado a elogiar al famoso investigador, eligiendo cuidadosamente sus palabras de elogio. "Tienes razón, Vincent. Esa es probablemente la secuencia de eventos".

"Detective, si Ludwig hubiera instigado el asesinato, creo que habría dejado alguna confesión escrita. Algo por el estilo. ¿No cree?" preguntó Gedeón.

"Sí, estoy de acuerdo. Podemos concluir que el joven probablemente no estuvo involucrado en el asesinato. Probablemente se sintió responsable de alguna manera. Requiescat in Pace (Descanse en paz)", admitió Givens.

Gideon se sorprendió al oír que Givens empleaba una frase en italiano. Después de un momento, respondió: "Descanse en paz. Supongo que no hay esperanza de encontrar el cuerpo".

"Me temo que no. La corriente del río es fuerte y probablemente llevó el cuerpo al Pacífico. Tal vez llegue a la playa en unos días. Nadie lo sabe".

"Detective, solo tengo una pregunta. ¿Está seguro de que Ludwig se quitó la vida?" Gedeón buscó seguridad.

"Sí, Vincent. Dos personas con las que había conversado la noche anterior lo reconocieron. Estaban juntos y lo vieron saltar del puente el día en cuestión. A pesar de su impotencia para salvarlo, lo vieron sumergirse y nunca resurgir".

"Detective, me gustaría hablar con Roberta Slaton y los demás también", expresó Gideon su deseo de salir de la casa y alejarse de presenciar el dolor silencioso de Jacob.

"No hay problema, Vincent. Agradezco tu perspectiva sobre el caso. Mi auto está afuera. Puedo llevarte allí personalmente si lo deseas".

A lo largo de la conversación entre los dos detectives, Jacob permaneció en silencio. Probablemente no había escuchado una palabra, perdido en sus pensamientos sobre su sobrino fallecido. Mientras Givens reunía las pruebas para llevárselas, Jacob, con lágrimas en las mejillas, suplicó: "¿Puedo quedarme con la guardia, detective?". Su sollozo reflejaba una profunda desesperación.

"Sí, señor Hoffman. Tenemos suficiente evidencia para nuestro caso, pero lo contactaré si la necesito por cualquier razón".

"Muchas gracias, detective Givens". Jacob se acercó a una ventana cercana, mirando hacia afuera con el rostro arrugado. Sus puños cerrados rezumaban sudor, apretados por la tensión.

Gideon y Givens salieron de la casa y, mientras conducían por la carretera, dejaron atrás a Jacob en la casa de Gideon, inmerso en la contemplación de su sobrino fallecido.

Después de aproximadamente veinte minutos, giraron en West First Street y estacionaron frente a una casa en ruinas. Gideon inspeccionó todos los lados del edificio en ruinas, notando interiormente que no era un lugar que elegiría para quedarse. Sin embargo, si Ludwig no tenía intención de quedarse mucho tiempo, cuanto más discreto, mejor. La casa estaba sin duda lúgubre, impregnada de un olor desagradable.

Roberta Slaton guió a Gideon a la habitación donde Ludwig se había quedado brevemente. Mientras el detective juntaba las piezas del rompecabezas, se dio cuenta de que, si Ludwig había alquilado este lugar como escondite, había sido negligente al dejar sus pertenencias esparcidas por ahí. La proximidad al puente donde saltó Ludwig probablemente influyó en su elección de esta casa. El río, convenientemente cerca, sirvió como un final aparentemente adecuado en su mente.

El detective Givens llevó a Gideon al puente donde ocurrió el trágico evento. Entrevistó a los dos hombres que afirmaron haber presenciado el salto de Ludwig y dónde desapareció su cuerpo. "Por qué lo hizo el joven?" Gideon reflexionó, rascándose la sien.

Abriendo su pequeño cuaderno rojo, Gideon comenzó a escribir mientras el razonamiento deductivo daba vueltas en su mente, con el objetivo de convencer al Detective Givens y satisfacer su curiosidad.

Convencer al detective Givens es una cosa, pero satisfacer mi curiosidad es otra cosa. Ludwig no era propenso al desánimo. ¿Aunque puede haberse hecho responsable de que Abby rompiera nuestro compromiso y se casara con Wolf, por qué recurriría al suicidio? De hecho, debe haber sabido que tal acto solo infligiría más angustia sin ofrecer una verdadera salvación a Abby.

Givens dejó a Gideon en su casa y dijo muy poco después de las entrevistas con Roberta Slaton y los testigos. Al entrar en la casa, Jacob fue el primero en saludarlo.

"Vincent", pronunció con tranquila desesperación. "Mientras estabas fuera, tuve mucho tiempo para contemplar. No puedo evitar estar de acuerdo contigo. Abigail debe dejar de proteger a Ludwig y revelar la verdad a las autoridades".

ESA TARDE, GIDEON VISITÓ a Jonathan Kowalski en busca de ayuda para concertar una entrevista con Abby. Sin demora, Kowalski arregló rápidamente la visita de su cliente.

Jacob acompañó a Gideon y juntos caminaron por una serie de celdas seguras hasta que llegaron al centro de visitas, donde pudieron conversar con los reclusos. Las pesadas puertas de metal se abrieron, revelando un espacio sombrío donde la gente podía conectarse con los que estaban tras las rejas.

Tan pronto como Abby vio a su tío Jacob, su rostro se iluminó con una mezcla de alegría y tristeza. Abrumada por las emociones, se echó a llorar cuando Jacob le dio la desgarradora noticia de la muerte de su hermano. Se aferraron el uno al otro con fuerza, buscando consuelo en su dolor compartido. Sus lágrimas fluían libremente, como olas rompiendo en la orilla, envolviéndolos en dolor por unos momentos fugaces.

Respetando su necesidad de privacidad, Gideon se retiró al otro extremo de la sala de visitas. El tiempo pareció detenerse mientras Abby y Jacob se consolaban mutuamente, sus lágrimas disminuyendo gradualmente. Abby respiró hondo, tomó un pañuelo y se secó las lágrimas. Reuniendo fuerzas, se concentró en consolar a su angustiado tío, cuyos sollozos parecían inconsolables.

Vincent vaciló, no queriendo entrometerse en su momento íntimo. Sin embargo, Abby le indicó que se uniera a ellos. Con pasos medidos, el detective se acercó a una silla vacía junto a Abby, donde tomó asiento. Le dolía el corazón al presenciar el dolor de Abby y la injusticia de estar confinado en este lugar sombrío, separado de los amigos y del calor de la luz del sol. Ella era inocente, pero sufrió las consecuencias del atroz crimen de otra persona.

Los pensamientos de Gideon se arremolinaron en un revoltijo, buscando las palabras adecuadas para comenzar su conversación. Pero se dio cuenta de que no había manera de ser franco y honesto con la mujer que amaba. Lleno de preocupación y desesperación, reunió el coraje para hablar. "Abby, por el amor de Dios, si estás protegiendo a Ludwig, ¡debes decírnoslo de inmediato!"

Sentada al otro lado de la mesa con Jacob, Abby se levantó abruptamente y se apresuró alrededor de la mesa hacia Gideon. Él la tomó en sus brazos, bañando su rostro con besos, uno tras otro. La intensidad de su afecto la abrumó, y ella empujó hacia atrás, alejándose unos pasos de su abrazo.

"¡Vincent! Detente. Por favor, no debes hacerlo", suplicó, con lágrimas corriendo por su rostro. "Te lo ruego, si me besas de nuevo, yo... te odiaré por el resto de mi vida". Sus palabras estaban mezcladas con ferocidad y angustia.

Desconcertado por el repentino cambio de comportamiento de Abby, Gideon se dio la vuelta y regresó a su lado de la mesa. La confusión y la preocupación se arremolinaron dentro de él. ¿Qué le había pasado a Abby? ¿Por qué se había vuelto tan distante?

"Vincent, por favor, comprende. No te enojes conmigo", imploró Abby, con la voz quebrada, sus dedos tocando suavemente los de Gideon mientras estaba de pie frente a él. "Solo quiero que sepas que, si me robas mi autoestima como mujer casada, ¿qué me quedaría para ofrecerte?"

La angustia de Gideon era palpable mientras trataba de comprender las palabras de Abby. La amaba profundamente y nunca había dejado de amarla desde el día en que la sacó de las traicioneras aguas de Black Rock Cove. "Lo siento, Abby. Por favor, perdóname, querida", suplicó, su voz llena de remordimiento.

El rostro manchado de lágrimas de Abby se suavizó y le ofreció a Gideon una sonrisa de perdón que le calentó el corazón y casi le hizo brotar las lágrimas. Mientras Gideon observaba, conmovida por su radiante sonrisa, Abby volvió a centrar su atención en su tío, que estaba a su lado.

"Abigail", intervino Jacob, rompiendo la atmósfera tensa, "Vincent y yo hemos venido aquí hoy para preguntarte algo".

Abby respondió en voz baja, con voz temblorosa: "Qué pasa, tío Jacob?".

Jacob buscó en una carpeta que había traído y recuperó la carta de Ludwig. Desdoblándolo, se lo entregó a Abby. "Por favor, lea esto. Creo que Ludwig mató a Wolf y luego se quitó la vida".

"¡No, tío! ¡Ludwig no mató a Wolf!" El corazón de Abby se apretó con un frío puño de miedo.

"Si lo viste en el estudio y lo ayudaste a escapar, no debes protegerlo más. Es un sacrificio demasiado grande para ti soportar la carga de su crimen", dijo Jacob con dificultad, el peso de la verdad pesando. pesadamente sobre él. Estaba decidido a corregir los errores infligidos a Abby por Ludwig.

La mirada de Abby se desplazó de nuevo a través de la mesa hacia Gideon, por lo que captó su atención y rápidamente se volvió hacia Jacob. "No estoy protegiendo a nadie, tío. Que yo sepa, Ludwig no estaba en el estudio esa noche". Sus palabras resonaron con honestidad, y Gideon lo sabía. No había duda de su sinceridad.

"Además, tío Jacob, no creo que Ludwig hiciera algo así. No es capaz de tal crueldad. ¡Simplemente no lo es!" La voz de Abby transmitía convicción. Su creencia inquebrantable en la inocencia de Ludwig brilló.

Un rayo de esperanza brilló en los ojos de Jacob. Se estiró y se secó las lágrimas con la mano. "¿De verdad crees eso, Abigail? Pensé que podrías estar diciendo eso simplemente para consolarme", dijo, respirando profundamente y tratando de calmarse.

Abigail extendió la mano, colocó su mano sobre la de Jacob y respondió: "Tío, no solo lo creo. Sé, sin lugar a dudas, que Ludwig no asesinó a Wolf".

El alivio se apoderó de Jacob, y dejó escapar un suspiro. "Gracias, querida. Tu certeza significa mucho para mí". Volvió la mirada hacia Gideon, que había estado observando en silencio el intercambio. "Vincent, estamos justo donde empezamos. Tanto tú como el detective Givens consideran a Abby culpable, pero estoy convencido de su inocencia".

Gedeón, lidiando con sus dudas, se dio cuenta de la verdad en las palabras de Jacob. No podía dejar que sus sentimientos personales nublaran su juicio. "Tal vez tengas razón, Jacob. Tal vez necesito ayuda en este caso. Necesitamos otro detective", admitió Gideon.

Jacob accedió con entusiasmo, instando a Gideon a encontrar un nuevo investigador sin demora. Sin embargo, Gideon insistió en esperar un poco más, expresando su intención de reunirse con alguien que tenía en mente: Kowalski. Había oído cosas buenas sobre el experimentado detective y creía que podía aportar una nueva perspectiva al caso.

"No podemos darnos el lujo de perder más tiempo", enfatizó Jacob.

"Debemos esperar, Jacob. Si Kowalski no responde dentro de dos días, seguiremos con tu sugerencia", respondió Gideon, decidido pero consciente de la urgencia.

Justo cuando estaban a punto de retirarse para pasar la noche, Billy Bob les dio la noticia de que Richard Kowalski había accedido a encontrarse con Gideon en su casa a las diez de la mañana siguiente. Jacob intentó acompañar a Gideon, pero lo convenció de que lo mejor para él era manejar la reunión solo, considerando la idiosincrasia de Kowalski.

Al día siguiente, Gideon se dirigió a visitar a Jonathan Kowalski con una mezcla de anticipación y temor. Mientras se acercaba a la casa del detective, su corazón palpitaba de esperanza, sabiendo que su última oportunidad de salvar a Abby descansaba sobre los hombros de Kowalski.

Gideon fue recibido por Kowalski, un hombre cuya apariencia desafiaba sus expectativas. En lugar de la figura excéntrica que había imaginado, Kowalski lucía las marcas de un viajero experimentado, grabadas en su rostro en forma de arrugas bien ganadas. Sus ojos transmitían una profunda experiencia, risa y preocupación, reflejando la sabiduría acumulada durante décadas de trabajo de investigación.

Su presentación estuvo acompañada de un firme apretón de manos y una amable sonrisa de Kowalski. En el momento en que pronunció el nombre de Gideon, todas las nociones preconcebidas se disolvieron y Gideon se sintió seguro de que había tomado la decisión correcta al buscar la ayuda de Kowalski.

"Vincent, Billy Bob me informó que tienes un problema que deseas que investigue", dijo Kowalski, indicándole a Gideon que se sentara en el acogedor salón de su antigua casa en Seaview Square. "Por favor, dame todos los detalles del caso".

Gideon comenzó a contar toda la saga, sin dejar piedra sin remover. Cada detalle, desde el sonido del disparo hasta la investigación y el trágico final de Ludwig Hoffmann, quedó al descubierto ante los atentos oídos de Kowalski.

El experimentado investigador escuchó atentamente, absorbiendo cada palabra. Luego, con rapidez y decisión, Kowalski interrumpió a Gideon. "Antes de comprometerme a ayudarte, Vincent, necesito revisar el informe final de la investigación de Alastair Owens".

Con pasos decididos, Kowalski se acercó a su escritorio, donde se sentó y escribió varias líneas en un bloc de notas. Dobló el papel, lo metió en un sobre y lo apartó. Sin reconocer la sorpresa de Gideon, Kowalski lo miró a los ojos. "Cuál fue el motivo de la partida de Ludwig Hoffmann de Portland hace dos meses?" preguntó abruptamente, sellando el sobre con un lametón.

Gideon, desconcertado por la pregunta inesperada, preguntó sobre su relevancia. Kowalski respondió con un toque de frialdad: "Vincent, no hago preguntas innecesarias. Lo descubrirás muy pronto". Empujó el sobre hacia Gideon. "Por favor, ordene a Billy Bob que le entregue esto a Alastair Owens. Mañana por la noche a las siete, lo espero de vuelta en mi casa para recibir su respuesta". Sin más discusión, Kowalski le dio las buenas noches a Gideon.

Atónito por el rápido giro de los acontecimientos, Gideon se paró en la acera delantera, mirando la puerta principal cerrada de Kowalski. "¡Maldita sea, eso fue rápido!" exclamó con frustración antes de regresar a su Ford Tudor de 1934.

Conduciendo a casa, la mente de Gideon luchó con un torbellino de pensamientos y emociones. El encuentro con Kowalski lo había dejado algo desanimado, pero la visión del semblante transformado de Billy Bob reavivó un rayo de esperanza. La solicitud del anciano de más información antes de comprometerse por completo tenía sentido.

Billy Bob había cumplido su tarea de entregar el sobre en la oficina de Alastair Owens y, a la noche siguiente, Gideon se encontraba de nuevo sentado en el salón de la casa de Jonathan Kowalski. Esta vez, Kowalski entró y le entregó un sobre a Gideon sin tomar asiento.

"Vincent, encuentra las respuestas a estas preguntas y descubrirás la identidad del perpetrador y del asesino de Wolfgang Klein", afirmó Kowalski. Gideon observó cómo Kowalski se acomodaba en su enorme sillón de orejas y encendía su pipa con tabaco de cereza, emanando un aire de calma y seguridad en sí mismo.

La curiosidad se mezcló con la frustración cuando Gideon desdobló el papel y leyó las preguntas. Cada pregunta parecía abrir una nueva puerta, ahondando en los entresijos del caso.

Abrumado, la ira de Gideon creció dentro de él. "Encontrar respuestas a todas estas malditas preguntas?" exclamó, alzando la voz. "Estás bromeando? ¡Me tomará una eternidad descubrir la verdad mientras la vida de Abby pende de un hilo!"

Kowalski golpeó la cazoleta de su pipa en un cenicero de cristal, aparentemente imperturbable por el arrebato de Gideon. Habló con firmeza, sus palabras rompiendo la tensión. "Vincent, si tomo tu caso, hay una condición. Debes obedecer mis órdenes sin dudar, incluso si no ves su sabiduría en ese momento".

La frustración dio paso a la comprensión cuando Gideon reconoció la sabiduría en la condición de Kowalski. Necesitaba ayuda y no podía dejar que sus sentimientos personales nublaran su juicio. "Jonathan, estoy de acuerdo con tu condición", respondió Gideon, extendiendo su mano. "Simplemente no dejes que condenen a Abby. Por favor".

Kowalski estrechó la mano de Gideon con firmeza, su acuerdo sellado. "No permitiré que eso suceda si ella es inocente", aseguró a Gideon. "Mi primera petición es visitar a Abigail Klein esta tarde".

CAPÍTULO NUEVE

JONATHAN KOWALSKI SE ENCARGA DE LA INVESTIGACIÓN

Gideon y Kowalski llegaron a la prisión de Seaside a última hora de la tarde. Mientras pasaban por el control de seguridad y avanzaban por los pasillos, Gideon no pudo evitar notar el reconocimiento y el respeto que Kowalski recibió de los guardias. Muchos de ellos asintieron y le sonrieron cálidamente, un testimonio de su familiaridad en este lugar de horrores.

Al llegar a la sala designada para la entrevista con Abigail, la matrona mostró un nivel de cooperación y amabilidad hacia Kowalski que superó su interacción anterior con Gideon cuando le pidió que esperara en el pasillo. Aunque se movió fuera del alcance del oído siguiendo las instrucciones de Kowalski, se posicionó estratégicamente para vigilar a los investigadores.

Abigail, escoltada al interior de la habitación, fue esposada a la mesa de visitas. Gideon presentó a Kowalski y explicó el propósito de su presencia allí. En respuesta, Abigail le devolvió la sonrisa a Kowalski con tanta delicadeza que lo convenció de inmediato. El encanto de su bonito rostro hizo efecto en el veterano detective.

En ese momento, Kowalski supo sin lugar a dudas que no tenía reservas en declarar no culpable a Abigail Klein. Él y Vincent Gideon harían lo que fuera necesario para demostrar su inocencia porque sabían que era cierto, no solo lo creían.

"Caballeros, tomen asiento", dijo Kowalski, señalando las sillas. "Abigail, debo informarte que, para llegar al fondo de este caso, tendré que hacerte muchas preguntas, algunas de las cuales pueden parecer personales. Confío en que no te ofenderás por nada de lo que te pregunte, y espero que respondas con la verdad. ¿Es eso aceptable para ti?"

"Sí, señor, lo es. No soy culpable y responderé cualquier pregunta que desee", respondió Abigail en voz baja.

"Muy bien", continuó Kowalski. "El informe de la investigación del forense presenta algunos hechos que no cuadran. Mencionaste que el estudio estaba completamente a oscuras cuando entraste, pero la lámpara de la mesa se encendió después del disparo. Tengo una pregunta, Abigail. ¿Lo hiciste? por casualidad, encienda la lámpara usted mismo, ¿incluso inconscientemente?"

"Yo no toqué la lámpara de mesa", respondió Abigail con firmeza. "Recuerdo claramente que tomé el revólver y me paré junto a una silla grande a unos metros del escritorio de la oficina cuando de repente se encendió la lámpara".

"¿Si alguien hubiera tirado de la cadena para encender la luz, habrías podido ver a esa persona?" Kowalski siguió adelante.

"Sí, por supuesto. Si alguien hubiera tirado de la cadena, lo habría visto cuando la habitación estaba iluminada. Sin embargo, no había nadie allí excepto Wolf y yo", respondió Abigail, su voz suave y suave.

Gideon tomó notas a medida que se desarrollaba la conversación. Una de sus preguntas fue sobre cómo se encendía la luz en el estudio.

"Ahora, Abigail, volvamos a cuando se disparó el arma. ¿Sabes desde qué parte de la habitación se disparó el arma?" preguntó Kowalski.

"No, señor. La habitación estaba completamente oscura y el disparo sonaba como si viniera de todas direcciones. Fue horrible", recordó Abigail.

"¿Sonó como si el disparo viniera de lejos, o estaba cerca de ti?" preguntó Kowalski.

"Cerca. Fue una explosión ensordecedora", respondió Abigail.

"Parecía venir de delante de ti o de detrás de ti?" Kowalski investigó más.

"Detrás de mí", confirmó Abigail.

"¿Y cuándo tropezó con el objeto, sabía que era un revólver?" Kowalski continuó con su línea de preguntas.

"No, señor, no sabía qué era. Simplemente sentí algo duro debajo de mi pie y lo recogí", explicó Abigail.

"Una cosa más, Abigail. Supón que hubiera alguien detrás de ti. ¿Habrías podido escuchar su presencia?" preguntó Kowalski, buscando claridad.

"No, no lo habría hecho. Wolf tenía el piso de madera cubierto con una alfombra gruesa, lo que amortiguaba cualquier pisada. Tampoco escuché ninguna respiración", respondió Abigail.

"Lo siento, señora Klein, pero eso no tiene sentido. Una persona podría haberse parado lo suficientemente cerca como para no haber notado su respiración", reflexionó Kowalski para sí mismo. "Ahora, hablemos de la respiración que escuchaste. ¿De dónde parecía provenir?"

"Estaba justo a mi lado, muy cerca de mí", recordó Abigail.

"Qué tipo de respiración era? ¿Era normal, apresurada o sonaba como si alguien estuviera luchando por respirar?" preguntó Kowalski, tratando de entender la naturaleza del sonido.

"No sé cómo describirlo. ¡Fue horrible! Parecía jadear", respondió Abigail, tratando de explicar su recuerdo.

Un momento de silencio envolvió la habitación mientras Kowalski consultaba sus notas. Después de leer brevemente, cambió de tema. "Señorita Abigail, déjeme preguntarle, ¿qué consejo le dio Ian MacDonald en la investigación?"

"Qué consejo? No estoy segura de lo que estás preguntando", respondió Abigail, su rostro insinuando sospecha.

"Según el informe de la investigación, Alastair Owens lo nombró su abogado durante el proceso. ¿No le indicó qué decir o no decir durante el interrogatorio?" preguntó Kowalski, con un toque de incertidumbre en su expresión.

"Oh, no, señor. El forense solo envió a un policía para informarme que debía bajar. El policía fue amable y me dijo que les contara todo lo que sabía sobre esa noche. No vi al señor MacDonald hasta que entré en el estudio y me senté junto al señor Owens", aclaró Abigail.

"Tengo una última pregunta", declaró Kowalski.

"Muy bien, señor", respondió Abigail.

"Por qué dijiste que no conocías a Ava O'Neill cuando Owens te preguntó?" inquirió Kowalski, su gentil sonrisa se desvaneció ligeramente.

"Porque realmente no la conozco, señor Kowalski", respondió Abigail honestamente.

"Permítanme reformular la pregunta. Usted sabe quién es ella", dijo Kowalski, manteniendo su sonrisa amable.

"Te ayudará si contesto?" preguntó Abigail, con un toque de preocupación en su voz.

"Sí, querida, será muy útil", la tranquilizó Kowalski.

"Ella es la prometida de Blair Thomas", reveló Abigail. "Nunca la conocí, pero Blair me mostró su foto un día y mencionó que se casarían. Es una mujer hermosa". Abigail vaciló por un momento, encontrándose con la mirada de Kowalski. "Por favor, señor, no la involucre en esta investigación. No sé los motivos de Wolf para querer dejarle su dinero, pero estoy seguro de que es inocente y no sabe lo que pasó".

"Gracias, señorita Abigail, por su franca honestidad. Haré todo lo posible para mantenerla fuera de mis acciones a menos que sea necesario involucrarla", respondió Kowalski. "Nos iremos ahora".

"Señor Kowalski, gracias", dijo Abigail, con una sonrisa amable en su rostro. "Y tú también, Vincent, por ayudarme. Por favor, date prisa". Los guardias se acercaron para escoltarla de regreso a su celda, y ella señaló en dirección a las celdas de la cárcel, indicando la dura realidad de su encierro.

Gideon observó cómo los guardias conducían a Abby por el pasillo y doblaron una esquina, desapareciendo de la vista. Kowalski caminó unos pasos antes de hablar, con las cejas ligeramente bajas. "Vincent, tu Abigail es una mujer valiente. Quiera Dios que no llegue demasiado tarde para ayudarte a resolver este caso".

Gideon permaneció en silencio, dándose cuenta de que insistir en el encarcelamiento de Abby solo nublaría su mente. Si quería conservar la cordura y reconstruir las pistas junto con Kowalski, tenía que concentrarse en la tarea que tenía entre manos.

Mientras los dos hombres cruzaban el patio de la prisión hacia la puerta principal, Kowalski inesperadamente pasó su auto estacionado junto a la acera, lo que llevó a Gideon a interrogarlo. "¿Eres un lector de mentes, Jonathan?"

"¿Un lector de mentes? No que yo sepa, Vincent. ¿Por qué lo preguntas?" Kowalski respondió, intrigado.

"Pareces entender mis pensamientos y sentimientos como si pudieras leer mi mente", explicó Gideon.

"Creo que es porque el amor por una mujer puede nublar la mente", comentó Kowalski. "Yo mismo lo experimenté en un caso pasado en el que me enamoré profundamente de una mujer que resultó ser una asesina. Afectó mi capacidad de observación, mi apetito y mi sueño. armar el rompecabezas. Me he estado escondiendo de esa decisión desde entonces.

Gideon contempló las palabras de Kowalski, reflexionando sobre su pesar por dejar escapar a Rosenthall. "Dejemos a un lado nuestros errores del pasado, Jonathan, o al menos dejémoslos a un lado por ahora. Juntos, podemos redimirnos y resolver este caso".

"Tienes razón, Vincent. Los dos hemos cometido errores, pero podemos aprender el uno del otro. Demostremos que los perros viejos pueden aprender trucos nuevos", dijo Kowalski con una sonrisa y un brillo de satisfacción en los ojos.

Al salir por la puerta principal de Seaside Prison, Kowalski siguió caminando junto a su automóvil estacionado junto a la acera. Gideon se dio cuenta de esto, pero mantuvo la conversación. "¿Estás evitando intencionalmente nuestro auto, Jonathan?"

Kowalski se rió entre dientes. "No intencionalmente, Vincent. Solo quedé atrapado en nuestra conversación. Pero no te preocupes, llegaremos allí eventualmente".

Gideon asintió, reconociendo la distracción causada por su intercambio. Ambos tenían sus propios demonios a los que enfrentarse, pero estaban decididos a trabajar juntos, aprender unos de otros y resolver el caso.

Gideon ofreció una leve sonrisa en dirección a Kowalski. Se detuvieron frente al cuartel general de la policía de Portland.

"Vincent, hemos llegado. Inicialmente, consideré ir a la casa de Klein, pero cambié de opinión. Quiero examinar las exhibiciones antes de visitar la escena del crimen. El rastro se ha enfriado y necesitamos encontrar una manera de calentarlo". arriba", explicó Gideon.

"Crees que la policía nos permitirá acceder a las pruebas relacionadas con el asesinato?" Vincent preguntó con escepticismo.

"No podemos hacer nada más que preguntar. Pero, amigo mío, tengo cierta influencia con la policía. Además, no sería un gran detective si no pudiera persuadir de alguna manera al viejo Givens para que nos dé lo que necesitamos". "Gideon respondió con confianza.

—¿Conoce personalmente a Givens, Jonathan? preguntó Vicente.

"Se podría decir eso. Nuestros caminos se han cruzado un par de veces", respondió Gideon.

"No estoy seguro de que su influencia funcione en este caso. Givens es un detective duro y cree firmemente que Abby es culpable", expresó Vincent dudoso.

"Givens no. Es natural que no te guste ese hombre, Vincent. A mí tampoco me caía bien cuando nos cruzamos por primera vez. Pero es un buen hombre que hace su trabajo, como tú y como yo. Puede parecer duro con por fuera, pero tiene un lado tierno", explicó Gideon.

Los dos detectives subieron las escaleras de la comisaría y se acercaron a la recepción, solicitando ver al detective Joseph Givens. Se sentaron en un banco de madera contra una pared cercana, permaneciendo en silencio y perdidos en sus pensamientos.

Kowalski almacenó recuerdos y pensamientos de su encuentro anterior con Givens, eligiendo no compartirlos con Vincent mientras esperaban.

Después de que pasaron unos minutos, los detectives se impacientaron. Kowalski finalmente inició una conversación. "Vincent, algunas personas simplifican las cosas clasificando a los policías en buenos o malos. Pero no es tan simple. Pueden ser honestos, valientes, corruptos, astutos o completamente tontos a veces", reflexionó Kowalski en voz baja. El padre de Givens era policía y poseía todas esas cualidades. No todas a la vez, por supuesto.

—Conocía al padre de Givens? Vincent preguntó, tratando de ocultar su confusión.

"¿Parezco lo suficientemente joven para ser un pollito, Vincent?" Kowalsky sonrió. "De todos modos, Joe es bastante similar a su padre. Solo se necesitan las circunstancias adecuadas para sacar a relucir cualquiera de esas cualidades en él. Es como un camaleón, mezclándose con quienes lo rodean. Una vez mencionó que fue fácilmente influenciable cuando era niño y supongo que algo de eso aún permanece."

Los dos detectives levantaron la vista y encontraron a Givens de pie frente a ellos. "Johnny, amigo mío, ¿qué te trae a nuestro cuartel general?" Givens los saludó, considerándose lo suficientemente familiarizado con Kowalski como para pasar por alto sus excentricidades. "Tengo entendido que desea examinar las pruebas en el caso del asesinato de Klein. ¿Qué espera lograr examinando las pruebas en un caso que ya hemos resuelto?"

Kowalski se rió y respondió de la misma manera. "Me han pedido que investigue el caso. Dos pares de ojos suelen ser mejores que uno, ¿verdad? Y sabes que siempre estoy feliz de complacerte".

"La petición de quién? ¿La tuya o la de tu cliente?" —preguntó Givens con astucia.

"Mis clientes, por supuesto. En serio, Joe, no vine aquí para bromear, aunque siempre es entretenido intercambiar ocurrencias con un adversario como tú", dijo Kowalski en broma.

—A qué has venido aquí, entonces, ¿con tus halagos? Cuestionó Givens.

"Me gustaría ver las pruebas que tiene en el caso de Klein", solicitó Kowalski.

"No le servirán de nada, Kowalski. Todos sirven como evidencia contra el acusado", respondió Givens.

"¿Entonces, por qué se opone a dejarme verlos? No estaría cumpliendo los deseos de mi cliente si al menos no examinara las pruebas que, según la policía, la incriminan sin lugar a dudas. No espero obtener nuevos conocimientos. de ellos", razonó Kowalski.

Givens se encogió de hombros. "Lo siento, viejo amigo, pero ya hemos deducido todo lo que hay que aprender. Sin embargo, eres bienvenido al informe escrito".

"Entonces, estás diciendo que puedo tener tu informe, pero no acceder a la evidencia, ¿correcto?" Kowalski se rió entre dientes, mirando a Vincent antes de volver a mirar a Givens.

"Adelante, dilo, viejo. No te contengas", remarcó Givens con una mueca.

"¿Bueno, no es esa la olla que llama negra a la tetera? ¿Yo, un anciano? ¿Te has mirado en el espejo, Givens? Me preguntaba cuándo buscarías mi consejo, al igual que en nuestro último caso juntos hace seis años". Kowalski respondió pensativo.

Un rubor rojo apareció en el rostro de Givens, pero sonrió. "Tú ganas, viejo amigo". Hizo pasar a Gideon y Kowalski a su despacho, abrió un armario y sacó una bolsa de plástico que contenía las pruebas etiquetadas. Colocó todo en su escritorio para que los detectives lo revisaran.

Jonathan se agachó y recogió el revólver, examinándolo desde diferentes ángulos. "Fueron las huellas dactilares de Abigail las únicas encontradas en esta pistola?"

"Sí."

"¿De nadie más?"

"No."

"Muy bien." Dejó con cuidado el arma sobre la mesa y luego examinó la bala.

"Bueno, otra teoría se esfuma, Jonathan", comentó Gideon, seguido de una risa siniestra.

"Más o menos, Joe", respondió Kowalski.

"Les aseguro que no hemos dejado piedra sin remover en este caso", dijo Givens, sonando algo pomposo.

Kowalski recogió dos pañuelos etiquetados. "Puedes decirme dónde se encontraron estos pañuelos?"

"El rojo y blanco manchado de sangre fue descubierto en la mano de la víctima. El otro pertenece a Abigail Klein. Aparte del color, el diseño y la tela son idénticos", explicó Givens.

Kowalski se llevó cada pañuelo a la nariz y los olió. Después de oler el pañuelo manchado de sangre encontrado en la mano de la víctima, se lo pasó a Gideon, permitiéndole olerlo.

Gideon permaneció en silencio, reconociendo una fragancia familiar, pero prefiriendo no comentar. A continuación, Givens abrió una pequeña caja de metal que contenía el anillo sin gemas. Lo miró momentáneamente antes de devolverlo a la caja.

Luego tomó un sobre. "¿Qué hay en el sobre, Joe?"

"Hay fragmentos de un testamento quemado", respondió Givens, entregándole un papel a Kowalski. "No deberías pasar por alto el testamento en el que estaba trabajando".

"Me di cuenta de eso", respondió Kowalski casualmente. "¿Está bien si echo un vistazo dentro de este sobre?"

"Por supuesto, Jonathan. Los restos más interesantes son los que tienen el nombre 'Klein' y otra letra *'R' parcialmente quemada* ", le informó Givens.

Kowalski sacó una página del libro de Sherlock Holmes. Sacó su fiel lupa y examinó cuidadosamente los fragmentos rotos del testamento antes de devolverlos al sobre. "Gracias, Jonathan, por tu cooperación. Espero devolverte el favor algún día".

"De nada, viejo amigo. Es bueno verte después de todos estos años. Bienvenido de nuevo. Ah, y una cosa más", se volvió hacia Gideon, "con los dos trabajando en el mismo caso, no tengo ninguna duda". toda la verdad saldrá a la luz".

Los dos detectives regresaron al auto en silencio, su conversación se reanudó solo una vez que estuvieron a salvo dentro. "Jonathan, por la expresión de tu rostro, puedo decir que descubriste algo importante. ¿Fue la fragancia del pañuelo?" preguntó Vincent mientras conducían rápidamente hacia Riverside Street y el centro de la ciudad, en dirección a la residencia de Klein.

"Vincent, vi evidencia abrumadora que apunta en contra de Abigail. Es desalentador. Solo una pequeña evidencia sería suficiente para establecer su culpabilidad. Tómate un momento para aclarar tu mente. Mira la pelea, el testamento cambiado, la carta de amor. Cualquiera de esos proporciona un motivo fuerte", afirmó Gideon.

Vincent se sorprendió por el resumen de Jonathan. Parecía que estaba renunciando a la investigación. Permaneció en silencio, esperando que Kowalski continuara.

"Otros factores también están trabajando en su contra. Su presencia estaba en la habitación cuando se disparó. Su testimonio de que sostenía el arma homicida en la mano cuando la vio poco después del disparo. Las huellas dactilares, que le pertenecían solos, fueron encontradas en el revólver. El pañuelo. La habitación cerrada", enumeró Kowalski, su voz llena de decepción.

Gideon se sintió desalentado por el análisis de Kowalski. Tenía perfecto sentido, y se dio cuenta de la batalla cuesta arriba que enfrentó para salvar la vida de la mujer que amaba. "¿Tienes algo más, Jonathan?"

El detective mayor no respondió de inmediato. Estaba ocupado escribiendo en su libreta de espiral. Cuando llegaron a un semáforo, Kowalski arrancó una página de su cuaderno, escribió cuatro letras en un elegante estilo cursivo y se las entregó a Gideon.

Mientras Gideon conducía, miró el diario que Jonathan le había dado. Las cuatro letras estaban escritas en mayúsculas, bellamente estilizadas. Las dos primeras letras eran "A" y "B", ambas elegantemente escritas. La primera letra, "B", se escribió sin bucle en el segundo conjunto, mientras que la "A" tenía un bucle distintivo. Fue un reto discernir las intenciones de Jonathan.

"¿Y bien, Jonathan? Debo admitir que no tengo ni idea de a qué te refieres", confesó Gideon.

"Eso es porque no tenía una lupa durante nuestro examen de la evidencia. Ojalá supiera si Wolfgang escribió sus letras mayúsculas con un elegante trazo cursivo. Solo el primer trazo de cada letra era visible en los trozos de papel quemados. Si comparas la letra de Vincent y Klein, y si las letras mayúsculas de Klein se parecen al primer juego que te di, su último testamento probablemente favoreció a Abby o a su sobrino, Blair Thomas", explicó Kowalski.

"No hay forma de saberlo con certeza, Jonathan", respondió Gideon.

"Exactamente, a menos que creamos en la palabra de Ian MacDonald, ¿verdad?" declaró Kowalski.

"Correcto."

"Por otro lado, si Wolfgang escribió sus letras mayúsculas como el segundo juego que le di, con líneas rectas y sin letra cursiva, entonces el testamento favoreció a Blair Thomas, y MacDonald se mostró evasivo durante la investigación", sugirió Kowalski.

"Puede que estés en lo cierto, Jonathan. Necesitamos encontrar una respuesta a esa pregunta lo más rápido posible", estuvo de acuerdo Gideon.

"De hecho. La señorita Abigail sería la mejor jueza de la letra de Wolfgang. Sin embargo, dudo que las autoridades de la prisión de Seaside nos permitan seguir entrando y saliendo para interrogarnos", comentó Kowalski, su voz teñida de ironía.

Picado por la ironía de su voz, Gideon permaneció en silencio. Todavía no estaba acostumbrado al sarcasmo de Jonathan y no quería decir nada que pudiera tomarse como una crítica. El resto del viaje se completó en silencio, con ambos detectives perdidos en sus pensamientos.

CAPÍTULO DIEZ

EL ENCENDIDO AUSPICIOSO DE LA LÁMPARA

Después de un viaje en automóvil de veinte minutos, los detectives llegaron a la extensa propiedad de Wolfgang Klein. Tan pronto como Gideon apagó el motor, Jonathan, cojeando un poco, se alejó rápidamente sin decir una palabra, desapareciendo entre los arbustos cercanos. Fue un comportamiento inusual para el detective mayor, dejando a Gideon perplejo y preguntándose por qué.

Al salir del auto, Vincent se encontró con Billy Bob, que los estaba esperando. Sin intercambiar ninguna palabra, Billy Bob simplemente asintió hacia los terrenos. Gideon, acompañado por su mayordomo, comenzó a subir los escalones cuando, de repente, Kowalski salió de detrás de unos arbustos que bordeaban el camino que conducía a la puerta principal.

"Disculpa si te asusté, Vincent. Hola, Billy Bob", los saludó Kowalski, agitando la mano en un amplio movimiento para explicar su rápida inspección de los terrenos.

"Mi primera visita aquí no me permitió inspeccionar los alrededores y el exterior de la casa tranquilamente. Es una mansión antigua con un ala de servicio adicional en la parte trasera que parece haber sido agregada más tarde. La madera y la pintura parecen más nuevas en comparación con el resto de la casa". la casa. Está separado del edificio principal y conectado por un pasadizo cubierto y angosto", explicó Kowalski, proporcionando sus observaciones.

Gideon y Billy Bob intercambiaron miradas, preguntándose por qué Jonathan estaba interesado en examinar los terrenos. Involucrándose, Gideon decidió explorar él mismo la parte trasera de la gran casa. Toda la estructura, incluido el garaje trasero, estaba rodeada de árboles altísimos y grandes arbustos, totalmente ocultos a la vista exterior.

Volviendo al frente, Gideon se reunió con Jonathan y Billy Bob. "Vince, he notado dos cosas importantes", comenzó Kowalski.

"Bueno, uno de ellos es evidente de inmediato: hubiera sido fácil para cualquiera ingresar a la propiedad y salir sin ser detectado en una noche oscura", respondió Gideon, señalando la vulnerabilidad de la propiedad.

"Exacto, amigo mío. Además, no había luna en la noche del asesinato, lo que lo hacía increíblemente oscuro", agregó Kowalski, enfatizando la ausencia de luz natural.

Curioso por la segunda observación, Gideon preguntó: "Y qué es lo segundo que notaste, ¿Jonathan?".

Kowalski bajó los escalones, se colocó a cierta distancia y miró hacia la puerta principal. "En segundo lugar, el lado izquierdo de la casa sobresale más que el lado derecho", señaló.

El lado izquierdo de la magnífica mansión se extendía alrededor de diez metros o más desde la puerta principal, mientras que el lado derecho permanecía recto, paralelo a la entrada.

Sin más explicaciones, Kowalski subió rápidamente los escalones y tocó el timbre. Esperó, pero nadie respondió. Llamó de nuevo, cada vez un poco más frustrado. "Maldita sea", murmuró, encogiéndose de hombros. Parecía que todos se habían ido. Sin embargo, mantuvo la esperanza de que el mayordomo, Theodore, todavía estuviera presente, tan leal como el capitán de un barco.

"Billy Bob, ve a la puerta de atrás y toca. Si Theodore todavía está aquí, infórmale que Vincent Gideon desea entrar a la casa", instruyó Kowalski, confiando en la confiabilidad del mayordomo.

Tan pronto como Billy Bob se fue, Jonathan comentó: "Es extraño que Adolph Keizer no tenga el valor para averiguar qué está pasando".

"Se fue de la casa después de la investigación. Dudo mucho que alguien todavía resida aquí", explicó Gideon.

"Qué pasa con el joven Thomas?" preguntó Kowalski.

"Blair? Según mis fuentes, se escapó a Black Rock Cove en algún lugar", respondió Gideon.

"Blair Thomas se escapó, Vincent? ¿Cómo lo sabes?" preguntó Jonatán.

"Olvidé mencionarlo anoche durante nuestra conversación. Hablé con uno de los sirvientes, y me dijeron que se había ido a la costa la tarde anterior.

Me pareció extraño que no se quedara para el funeral de su tío", Gideon. elaboró.

"Gideon, tenemos que localizarlo de inmediato. ¿Sabías si estaba presente la noche del asesinato?" Kowalski presionó para obtener información.

"No, estuve aquí y no lo vi dentro de la casa", respondió Gideon.

"No, Blair se paró afuera de la ventana del estudio", reveló Kowalski, recordándole a Gideon la huella que ambos habían notado cerca de la ventana.

"Qué huella?" Gideon miró a Jonathan con sorpresa.

"Me disculpo, Jonathan. Pensé que habías deducido su presencia fuera de la ventana por la huella descubierta por Givens durante su investigación", admitió Gideon.

Jonathan se echó a reír, golpeando juguetonamente el hombro de Gideon. "Mi querido amigo, tenía razón. El amor ha enredado tu corazón, nublando tu razonamiento. ¿Dónde están tus poderes deductivos? Considera esto: las huellas no duran para siempre, y hemos tenido lluvia desde el asesinato". Con eso, reveló un peculiar alfiler verde opaco en forma de tigre, grabado con el nombre de Blair Thomas en el marco de oro.

"Dónde encontraste eso, Jonathan?" Gideon preguntó ansiosamente.

Kowalski colocó el alfiler en el bolsillo superior de su camisa. "Estaba enredado en las ramas de las rosas trepadoras cerca de la ventana. Estaba tirado allí, mezclándose con las hojas verdes. Estaba buscando alguna evidencia que indicara su presencia".

"Cómo es posible que supieras que él estaba allí? No entiendo", comentó Gideon, su curiosidad despertó.

"Durante cincuenta años, he aprendido a leer entre líneas. Tú has hecho lo mismo, Vincent, aunque tu juicio está nublado por la hermosa mujer que permanece en la prisión de Seaside", explicó Kowalski. "Además, posee una mente notablemente retentiva y una memoria fotográfica. He leído sobre sus casos anteriores. Compartió más de lo que se dio cuenta anoche. Mencionó que Blair Thomas parecía saber sobre la muerte de su tío durante su entrevista con Alastair Owens. en la investigación. También notaste su rostro pálido cuando lo acusaron de estar fuera del estudio la noche del asesinato de Wolfgang. Sospechaste que sabía más de lo que reveló porque tienes talento para detectar esas cosas. ¡Estoy de acuerdo contigo en eso!

La puerta principal se abrió, con Billy Bob sosteniéndola mientras Kowalski y Gideon entraban. Gideon miró más allá de Billy Bob y vio a Samuel, el mayordomo de Klein, de pie allí. "Samuel, este hombre es detective y está aquí para ayudar a resolver el asesinato del señor Klein. Le agradecería que le permitiera acceder cuando necesite revisar algo".

"Sí, señor, definitivamente lo haré, señor Gideon. El señor Klein era mi empleador. No quiero decir nada en contra de los muertos, señor Kowalski, pero preferiría que alguien más asumiera la culpa de su asesinato en lugar de esa dulce señorita". Abigail", susurró Samuel con miedo.

Gideon le sonrió a Samuel y dijo: "Gracias. Si te necesitamos, te llamaremos".

El mayordomo se alejó y regresó al ala de los sirvientes de la casa. Gideon observó a Kowalski, quien se alejó y se centró intensamente en estudiar ambos lados de la puerta. Dio unos pasos desde la puerta del salón hasta la puerta principal y luego hasta el estudio. El detective mayor se arrodilló y notó algo inusual en el piso de madera cerca del estudio. Con una sonrisa, giró la cabeza y no dijo nada, dejando a Gideon curioso.

"¿Listo, mi amigo?" preguntó Kowalski.

"De hecho, procedamos", respondió Gideon. Kowalski abrió ansiosamente la puerta del estudio, mostrando un brillo determinado en sus ojos.

Gideon se rió entre dientes y sacudió la cabeza, asombrado por el enfoque único del anciano. Se quedó allí momentáneamente, esperando a ver si Jonathan sacaba su fiel lupa e inspeccionaba meticulosamente la habitación. En cambio, Jonathan se acercó, empujó la silla hacia atrás a la posición en la que se encontraba, se sentó y cerró los ojos.

El rostro de Gideon se contorsionó en un ceño fruncido. El tiempo era esencial y Jonathan estaba a punto de dormir una siesta. Billy Bob notó la expresión en el rostro de Gideon y se apresuró a explicar: "Está sumido en sus pensamientos, señor. A menudo cierra los ojos cuando reflexiona".

¿Qué diablos está haciendo? Con toda la información que he reunido y mis pensamientos durante los últimos cinco días, no llego a ninguna parte mientras Abby permanezca encerrada. Sin embargo, este anciano, a quien necesito que me ayude a encontrar pistas e investigar, está tranquilamente tomando una agradable siesta.

Kowalski se sentó de repente, aparentemente sorprendido por algo. "¡Billy Bob!" Hizo girar la silla, centrándose en la caja fuerte. "¡Abre esa caja fuerte!"

Billy Bob se acercó, se arrodilló y hábilmente giró los diales de la caja fuerte. Kowalski solo pudo presentar a Gideon con una sonrisa burlona. "Entiendo lo que sientes, amigo mío. Por favor, no te enfades conmigo", susurró. "No estaba durmiendo, estaba tratando de resolver algo en mi cabeza. Ahora confío en mi conclusión".

Vincent sintió que la sangre se le subía a las mejillas. El anciano tenía razón; parecía que podía leer la mente. "No fue mi intención—-".

"Está bien, Vincent. No pasa nada", le aseguró Jonathan. Se volvió y se dirigió a Billy Bob. "Te has vuelto más lento en tu vejez, Billy Bob".

Gideon se quedó mirando, descubriendo algo acerca de su sirviente que no sabía. "¿Un avezado cracker de cajas fuertes, Billy Bob? ¿Qué?"

"Solía ser uno de los mejores crackers de cajas fuertes", respondió Jonathan. "Pero eso fue hace muchos años. Confío en que no lo reproches. Dejó ese negocio hace mucho tiempo".

"No, por supuesto que no", respondió Gideon. Billy Bob hizo una pausa momentánea, mirando a Gideon con sus ojos sombríos ahora que su pasado secreto había sido revelado. "Es un excelente sirviente, independientemente de su pasado".

Una amplia sonrisa se dibujó en el rostro de Billy Bob. Giró el pomo y abrió la puerta de la caja fuerte.

Antes de investigar la caja fuerte, Jonathan se acercó al escritorio de la oficina. Ajustó ligeramente la lámpara de Lo que el viento se llevó y metió la mano debajo, tirando de la cadena dos veces. "Qué notaste, Gideon? ¿Algo peculiar en la lámpara de escritorio?"

"Sí, en efecto. Aunque hermosa, la base parece demasiado grande para una lámpara tan pequeña. Es bastante desproporcionado con el resto de la luz", comentó Gideon.

"Sí, tienes razón. Pero no me refiero a eso. Mira de nuevo". Tiró de la cadena y solo se iluminó el lado izquierdo de la lámpara. "Mira, solo se ilumina un lado".

"Sí, ya veo. El otro lado debe tener una bombilla quemada", observó Gideon.

Kowalski quitó la bombilla del otro lado de la lámpara y la enroscó en el lado que se había encendido previamente. Tiró de la cadena y volvió a quitarla, y la bombilla se iluminó de nuevo. Ambas bombillas estaban funcionales.

"Puede que no me creas, pero dado que ambas bombillas funcionan y solo se enciende un lado cuando tiro de la cadena, el otro lado debe estar iluminado por una fuente diferente", explicó Kowalski.

"Ahora entiendo, Jonathan, pero no entiendo completamente el significado. Cuando Abby afirmó que no había tocado la lámpara si alguien hubiera tirado de la cadena de la lámpara del escritorio, habría visto a la persona que lo hizo, ¿verdad? " preguntó Gedeón.

"Exactamente. Está bien, Gideon, tu razonamiento deductivo está regresando. ¡Me alegro de tenerte de vuelta!" Kowalsky sonrió.

"Gracias, Jonathan. Ahora, lo único que queda es encontrar el interruptor que hace funcionar la lámpara".

Los dos hombres regresaron a la caja fuerte. Gideon se detuvo y observó lo que consideró una caja fuerte inusual. Parecía un armario, con tres estantes a cada lado de las paredes que sobresalían a una altura que permitía a una persona agacharse debajo de ellos.

Mientras Vincent examinaba las paredes de la caja fuerte del armario, Kowalski pasó la mano por los lados hasta que se detuvo. "Gideon, ven aquí. ¡Mira! Aquí en el costado".

Tal como lo describió Jonathan, Gideon se inclinó y sintió un botón en la pared. Lo empujó y, para su sorpresa, ¡la otra bombilla de la lámpara de mesa brilló intensamente!

Billy Bob exclamó: "Por qué alguien querría encender esa lámpara desde el interior de una caja fuerte?"

"Porque, Billy Bob, esto no es una caja fuerte", declaró Gideon.

"¿No es una caja fuerte, señor?"

"No."

Gideon no cuestionó a Kowalski, ya que Billy Bob estaba haciendo la misma pregunta que tenía intención de hacer.

"Voy a mostrarte." Jonathan se inclinó y frotó su mano en la pared trasera dentro del armario. Luego, exclamó: "¡Lo encontré!"

"Billy Bob, pídele a Samuel que te dé todas las llaves de Wolfgang. No necesitamos su presencia, solo las llaves", instruyó Gideon.

"Muy bien, señor."

Billy Bob regresó con las llaves y se las entregó al detective mayor. Kowalski probó cada tecla una por una, pero ninguna funcionó. "¿Estás seguro de que trajiste todas las llaves de Klein, Billy Bob?"

"Sí, señor. Samuel dijo que estas eran todas las llaves, incluidas las que tenía consigo la noche en que le dispararon".

"Maldita sea, odio recurrir a abrirlo".

"No es necesario, señor. Todavía tengo mis herramientas de cerrajería. Estoy seguro de que tengo una llave que funcionará, así que no tenemos que romper la puerta", les aseguró Billy Bob.

Billy Bob se fue a buscar su pequeña caja de herramientas del auto. Mientras estaba fuera, Gideon interrogó a Kowalski. "¿Puedo hacerte tres preguntas, Jonathan?"

"Por supuesto."

"Estoy tratando de entender por qué, si Blair Thomas estaba fuera de esa ventana, no dejó huellas para que la policía las descubriera".

"Es bastante simple. Hay rosas trepadoras debajo de todas las ventanas excepto las dos primeras. La acera conduce a esas dos primeras ventanas. Se paró en la acera esa noche y usó las puertas francesas que se abrían sobre el suelo desnudo, entrando en la cama de flores."

"Está bien. Necesito saber cómo supiste que la lámpara se enciende con un interruptor en la caja fuerte del armario".

"Lo deduje creyendo cada palabra que te dijo Abigail. La señorita Abigail no mató a su esposo. Alguien más debe haber estado en la habitación en el momento del asesinato".

"Tengo que refrescarte la memoria de un caso en el que trabajaste hace varios años cuando estabas persiguiendo a Rosenthall. ¿Recuerdas la habitación misteriosa en ese caso? No respondas. Por supuesto que sí. Bueno, el asesino no pudo haber salido por las ventanas o la puerta, y no se desvaneció en el aire, ¿verdad?

"Está bien, Gideon, me traes recuerdos que todavía me persiguen hoy, pero tienes razón. El asesino debe haber escapado a través de un pasaje secreto y no descubierto".

"La cuestión a resolver entonces, Vincent, es la ubicación de la entrada a la casa en la parte superior de los escalones. Noté que la pared exterior era más ancha que la pared interior de la caja fuerte. Por lo tanto, tenía que haber un pasadizo oculto. detrás de la pared para escapar".

"Gideon, estás recuperando tu sentido de la escena del crimen. Déjame hacerte una pregunta. Si el asesino usó el revólver de Wolfgang, ¿cómo es que solo están las huellas dactilares de la señorita Abigail?"

"Sería demasiado inteligente para no usar guantes", respondió Gideon, cambiando a toda velocidad en modo detective.

"Está bien, Gideon, ¿cómo le disparó el asesino a Wolfgang con precisión en la oscuridad total cuando no había luz natural?"

Billy Bob volvió con su caja de herramientas. Metió la mano y le entregó a Gideon tres llaves. El primero que probó el detective era demasiado grande y no encajaba. La segunda llave que intentó coincidía con la cerradura. Hacer clic. La puerta se abrio. "Vamos, señores, pero cuiden sus cabezas y eviten golpearlas en los estantes". Gideon empujó el panel trasero y se abrió a un pasillo débilmente iluminado.

Billy Bob también había traído linternas para uso de cada uno de los detectives. Atravesaron la abertura y entraron en una pequeña habitación. No había ventanas, pero el aire olía a tabaco. Una mesita de noche con una lámpara y un largo sofá cama pegado a la pared, llenos de almohadas, adornaban la habitación.

Gideon se agachó y olió el sofá, y Kowalski hizo lo mismo. "¿Hueles esa fragancia, Vincent?"

"Sí, es el mismo olor que noté en el pañuelo rojo y blanco manchado de sangre".

Mientras Billy Bob y Kowalski saboreaban el aroma del sofá, Gideon descubrió una puerta al fondo de la habitación. Usando el mismo juego maestro de tres llaves, probó la cerradura de la puerta. Se abrió hacia adentro, revelando un pasaje angosto.

Se quedó allí momentáneamente, iluminando con su linterna un empinado tramo de escaleras. La luz reveló otra puerta a un paso del pasillo, que conducía al jardín exterior, entre la última ventana del estudio y la esquina de la casa.

Había un ojo de cerradura en la puerta. Kowalski sacó su lupa mientras Gideon sonreía y observaba. Arrodillándose, acercó su lupa al ojo de la cerradura, sin decir nada.

"Volvamos al estudio. Cerraré las puertas detrás de nosotros y dejaré todo como estaba cuando entramos", sugirió Kowalski.

Gideon estaba complacido con lo que vio. Jonathan estaba recuperando sus agudas habilidades de investigación y Gideon necesitaba aclarar su mente hasta que resolvieran el caso.

En el interior de la caja fuerte del armario, también había una cerradura de combinación.

Kowalski ofreció su perspectiva sobre la entrada y salida de la habitación. "El asesino sabía sobre este punto de entrada. Podrían haber tomado impresiones de los enchufes de las llaves y hacer que hicieran las llaves. Wolfgang también podría haberles revelado la combinación".

"Buen punto, Jonathan. Pero vayamos un paso más allá. ¿Cómo esta entrada se volvió tan convenientemente adecuada para el plan del asesino?"

"Muy simple. Fue construido junto con la casa a principios del siglo XIX", explicó Kowalski.

"Exactamente, y el bisabuelo de Wolfgang, siguiendo las costumbres de la época, construyó pasadizos y habitaciones secretas en la casa para ocultar a amigos y familiares de posibles daños".

"De eso es de lo que estoy hablando. Pero, ¿cuándo aprendiste esto, Gideon?" preguntó Kowalski, asombrado.

"Tengo un libro en casa sobre arquitectura antigua. Siempre me ha intrigado el diseño de casas históricas en la costa oeste".

Billy Bob dijo: "Pero, señor, ¿qué pasa con la caja fuerte?"

"La caja fuerte es más reciente. A principios del siglo XX, mientras el padre de Wolfgang estaba de viaje en Australia, Wolfgang, cuando era joven, aprovechó la oportunidad para construir la caja fuerte en el armario y descubrir la entrada secreta", reveló Gideon.

Billy Bob dijo: "Samuel ha estado aquí durante mucho tiempo. Debería haberlo sabido".

Gideon dijo: "Billy Bob, ve y pregúntale a Samuel sobre ese período. Necesitamos preguntar sobre eso".

Samuel regresó y se paró frente a los dos detectives. Jonathan comenzó: "Mencionaste durante la investigación que has estado con la familia Klein durante más de cuarenta años. ¿Estabas en la casa cuando el padre de Wolfgang se fue a Australia?".

"Sí, señor. Estaba aquí como cuidador de la propiedad en ese momento".

"Entonces, dinos cuándo se construyó esa caja fuerte".

"Fue construido por el señor Klein, señor, cuando su padre estuvo fuera durante aproximadamente un año".

"Su padre lo sabía?"

"Absolutamente. El señor Klein dijo que necesitaba una caja fuerte privada, y su padre le indicó que construyera una mientras él no estaba. Eligió el estudio como ubicación para la caja fuerte. Era más su habitación, y su padre usaba el estudio de arriba. "

"Gracias, Samuel. Eso será todo por ahora", dijo Gideon.

Una vez que Samuel salió de la habitación, Kowalski sonrió y comentó: "Es tal como pensé. Lo que era útil cuando el padre de Wolfgang vivía se volvió aún más conveniente después de su matrimonio con la señorita Abigail".

"Está bien, volvamos a nuestra pregunta original. ¿El asesino poseía los tres datos necesarios para entrar en la caja fuerte?" preguntó Gedeón.

Billy Bob agregó: "Un miembro de la familia podría haberlo sabido, señor".

"Sí, Billy Bob, un miembro de la familia podría haberlo hecho. Blair, por ejemplo, o incluso Adolph podrían haber descubierto la entrada y adquirido una llave de la puerta. ¿Pero, alguno de ellos sabría la combinación?"

"Adolph Keizer era el secretario de Wolfgang", señaló Gideon.

Kowalski mencionó: "Según el testimonio de Samuel en la investigación, se sorprendió al encontrar a Keizer en el estudio, ya que Wolfgang siempre lo mantuvo cerrado para preservar su secreto".

La mente de Gideon corría con un millón de pensamientos. "Wolfgang cambiaba con frecuencia la combinación para evitar que alguien invadiera su caja fuerte. El asesino conocía los dos primeros hechos, pero no podía confiar en cambiar la combinación solo unos minutos antes de cometer el crimen".

Jonathan sonrió levemente y dijo: "Entonces hemos cerrado el círculo y la entrada es inútil".

"No del todo, amigo mío. Saltaste demasiado hacia atrás. Solo prueba que el asesino no entró por la caja fuerte, pero salió por ella", aclaró Gideon.

Pero la caja fuerte estaba cerrada.

"No es cierto. Wolfgang abrió la caja fuerte para recuperar su última voluntad y testamento. No estaba cerrada con llave en el momento del asesinato. Pero ahora la pregunta es, ¿cómo entró el intruso en la habitación?"

"Wolfgang les permitió entrar al estudio a través de las puertas francesas o la puerta del pasillo. Lo más probable es que a través de las puertas con ventanas, ya que habrías oído pasos, Gideon, si hubieran venido por el pasillo", razonó Kowalski.

"Buen punto, Jonathan".

"Y cuando leí los testimonios, Adolph Klein mencionó que fue al garaje a seguir al sirviente. Cuando regresó, creyó escuchar voces del estudio".

La mente de Gideon se aceleró aún más. "Y cuando entró a la una y media, Wolfgang estaba solo. No había nadie más presente".

"¡Sí, sin duda, Wolfgang Klein estaba solo!"

CAPÍTULO ONCE

JONATHAN HACE UN ARCO CEREMONIOSO

A *nillo. Anillo. Anillo.*
El timbre resonó con fuerza, rompiendo el silencio de la habitación. Gideon se dirigió rápidamente a la caja fuerte y rápidamente la cerró. "Billy Bob, ve e informa a Samuel que abra la puerta de inmediato. Date prisa", ordenó con urgencia.

"Sí, señor", respondió Billy Bob rápidamente, reconociendo la importancia de la tarea.

"Oh, puedes regresar a casa ahora. Ya no necesitaré tu ayuda hoy. Gracias por tu ayuda", lo descartó Gideon.

"Muy bien, señor", reconoció Billy Bob y salió del local.

Los dos detectives se acomodaron en los grandes sillones de orejas del estudio y finalmente encontraron un momento para descansar sus cansados pies. Sin intercambiar palabras, ambos entendieron la necesidad de discreción y decidieron guardar sus hallazgos para ellos mismos, sin revelar nada a nadie.

Los pasos de Samuel resonaron por el pasillo mientras se acercaba a la puerta principal. En un minuto más o menos, el claro clic del cerrojo siendo abierto por el mayordomo resonó en la habitación.

Gideon y Kowalski escucharon atentamente mientras las voces afuera conversaban. "Hola, Samuel. Gideon está aquí?" preguntó una voz familiar.

"Sí, señor", respondió Samuel, confirmando la presencia de Gideon en la casa.

Gideon se levantó y caminó hacia la puerta del estudio, enfrentándose cara a cara con Ian MacDonald, el abogado. "Señor Gideon", saludó Ian con una sonrisa, extendiendo su mano. Su voz había recuperado fuerza desde la indagatoria, resonando en un tono bajo y ronco.

"Hola, Ian. ¿Cómo supiste que estaba aquí?" cuestionó Gideon, curioso por la llegada oportuna de Ian.

"Fui a tu casa primero, y Jacob me dijo que podía encontrarte aquí", explicó Ian, su mirada se desplazó hacia Kowalski. "¿Señor Kowalski, supongo?"

Con las manos entrelazadas a la espalda, Jonathan simplemente asintió en dirección a Ian, mostrando una pizca de frialdad en su comportamiento.

Gideon no podía comprender la animosidad mostrada por Kowalski hacia Ian. Sintiendo la tensión, la expresión de Ian se convirtió en una mueca de ira. Vincent intervino rápidamente para aliviar la situación. "El señor Kowalski me echó de su casa la primera vez que lo visité", explicó, tratando de aligerar el ambiente. Gideon se rió entre dientes: "Por favor, Ian, considérate honrado de haber recibido una reverencia de él".

El ceño fruncido de Ian se disipó y le devolvió el asentimiento a Jonathan con una reverencia ceremoniosa. Ansioso por superar la tensión, Kowalski no perdió tiempo y se dirigió a Ian. "Tienes información que quieres compartir con nosotros, Ian".

"Sí, lo sé. Descubrí algo que podría ayudar a probar la inocencia de Abigail. En la investigación, le mencioné al forense que había quitado los valores de Wolfgang de mi oficina. Él los tomó e hizo malas inversiones, lo que provocó que lo perdiera todo. Estaba completamente arruinado ", reveló Ian, esperando que su información ayudara en el caso.

Gideon, una figura bien informada en el mercado, interrumpió, la incredulidad evidente en su voz. "Arruinado? No recuerdo ningún rumor en Wall Street sobre eso. ¿Estás seguro?"

"Sí, todos creían que la riqueza de Klein era lo suficientemente sustancial como para soportar pérdidas. Pero la verdad es que se quedó sin nada", aclaró Ian, consciente de las dudas que surgían de la declaración de Gideon.

Kowalski observó la interacción, lo que permitió que Gideon dirigiera el interrogatorio. "Si ese es el caso, Ian, ¿por qué Wolfgang se molestó en crear una nueva última voluntad y testamento?" preguntó Gideon, perplejo por la contradicción.

MacDonald continuó su explicación. "Nunca entendí del todo al hombre. Pensé que mi información podría proporcionar algo de claridad. Si estaba arruinado, Abigail ciertamente no lo asesinó para heredar su fortuna".

Gideon contempló la declaración. "El único problema con esa teoría, Ian, es que es posible que Abigail no supiera que estaba arruinado", señaló, destacando la brecha potencial en la lógica.

Ansioso por contribuir, Jonathan intervino: "¿Es usted un abogado criminalista, señor MacDonald?"

"No, no lo soy", respondió Ian rápidamente. Sintiendo la frialdad de Jonathan, extendió su mano hacia él, pero Kowalski, manteniendo sus manos detrás de su espalda, solo asintió a cambio.

Gideon sintió la tensión y se apresuró a mediar. "¡Qué gran lástima! Serías un excelente abogado criminalista", comentó, sus labios se curvaron ligeramente. Le aconsejo que pruebe suerte en esa rama de su profesión.

Ian se rió, tomando el comentario de Kowalski con buen humor, sin percibirlo como un insulto, como pretendía el detective. Cambiando el enfoque, preguntó: "Ustedes dos detectives han descubierto algo de valor hasta ahora?"

Kowalski, queriendo responder antes que Gideon, sacudió la cabeza con un suspiro. "Me temo que no hemos encontrado nada. Las pistas siguen en manos de la policía. Las cosas podrían haber sido diferentes si hubiéramos llegado antes al lugar ".

"Es una lástima. Por lo que he leído en los periódicos, ustedes dos detectives son famosos por resolver casos. Tal vez lo mejor que hay. Odiaría verlos a ambos derrotados", comentó Ian, sacudiendo la cabeza ligeramente de un lado a otro. lado.

Gideon no podía ignorar el desaire a su ego. Su orgullo había sido herido demasiadas veces, y no lo dejaría pasar sin una réplica. "No te engañes, Ian. No seremos derrotados, como sugieres," replicó secamente. "No me importa si el asesino es la persona más astuta del mundo".

Por primera vez, algo llamó la atención de Gideon como peculiar en este abogado. Había habido un sentimiento persistente en su mente, pero no podía entenderlo del todo.

MacDonald continuó hablando, sus palabras mezcladas con sarcasmo. "El orgullo va antes que la destrucción, señor Kowalski. A estas alturas, el asesino sin duda ha huido a un lugar distante". Su declaración tenía un tono sardónico.

"El mundo puede ser pequeño, pero lo perseguiré sin descanso, incluso si me toma el resto de mi vida", declaró Jonathan con firmeza, con la mandíbula apretada con determinación.

Gideon escuchó las palabras resueltas de su compañero, y sus propias palabras de años atrás resonaron en su mente. La única diferencia ahora era que el tiempo no estaba de su lado. No le quedaban muchos años por delante.

Ian se levantó de su silla, señalando su partida. "Debo irme. Los veré a ambos pronto". Dirigió un comentario final hacia Gideon. "Larga vida a usted, señor".

—Maldito sea ese descarado hijo de puta —murmuró Gideon cuando escuchó que la puerta principal se cerraba de golpe detrás de la salida de Ian.

"Pero tiene razón, amigo mío. No tengo tiempo que perder. Te llamaré por la mañana si tengo alguna noticia. Mientras tanto, debemos guardarnos nuestros hallazgos. No creo que podamos confiar en nadie". en este punto, excepto Billy Bob", afirmó Gideon, reconociendo la necesidad de discreción.

"De hecho, Ian, estoy de acuerdo", coincidió Kowalski.

"Una cosa más, Ian. ¿Cómo afecta la visión de MacDonald del caso a nuestra situación actual?" preguntó Gideon, buscando más aclaraciones.

"Digamos que hay pruebas abrumadoras contra Abigail. MacDonald también lo sabe. Necesitamos mantenerlo alejado, si es posible", aconsejó Ian, comprendiendo la gravedad de la situación.

Cuando Gideon regresó a casa, Jacob Hoffmann lo bombardeó con preguntas tan pronto como cruzó la puerta. Para evitar responderlas, Gideon se desvió e informó a Jacob que el primer día estaba dedicado a que Kowalski se familiarizara con el caso. Le aseguró a Jacob que compartiría sus hallazgos durante su próxima reunión.

A altas horas de la noche, antes de retirarse por la noche, Gideon se sentó en el salón junto a la chimenea, encendió su pipa y se entregó a un momento de relajación. El cansancio se apoderó de él mientras cerraba los ojos y sus pensamientos vagaban. *No lamento que Wolfgang lo haya perdido todo. No queremos nada de su dinero. ¿Pero, por qué dudaba Jonathan del motivo de MacDonald al proporcionar esa información?*

Algo en él me molesta, al igual que le ocurre a Kowalski. Curiosamente, me encuentro del lado de ese hombre arrogante, pero no puedo negar que parece realmente dispuesto a ayudarnos.

"Señor, señor, ¿se retira por la noche?" La voz de Billy Bob irrumpió en los pensamientos de Gideon, interrumpiendo su momento de contemplación.

Gideon abrió los ojos y se dio cuenta de que casi se había quedado dormido. Se estiró y volvió a encender su pipa. "Billy Bob, lo que me preocupa es por qué una persona en su sano juicio le dispararía a otro hombre en la oscuridad, con alguien más en la habitación, sabiendo que las posibilidades de que lo atrapen son veinte a uno. Sin mencionar las probabilidades de dar con precisión en el objetivo previsto."

"Señor, tiene a Rosenthall en mente, ¿no?" Billy Bob observó astutamente.

"Sí, Billy Bob, lo hago. Se siente como un déjà vu de la época en Black Rock Cove. No importa lo que haga, por absurdo que parezca, no puedo entender lo que sucedió en el estudio esa noche".

—Lo comprendo, Vincent. Recuerda lo que dijo el señor Kowalski: «Las personas con talento y los criminales astutos no suelen dejar nada al azar». Pero fue el azar lo que guió la puntería del asesino en una habitación tan oscura que era imposible ver a su víctima", comentó Billy Bob, su voz llena de comprensión.

Los dos hombres se quedaron en silencio, sus pensamientos se entrelazaron con los misterios del caso y finalmente se retiraron por la noche.

Al día siguiente, después del desayuno, Gideon le indicó a Billy Bob que le informara a Ian que quería reunirse con él en la casa de Klein a las diez en punto. Para mantener la apariencia de un día normal, Gideon no le dijo nada a Jacob y se fue a su oficina como de costumbre.

Gideon llegó temprano a la propiedad de Klein y esperó en el estudio a las diez en punto cuando llegó Ian. Ian entró, silbando una melodía y de un humor algo alegre. Saludó a Gideon con una sonrisa y dijo: "Bueno, Ian, estoy listo para compartir mis ideas sobre este caso y revelar cómo se cometió el asesinato".

"¿Has descubierto algo nuevo, Vincent?" preguntó Ian, curioso sobre el progreso de Gideon.

"Regresar aquí hace dos días me ayudó a aclarar mi mente y concentrarme, gracias a ti. Es bastante simple", afirmó Gideon con confianza.

Ian no pudo evitar sonreír ante la seguridad en sí mismo de Gideon, reconociendo que el hábil poder de observación de su amigo había regresado. Uniéndose al momento alegre, se rió entre dientes: "Excelente, Vincent. ¿Eres el gran Vincent Gideon, no es así? Y yo tampoco soy tan malo, amigo mío. Al menos según nuestro buen amigo MacDonald, somos ambos egoístas".

Billy Bob, que había acompañado a Gideon, se unió a la conversación. "Ah, señor Kowalski, es por eso que Sherlock Holmes es tan egoísta, ¿señor?"

"Sin duda, Billy Bob. Sherlock Holmes es el mejor detective jamás conocido. Los grandes detectives rara vez fallan, por lo que es natural que tengan opiniones propias", respondió Kowalski, participando en las bromas.

MacDonald redirigió la conversación, centrándose en Gideon. "Disculpas, Vincent, pero no estamos aquí para discutir los defectos de los detectives, independientemente de su grandeza. Por favor, continúa. Mencionaste que sabes cómo se cometió el asesinato. Pero también lo sabe cualquiera que lea los periódicos. Investigación del forense Owens lo dejó muy claro". Tenía la intención de desafiar las deducciones de Gideon y estimular el pensamiento de su amigo.

"¡Investigación del forense Owens!" Gideon se burló, descartando la importancia de los procedimientos. "La policía tuvo el control de la investigación desde el principio. El detective Givens interrogó a la secretaria de Klein por la mañana. El forense y el jurado fueron simplemente un medio para estrechar la red alrededor de Abigail".

"Estoy de acuerdo, Gideon. ¿En ese caso, qué posibilidades tenía la verdad de salir a la superficie? Supongo que la policía explicó adecuadamente a tu satisfacción cómo el asesino disparó con tanta precisión en la oscuridad", afirmó Ian con cinismo, consciente de que había encendido con éxito la ira de Gideon. instintos detectivescos.

Gideon interrumpió las palabras de Ian. La frustración era evidente en su voz. "¡Jesucristo, Givens lo probó! ¡Dios Todopoderoso! Givens lo confirmó durante la investigación. Maldita sea, lo sé. ¡Givens, por supuesto, lo probó! ¿Por qué crees que el asesino dejó esas marcas en la alfombra si no fue para engañar a las autoridades?" Sus cejas se fruncieron. "¡No hay duda de que Givens lo demostró porque el asesino dejó intencionalmente esas marcas en la alfombra!"

"Está bien, está bien, Vincent. Expusiste tu punto. A Wolfgang le dispararon en la habitación secreta fuera del estudio", admitió Ian, finalmente captando la perspectiva de Gideon.

"Ahora, sigue mis deducciones. El asesino manipuló la evidencia, con la intención de que la policía la descubriera. Llevó a su víctima a través del armario y lo colocó en la silla del estudio, creando la ilusión de que estaba escribiendo. Cuando Keizer entró a la una- treinta, vería a Wolfgang sentado allí. El asesino esperó el momento adecuado y luego apagó la luz", explicó Gideon, recreando los hechos con convicción.

"Esperar qué, ¿Vincent?" preguntó Ian, buscando claridad.

"Abby, naturalmente", respondió Gideon.

"Pero hay una falla en tu teoría, Vincent. ¿Cómo supo el asesino que Abigail entraría en la habitación? ¿Cómo supo que le pedirías que recuperara su carta de amor de su escritorio?" Ian cuestionó, tratando de descubrir cualquier inconsistencia.

Gideon suspiró, mirando el escritorio por un momento antes de responder. "Si pudiera responder a esa pregunta, podría identificar al perpetrador. Estoy reconstruyendo la secuencia de eventos esa noche. Es razonable suponer que el asesino tardó veinte minutos en dispararle a Klein y colocarlo en la silla del estudio".

"Por qué?" Kowalski presionó para una aclaración.

Debido a que el asesino necesitaba un chivo expiatorio, creo que puede ser, por supuesto, y probablemente porque el asesino estaba a punto de salir de la habitación cuando escuchó a Abby intentar abrir la puerta. Entonces se le ocurrió la idea de incriminarla", explicó Gideon, con la voz llena de frustración.

"¡Ese hijo de puta!" exclamó, su rostro ardiendo bajo su expresión pétrea.

"Ciertamente. Esas son exactamente mis palabras, querido amigo. Este hombre disfruta de un buen juego de ajedrez. Al darle a la policía un sospechoso, escapó de su vigilancia, al menos temporalmente. Abby tenía el mayor motivo para matar a Wolfgang. Por lo tanto, hizo el mejor sospechoso. Hizo su movimiento. Lo bloqueé. En este momento, por el momento, el juego es 'jaque', pero el asesino tiene la ventaja en su corte. Cada perspectiva de que el jurado encuentre a Abby culpable de asesinato podría conducir a dar jaque mate", explicó Gideon, su voz teñida con una mezcla de determinación y preocupación.

"Vincent, tus deducciones son excelentes. La fiscalía definitivamente tiene muchas pruebas dañinas. Todavía no tenemos una prueba que pueda refutar un solo punto que puedan hacer", dijo Kowalski, alejándose de las puertas francesas y paseando por la habitación. a zancadas cortas, escudriñando las paredes. "Si supiéramos a dónde fue esa segunda bala. El médico declaró en el informe de investigación que solo había una herida y una sola bala".

"Estoy de acuerdo. He buscado cada centímetro cuadrado de esta habitación. No hay ni rastro ni la más mínima marca de bala en este lugar", respondió Gideon, con frustración evidente en su voz.

"Vincent", gritó Jonathan, "¡tenemos evidencia para refutar sus argumentos! Vamos a sacar a tu Abigail de la cárcel. Podemos decirles lo que hemos aprendido e insistir en que la liberen de inmediato".

"¿No crees por un momento que, si tuviera alguna evidencia valiosa, la habría usado para liberarla antes?" Gideon replicó, su voz teñida de frustración.

"Qué pasa con la entrada secreta?"

"Sigue siendo una conjetura porque mi corazón está con Abby y estamos tratando de demostrar su inocencia. No sabemos nada al respecto. Tal vez Wolfgang perdió o extravió su llave. ¿Quién sabe?". Gideon reflexionó, su voz llena de incertidumbre. "Siempre parece haber más caminos que pistas". El detective se desplomó, con las manos en los bolsillos, analizando pista tras pista en su cabeza.

"Cómo explicas el encendido de la lámpara de la caja fuerte del armario?" preguntó Kowalski, con la mirada fija en la caja fuerte del armario, la boca ligeramente abierta y floja.

"Permíteme ser el abogado del diablo por un momento, Jonathan. No sabemos si se encendió con el interruptor de la caja fuerte del armario. Muchas veces, cuando una conexión está suelta en un artefacto de iluminación, se encenderá un vaso o una descarga eléctrica". la lámpara en sí", propuso Gideon, su tono pensativo.

"Qué pasa con el tiro en la oscuridad?" cuestionó, mirando hacia la caja fuerte del armario.

"La policía no cree que hubo un disparo en la oscuridad por un momento. Es solo la declaración de Abby de que fue oscuridad. Creen que ella y yo inventamos esa evidencia", respondió Gideon, con frustración evidente en su voz.

"Pero, Vincent, ¿qué pasó cuando mataron a Wolfgang veinte minutos antes de que la señorita Abigail pusiera un pie en el estudio?" Ian intervino, asombrado por la habilidad de Gideon para refutar sus argumentos.

"¿En qué baso esa conclusión, Ian?"

"Sobre el testimonio del doctor Dreyfus en la investigación".

"Ciertamente. ¿Crees por un momento que el fiscal de distrito dará crédito a un hecho que Owens descartó casi por completo de sus entrevistas en la investigación?"

"Todavía queda el segundo disparo para probarlo", dijo obstinadamente Kowalski, mirando a Gideon con una sonrisa extraña, golpeándose la sien gris a un lado de la cabeza. "Lo siento, casi había olvidado que estás enamorado, y a veces los amantes nunca son lógicos, ¿verdad?" dijo, las palabras tácitas persistiendo en su mente.

Gideon pensó en años anteriores cuando uno de los casos más célebres en la historia de los EE. UU. llegó a los titulares en todo Estados Unidos. El caso donde obtuvo el apodo, ¡El Gran Vincent Gideon! El famoso detective recordó que durante el recreo le dio a Rosenthall una ventaja de dos horas sobre las autoridades. Recordó al fiscal de distrito, Bulldog Dennison, en ese caso. "Jonathan, conozco al fiscal de distrito, créeme".

"Sí, lo sé. ¿Quién no lo sabe cuándo resolviste el caso de Rosenthall?"

"Bueno, lo resolví, pero hice cosas bastante estúpidas en ese entonces cuando mi ego se interpuso. ¿Qué tan bien recuerdo mi terquedad en un caso?"

"A todos nos pasa en algún momento de nuestras carreras, Vincent. A mí me pasó una vez".

"Una vez", se rió entre dientes suavemente, luego bajó la boca imitando al fiscal de distrito, todavía en el condado todos estos años, en un escenario simulado de qué pasaría si. "Esto es lo que sucederá. Seré conducido a su oficina. Con la cabeza gacha, me mirará con los ojos por encima de las gafas. Me escuchará con lo que parece ser un aire de gran cortesía. Luego, cuando termine de contarle todo, sonreirá, tranquilo, cortésmente, y con el gruñido de un bulldog, mostrará su mordida".

Continuó, bajando la voz y tratando de hablar suave y gentilmente como Bulldog Dennison. "Dado que solo se disparó un tiro del revólver de Klein, Vincent, has traído el arma que produjo el segundo disparo? ¿Estoy en lo correcto?"

"Tendría que reconocer que no solo no tenía ese arma, sino que no tengo idea de dónde encontrarla".

"Bueno, Vincent, por supuesto", con un gruñido más profundo, "me has traído la bala. ¿Estoy en lo correcto?"

"Bueno, no señor, señor Dennison, le respondería tímidamente: '¡Ni siquiera tengo eso!'"

"¡Qué! ¿Tú tampoco tienes una bala? Vincent Gideon, por qué vienes a mí con todas estas acusaciones sin sentido y me haces perder el tiempo? Me hablas de un hipotético revólver que dispara una bala que no deja rastro de que tiene incluso me han despedido. Váyase, detective. ¡No pierda más tiempo!

"Eso es lo que sucedería, Jonathan. Y luego-" Se detuvo a mitad de la oración y comenzó a tomar su puño y golpear la parte superior de su frente. "¡Maldita sea! Estúpido es como estúpido hace. Dios mío, por favor, que alguien me escriba como un tonto cabeza de mierda. ¡Por favor!"

"¡Vaya! Vincent, estabas representando el escenario muy bien. Tus puntos están bien tomados. ¿Cuál es el problema ahora?"

"Con respecto a Bulldog? Me alegro de que entiendas que no podemos probar nada en un tribunal de justicia con nuestras meras deducciones de información sin fundamento. Cualquier fiscal inteligente, especialmente uno llamado Bulldog, podría arrojar la evidencia a la zanja", respondió Vincent, su voz llena de frustración.

"No, Jonathan, me refería a otra cosa, me temo", dijo, con una mirada de terror en los ojos.

"Qué sucede, Vincent? ¿Qué sucede?" Jonathan exigió, su voz firme.

"Nada, excepto que debo estar envejeciendo", respondió Vincent, con una leve curva en sus labios.

"Viejo?" Jonatán se rió. "No se es viejo hasta que se necesitan cuatro tazas de café por la mañana para ponerse en movimiento".

"Ese estúpido y pomposo idiota del médico forense nos ha engañado. ¿Por qué no lo vi desde el principio?"

"Qué desde el principio, Vincent?"

"Me han hecho culpable del peor crimen en el decálogo de un detective. ¡Lo que he hecho ha sido ajustar los hechos a mi teoría en lugar de ajustar mi teoría al hecho! Maldita sea, ¿qué tan estúpido pude haber sido?"

"Quién, amigo? ¿Y eso prueba qué?"

"Oh, creo que ha vuelto", dijo Gideon, sus pensamientos destellando bajo la superficie de su expresión endurecida.

"Quién está de vuelta?"

"Justo lo que te dije antes, Jonathan. Estamos cara a cara con un asesino mucho más astuto y de sangre fría de lo que yo creía que era. ¡Otra vez!"

CAPÍTULO DOCE
MOTIVO DEL CRIMEN

El corazón de Gideon saltó en su pecho cuando un golpe resonó en la puerta, sobresaltándolo en su silla. Samuel, el mayordomo, informó a los dos detectives que el almuerzo estaba preparado y los esperaba en el comedor. Era hora de tomar un descanso, un respiro momentáneo en su investigación. Si bien habían progresado, todavía no estaban seguros de su destino.

"Jonathan, alguna vez te has sentido atado a una casa para perros con poca cuerda disponible antes de que se apriete alrededor de tu cuello?" Gideon reflexionó, su voz teñida de frustración.

"Sí, Vincent, muchas veces. Pero nos separaremos. Podemos hacer esto", animó Jonathan, su voz llena de determinación.

"Ciertamente. Lo que hay que hacer es localizar al asesino, ya que no podemos encontrar pistas para demostrar que Abby no es culpable. Así de simple", declaró Gideon, con tono decidido.

"No, Jonathan, no directamente, al menos no en este momento. Encontraremos pruebas contra la persona. Ya sé que el asesino es inteligente. Sé quién es, pero me lo guardaré para mí. Entonces, supongamos que yo No tengo idea de su identidad porque desconozco el móvil del crimen".

"Sí, Gideon, cualquier cantidad de personas en la casa que podrían haber estado allí cuando se disparó el tiro y tenían un motivo suficiente para el asesinato".

"Ciertamente. Tienes razón, amigo mío. Pero muchos tienen coartadas".

"Coartadas. Seguro que estaría de acuerdo contigo en eso, Vincent".

"Está bien, vamos a repasarlos, Jonathan. Primero, está Jacob Hoffmann. Él es—"

"¡Cielos! No lo estás considerando sospechoso, ¿verdad?" Jonathan jadeó.

"Por qué no? ¿No crees que se dio cuenta, al igual que tú, Jonathan, de que él era el principal culpable del matrimonio de Abby con Wolfgang? ¿Y no crees que vio lo verbalmente abusivo que Klein era con ella mientras vivía?" en la casa? ¿Además, no crees que le molestó su propia humillación de la que incluso el chico Thomas habló en la investigación?

"Tienes puesto tu sombrero para pensar, Vincent. Supongo que tienes razón. No lo relacioné con el crimen porque estaba fuera".

Gideon sonrió brevemente en dirección a Kowalski. "Creo que podemos sacarlo de nuestra lista de sospechosos. Incluso considerando que tenía un motivo, no tuvo la oportunidad. Además, ayer fui a la casa de la Sra. Clark en Black Rock Cove. En la noche del siete, El señor Hoffmann estaba enfermo, no podía levantarse de la cama, y precisamente a la una y media de la mañana, ella, su médico y él estaban presentes juntos".

"¡Vaya! Me alegro de eso", susurró Jonathan, aliviado. "Ya es bastante malo sin tener que arrastrar a su tío a todo esto".

"Aunque me aseguré por completo de su coartada porque cada piedra debe ser volcada en este caso, nunca pensé que él era culpable tampoco, Jonathan", comentó Gideon, su expresión facial carecía de su vitalidad habitual, desgastado por la falta. de sueño, pero sabiendo que debe seguir adelante.

"Justo cuando pensaba que tu mente estaba nublada de amor, muchacho, has estado pensando con un cielo despejado últimamente".

"Sí, sí, lo he hecho. Gracias a ti, amigo".

Además, Vincent, sería terrible que un ser querido dejara a su sobrina tras las rejas en la cárcel si una palabra de él pudiera probar su inocencia.

"En efecto."

"Bueno, ese es uno de la lista. Estamos en racha. ¿Quién más podría haberlo hecho?" Jonathan incitó, sumido en sus pensamientos.

"A continuación, Ian MacDonald. La mayoría de esas personas durante la investigación no pudieron ver a través de su fachada. Es inteligente. Fui a ver a la recepcionista del edificio de apartamentos donde vive. Dijo que se había ido de la ciudad y no regresó. hasta el ocho de octubre, como a las diez u once de la mañana.

"Pero podría haber venido la noche anterior y haberse quedado en otro lugar, tal vez con un amigo o registrado en otro hotel. Sí, lo único que puedo reprocharle es que es inteligente. De hecho, debería juzgar a Ludwig Hoffmann". "

"Crees que Lutz podría haberlo hecho?"

"Jonathan, mientras revisamos las coartadas, no podemos pasar por alto a nadie. Esa es la única forma de reducir nuestro sospechoso a uno".

"Ciertamente. Sigue adelante, Vincent".

"Vi al detective Givens y obtuve toda la información que necesitaba sobre las acciones de Ludwig esa noche. También telegrafié a la policía de Black Rock Cove y espero saber algo de ellos en uno o dos días".

"Vincent, hay un hecho sobre Ludwig que se destaca claramente, y no he podido explicarlo. Salió de su hotel aquí antes de las once y no regresó hasta las dos y media de la mañana. No hay rastro de él". adónde fue durante ese tiempo. Probablemente tomó el metro hasta su destino".

"Tienes razón, Jonathan. Luego tenemos su carta a su tío Jacob, que sin duda decía que necesitaba ver a Wolfgang. No sabemos si lo hizo o no, no lo sabemos, pero es lo más probable es que él vino aquí, y los dos hombres tuvieron una confrontación".

"Correcto, pero de nuevo me inclino a creer que él también es inocente, por la misma razón que hemos decidido que su tío Jacob es inocente".

"Sí. Sin embargo, todavía hay que explicar su suicidio. Aún más extraño, no dejó ninguna palabra para explicar sus acciones. Extraño en verdad".

El detective más joven hizo una pausa, sacudiendo la cabeza de un lado a otro. "Pero, la muerte es definitiva, no es así, ¿viejo amigo? No hay mucho de lo que podamos preocuparnos con respecto a Ludwig, porque él está más allá de ayudarnos a resolver este caso".

"Sí, estoy de acuerdo. Otros serán más útiles".

"Está bien, Vincent. Son dos menos. Tendremos esta lista lista en poco tiempo", se rió Jonathan.

"Ciertamente. En muy poco tiempo", dijo Gideon, haciendo una pausa para ordenar sus pensamientos.

"Luego, visitemos a Blair Thomas, el sobrino de Wolf", dijo Vincent, recordando el alfiler en las enredaderas de rosas contra las puertas francesas al lado del estudio.

"Cuando regresó, se ocupó de Samuel. Lo escuché decir que tenía una cita en el Club Spencer con respecto al asesinato de su tío. También fui allí ayer para ver a Denzel Parker y regresaré hoy alrededor de las dos". en punto para verlo".

"Por qué no nos dirigimos allí ahora? ¿Nos llevarás?" sugirió Jonathan.

"Por supuesto."

"Después de ir al Club, podemos decidir si nuestro joven amigo tuvo la oportunidad de matar a Wolfgang. No hay duda de que tenía muchos motivos".

"No solo un motivo, sino que encontraste el alfiler y dijiste que él estaba allí esa noche cuando me lo mostraste por primera vez".

"Ciertamente, Vincent. Dije que estaba allí, y lo repetiré repetidamente. Pero eso realmente no significa nada en absoluto. Debemos demostrar que estuvo allí a la una y media de la mañana. No a las nueve de la mañana ni a las tres de la tarde, pero la una y media de la mañana, ¡ese momento psicológico!"

Gideon asintió, moviendo la cabeza arriba y abajo. "Todavía tengo problemas para entender que realmente tenía un motivo o probar que tenía un motivo. Sé que se peleó con su tío Wolf, pero nada lo llevó a disparar y matar a Wolfgang".

"¿No estaba allí?" Respondió Kowalski, un torrente de palabras escapando de sus labios. "¿Seguramente, no crees que se peleó con su tío por la señorita Abigail? Es absurdo pensar que de repente no estuvo de acuerdo con el trato que había aceptado con total indiferencia durante cinco meses más o menos".

Los dos detectives concluyeron su discusión cuando el auto se detuvo en el estacionamiento junto al muelle. Habían llegado al Spencer Club, recibidos por Denzel Parker cuando entraron al salón. Parker, una figura imponente de más de seis pies y seis pulgadas de alto, había trabajado en el Club durante casi ocho años. Conocido por su confiabilidad y familiaridad con los miembros, fue la clave para obtener información precisa.

Gideon se inclinó mientras caminaban por un pasillo hacia una habitación privada, y le susurró a Jonathan: "Este es tuyo, buen amigo. Primero dale una puñalada".

Jonathan asintió en reconocimiento. Juntos, siguieron a Parker a una pequeña oficina y tomaron asiento. Vincent se acomodó en su silla mientras Jonathan estaba de pie, caminando de un lado a otro frente al escritorio del mayordomo con las manos entrelazadas a la espalda.

"Quisiera saber si ha tenido noticias de Blair Thomas desde que dejó el Club el otro día", comenzó Jonathan, con tono concentrado.

"No, señor, señor Kowalski", respondió Parker, su voz deliberada.

"Intentemos refrescar tu memoria. Volvamos al siete de octubre, Denzel. Blair Thomas alquiló una habitación aquí para pasar la noche. ¿Es correcto?"

"Sí, señor. Él personalmente me llamó porque nos conocíamos bien. Solicitó una suite de habitaciones para estar disponible por tiempo indefinido. Llegó aquí a las dos de la tarde".

"Estás seguro de esa hora?"

"Sí, salí del trabajo a las dos y tenía prisa por recoger a mi novia", afirmó Parker, su imponente presencia ensombreció a los detectives.

"Muy bien. Continúe por favor".

"Luego, el traje de regreso al Club para un banquete en la noche, y llegamos alrededor de las cinco. Vi a Denzel irse. Recuerdo pasar junto a él y preguntarle a dónde iba. Me dijo que le diera saludos". nuestros amigos en el banquete".

"Te dijo Blair adónde iba?"

"No, señor, pero..." Parker hizo una pausa, vacilando en su narración.

"Pero ¿qué, señor Parker?"

"Estaba vestido un tanto extraño para salir. No estaba en su atuendo habitual de noche. Siempre he sabido que es muy meticuloso con su apariencia".

Después de una breve pausa, Kowalski continuó: "Estabas aquí cuando Blair regresó esa noche?".

"Blair no volvió esa noche".

Gideon y Kowalski intercambiaron miradas. "Puedes jurar que no volvió?"

—Sí señor, por lo menos hasta casi las dos de la mañana. Ahí dejó de tocar la banda. Yo me fui para llevar a mi novia a casa.

"Estás absolutamente seguro?"

"No hay duda. Resido en una de las habitaciones de huéspedes en la parte trasera de la posada. Duermo en el primer piso. Me despertó un golpe en mi ventana. Miré mi despertador, que era cinco minutos después. cinco. Fue extraño tener un golpe en mi ventana a esa hora de la mañana, o en cualquier momento para el caso ".

"Lo dejaste entrar?"

"Sí, señor. Encendí la luz de mi mesita de noche y el brillo iluminó a Blair Thomas que miraba por la ventana. Le indiqué la puerta trasera y se la abrí".

"¿Cuando llegó, se veía diferente de cuando lo viste salir a las cinco de la tarde?"

"Blair era un desastre. Su ropa estaba sucia y su cabello estaba despeinado. Tenía una mirada que no puedo explicar. Era casi como si hubiera visto un fantasma".

Gideon habló por primera vez. "Es posible que lo haya hecho", dijo, sonriendo, considerando a Blair como su principal sospechosa.

Kowalski continuó. "Por favor, continúe, señor Parker. ¿Qué más puede decirnos?"

"Entró tropezando y tuve que ayudarlo a llegar a su habitación. Me pidió que no hablara sobre él. Pensé que había estado bebiendo. Apestaba a alcohol y no podía caminar derecho".

Kowalski se acercó al escritorio y se inclinó, colocando ambas manos sobre él. Miró a Vincent y asintió, dándole la delantera.

"Qué hizo Blair después de que le prometiste mantener sus idas y venidas en secreto?"

"Simplemente se derrumbó en la cama con la ropa puesta y salió de su habitación. Volví y lo desperté a la hora del almuerzo".

"Regresé al comedor y lo vi salir por la puerta principal unos diez minutos después sin comer. No volvió al Club hasta alrededor de las tres de la tarde".

"Y estás seguro de la hora?" preguntó Vincent, buscando confirmación.

"Sí, señor. Recuerdo que tenía un telegrama esperándolo en la recepción, y vi que el empleado se lo entregaba. Lo leyó y luego se acercó a un bote de basura, lo rompió en cientos de pedazos y temblando como lo tiró. Estaba lo suficientemente cerca para ver sus manos temblando", recordó Denzel.

"Te dijo algo?" preguntó Jonatán.

"Me acerqué a él para ver si estaba bien. Me dijo que tenía que irse a Black Rock Cove por negocios y me pidió que no molestara su habitación. Se apresuró a su habitación, volvió a salir y se fue por la puerta principal. Sin embargo, no dijo nada ni al empleado ni a mí cuando se fue quince minutos después", respondió Denzel.

Vincent decidió que era hora de concluir el interrogatorio. "Denzel, estás seguro de que había estado bebiendo? ¿O notaste algo más en él que pareciera diferente o extraño?" preguntó directamente.

"Bueno, es mi opinión, pero toda su conducta sugería que estaba aterrorizado. Parecía como si hubiera estado loco de miedo. No lo sé, pero ahora que me has preguntado, había algo peculiar en Blair, ", confesó Denzel.

"Nos gustaría examinar sus habitaciones", declaró abruptamente Kowalski.

"Ciertamente, señor Kowalski", respondió Denzel, levantándose de su escritorio y guiando a los dos detectives por las escaleras, a lo largo de un pasillo y hacia una pequeña suite que constaba de una sala de estar, un dormitorio y un baño.

La suite de Blair parecía intacta, como si nadie hubiera dormido o usado las habitaciones. Todo estaba impecablemente arreglado, tal como lo había dejado el ama de llaves.

Kowalski observó a Gideon mientras se acercaba a la cómoda, buscando meticulosamente en cada cajón cualquier pista que pudiera arrojar luz sobre el caso. Gideon se encogió de hombros y declaró: "Terminé, Jonathan".

Kowalski miró a Gideon, sintiendo decepción por su búsqueda, pero algo en sus ojos indicaba lo contrario. Parecía que había logrado encontrar una pieza del rompecabezas, pero ¿qué esperaba encontrar?

"Gracias por su cooperación hoy, Denzel. Vincent y yo apreciamos su ayuda con nuestra investigación. Una cosa más, podría mantener nuestra visita en secreto? Si esta información fuera a ser rumoreada o chismeada, podría causar mucha incomodidad. para el joven", pidió Jonathan mientras se iba.

"Como usted diga, señor Kowalski. Buenas tardes, caballeros", se despidió Denzel.

Los dos detectives atravesaron la puerta principal y se dirigieron hacia su automóvil. Mientras cruzaban el estacionamiento, Kowalski no pudo contener su curiosidad y preguntó: "Qué encontraste, Gideon?".

Gideon se detuvo en medio del estacionamiento, metiendo la mano en su bolsillo para sacar una pequeña bolsita de satén dorado con las iniciales BT bordadas en azul. Entregándoselo a Kowalski, instruyó: "Huele esto. Tiene una fragancia fuerte".

Jonathan se llevó la bolsa a la nariz y respiró hondo. La fragancia era agradable y delicada.

"¡Oh, Dios mío, Gideon! ¡Sí!" El reconocimiento se apoderó de él cuando el olor evocó un recuerdo familiar. "Sí, amigo mío, este aroma es el mismo que el perfume en el pañuelo manchado de sangre que olí en la jefatura de policía cuando revisamos las pruebas en la oficina de Givens".

La emoción de Gideon era palpable. "Jonathan, el sutil perfume que llena tus fosas nasales y deleita nuestros sentidos es la fragancia que perfumaba las pertenencias de Ludwig. El mismo aroma que se adhería a la cubierta de seda persa en la habitación secreta y, por supuesto, en ese pañuelo al que Wolfgang se aferraba cuando fue asesinado."

"No estoy seguro, Vincent. Esto puede ser significativo, o puede que no. Mi impresión de nuestra visita es que estuvo fuera toda la noche. La fragancia es algo que puede permanecer en la tela durante días. Pero él se quedó fuera toda la noche, esa es otra historia".

"Ciertamente. Puede que tengas razón, Jonathan. Estás diciendo que él es nuestro primer sospechoso que tuvo la oportunidad", dijo Gideon con una leve sonrisa.

"Ambos estamos en algo, pero debemos pensar en esto. Nuestro caso se ha vuelto más cálido, Vincent".

"Sí, ciertamente lo ha hecho. Blair tuvo la oportunidad, pero eso no significa necesariamente que la aprovechó. El alfiler que se encontró no es una prueba concreta de que él estaba en la casa a la una y media de la mañana. Sin embargo, tenía un motivo amplio. Y luego está el asunto de la última voluntad y testamento —explicó Gideon mientras subían al auto.

Después de que el motor se puso en marcha, Vincent continuó: "Al examinar la letra de los otros documentos de Wolfgang, puedo concluir que estaba desheredando a su sobrino y no a Abby, en su mayor parte".

"Correcto. El asesino sabía ese hecho. Intentaron destruir el nuevo testamento rompiéndolo en pedazos y quemándolo, lo que explicaría por qué todavía estaban en el estudio cuando entró la señorita Abigail".

"Eso es correcto."

"Pero, Vincent, seguramente Blair no es tan depravado como para implicar a la señorita Abigail", cuestionó Jonathan.

Gideon rió suavemente. "¿Él tiene la sangre de Klein en sus venas, no es así?"

"Sí, y también Ludwig, para el caso".

"Puede llevar meses localizar a Blair, y no tenemos ese tipo de tiempo, Jonathan".

"Qué sugieres que hagamos, Vincent?" preguntó Jonathan, su voz llena de desesperación.

"Hacemos lo que nos propusimos hacer. Sigamos investigando a todos los sospechosos que tenemos y verifiquemos sus coartadas. Conduce, Jonathan. Llévanos a la casa de Adolph Keiser", ordenó Vincent, señalando hacia adelante con su dedo índice contra el parabrisas.

GIDEON CONDUJO RESUELTAMENTE por Oak Meadows Drive, en dirección a su destino. Miró a Vincent, su compañero, y dijo: "Por todo lo que me dijiste, Vincent, este tal Keizer no es digno de confianza. Incluso dijiste que tenías la corazonada de que estaba mintiendo en la investigación".

Vincent asintió con la cabeza. "Ciertamente. Tenía una desconfianza instintiva hacia la secretaria. Se comporta con una actitud sigilosa y parece tener un fuerte deseo de ver a Abby condenada por el asesinato. Sospeché de él desde la primera noche. Pero ahora que tú y yo encontramos el secreto entrada al estudio, puedo imaginarlo entrando a escondidas a la casa y siguiéndome dentro del estudio".

"Sé lo que estás pensando, Gideon. Pero seguramente no crees que él podría haber cometido el crimen, ¿verdad?" preguntó Vincent con un dejo de duda en su voz.

"En realidad, Jonathan, solo estoy pensando en voz alta. Incluso después de reunir todos los hechos, sigo creyendo que está mintiendo, pero no lo considero sospechoso. Es un cobarde, probablemente asustado de su propia sombra. Además, no tuvo suficiente tiempo para matar a Wolf", explicó Gideon.

"No te estoy siguiendo, Vince", admitió Vincent, buscando más aclaraciones.

"Piénsalo, Jonathan. ¿Cuánto tiempo crees que tomaría cerrar todas esas puertas? Estaban cerradas cuando llegamos. Y luego regresa corriendo a la casa y asegura cualquier entrada que haya usado", explicó Gideon.

"Tienes razón. El asesino no habría usado la puerta principal al regresar porque habríamos escuchado su presencia", reconoció Vincent, entendiendo el punto de Gideon.

"Exactamente. Pero, aun así, habría habido suficiente tiempo para que Keizer entrara, ¿se apresurara a entrar al estudio justo después de que yo entré?" Gideon reflexionó, frunciendo el ceño. "Es posible que Keiser nunca haya salido de la habitación. Podría haberse quedado detrás de la puerta en el rincón oscuro, esperándome, y luego salir detrás de mí y encender la luz".

"Pero eso contradice lo que testificó la señorita Abigail en la investigación", señaló Vincent, recordando los detalles.

"Es por eso que vamos a interrogar a Keiser. Recuerda, Abby no tendría ninguna razón para afirmar que lo vio si no lo hizo", razonó Gideon.

El coche se detuvo en un complejo de apartamentos más antiguo y en ruinas. Los detectives tomaron nota de su entorno y subieron los escalones hasta el vestíbulo, donde preguntaron por Adolph Keiser.

Al acercarse a la recepción, Gideon se dirigió al empleado y le preguntó: "¿Puedo ayudarlo, caballero?"

"Sí, tenemos una reunión con Adolph Keiser. ¿Puede decirnos el número de su habitación?" preguntó Gedeón.

"Habitación quince, última puerta a la derecha", zumbó la recepcionista, su tono carecía de entusiasmo.

Gideon y Vincent avanzaron por el pasillo y se detuvieron en la puerta de Keiser. Gideon llamó, señalando su presencia. Oyeron pasos que se arrastraban al otro lado, seguidos de una cadena que se abría en lo alto de la puerta.

"Quién es? ¿Qué quieres?" preguntó una voz impaciente desde detrás de la puerta.

La puerta se abrió ligeramente y Vincent respondió: "Un momento de tu tiempo, Keiser".

Al reconocer a Gideon, la secretaria intentó cerrar la puerta de un portazo. Sin embargo, Vincent actuó rápidamente, metiendo su pie en la rendija justo a tiempo para evitar que la puerta se cerrara por completo.

Kowalski observó, recordando las numerosas veces que se había encontrado con sospechosos que intentaban mantenerlo alejado. Empatizando con el dolor de Gideon cuando la puerta se cerró de puntillas, exclamó: "No sirve de nada tratar de mantenernos fuera a menos que quieras ir a la jefatura de policía y compartir tu historia".

Keizer liberó la presión de la puerta y se retiró a su sala de estar. Gideon y Vincent lo siguieron adentro, notando el desordenado y sucio espacio habitable. Los restos de comida rápida estaban apilados al azar en todas las superficies disponibles, y la habitación estaba mal iluminada y mal ventilada.

Vincent abrió la puerta, navegando a través de los objetos que cubrían el suelo. Los detectives no pudieron encontrar una pulgada cuadrada de alfombra visible, arrugando la nariz con disgusto.

Keiser, todavía vestido con su pijama y zapatos de andar por casa, de mala gana les indicó a Gideon y Kowalski que tomaran asiento. "Está bien, Gideon. Hazlo rápido. ¿Qué es lo que quieres?" el demando.

"Déjame ir directo al grano, Keiser. Cuando Alastair Owens te interrogó en la investigación, mentiste", acusó Gideon.

"¿Mintió?" Keizer sabía que había mentido, y la mentira fluyó sin esfuerzo de su lengua, como mantequilla derretida sobre una tostada.

"Sí, y lo sabes. Nosotros también lo sabemos. Ahora, quiero saber por qué mentiste", presionó Gideon.

"Gideon, tú eres el principal sospechoso. ¿Cómo puedes sentarte aquí e interrogarme? ¿Cómo te atreves a llamarme mentiroso?" Keizer replicó a la defensiva.

"Porque estoy aquí con Kowalski, quien está investigando este caso", respondió Gideon suavemente.

"Todavía no entiendo por qué crees que tienes derecho a invadir mi privacidad", se quejó Keizer.

Inclinándose hacia adelante en el sofá, Kowalski tomó el control del interrogatorio. Encogiéndose de hombros, dijo: "Si prefiere someterse a un interrogatorio más intenso en la comisaría, no nos importa".

Keizer volvió a mirar a Gideon, su voz temblaba de miedo. "Están tratando de asustarme. ¡Ambos piensan que yo maté a Wolf!"

La sonrisa de Gideon se ensanchó cuando tranquilizó a Keiser: "Demonios, no, no estamos diciendo que lo mataste. Eres demasiado cobarde para hacer eso".

Aliviado, Keizer respondió: "Pero, Gideon, sabes más sobre esa noche de lo que dijiste en la investigación. Una simple palabra en el oído del detective Givens podría llevar a la policía a tu apartamento".

Las palabras de Keiser llevaron a Gideon a dar un paso atrás, evaluando la situación. "Es por eso que estamos aquí, Keiser. Queremos encontrar al verdadero asesino. Ahora, tienes dos minutos para decidir si quieres decirnos qué sucedió realmente esa noche, o usaré tu teléfono y llamaré a la policía". "

Sintiéndose acorralado, Keizer suplicó a los detectives con voz asustada: "Muy bien. Les diré todo lo que sé. Solo que, por favor, no involucren a la policía".

Vincent sintió que era hora de dejar que Kowalski tomara el control, ejerciendo cierta presión como un profesional experimentado. "Queremos una explicación completa y veraz de todo lo que vio e hizo la noche del siete de octubre, entre las doce y media y las dos de la mañana cuando sonó el disparo".

"Traté de decirles en la investigación lo que Wolf había dicho, pero cortaron mi respuesta", comenzó Keizer.

"No vas a hablar con el forense, y no vas a hablar con la policía. Estamos aquí para encontrar al verdadero asesino. Quiero cada palabra que sea relevante para el caso. Escúpelo", exigió Kowalski.

"Está bien, está bien. A las doce y media de la mañana, le informé a Abigail que Wolfgang quería verla. Mientras ella entraba, yo me quedé afuera de la puerta y escuché. Estaban discutiendo sobre la carta de amor que había reconstruido con tanto esfuerzo. para él", reveló Keizer.

"¿A qué hora le mostraste esta carta, Keiser?" preguntó Vicente.

"Fue después del desayuno el mismo día que fue al estudio. Su sobrino, Blair, acababa de irse. Wolfgang me pidió que le devolviera la carta", respondió Keizer.

"Qué más te dijo?" Gideon sondeó más.

"Quería que yo reconstruyera la carta porque creía que sería útil algún día", agregó Keizer.

"Adelante. ¿Qué más dijeron?" Gedeón presionó.

"No pude escuchar sus palabras exactas, pero..." Keizer vaciló, deteniéndose.

"¡Deja de demorarte, Keiser! ¿Cómo supiste que estaban discutiendo sobre la carta?" exigió Gideon, cada vez más impaciente.

"No pude escuchar su conversación hasta que empujé suavemente la puerta para abrirla. Luego, comencé a escuchar su conversación. Wolfgang estaba amenazando a Gideon y Abigail dijo que no lo toleraría. Mencionó algo acerca de enviarlo a buscar para advertirle. sobre la amenaza de Wolf", reveló Keizer.

"Cuál fue la reacción de Wolf cuando dijo eso?" preguntó Vicente.

"Él no dijo nada. Solo se rió peculiarmente, y Abigail se volvió y corrió hacia la puerta", recordó Keizer.

"Muy bien. ¿Qué pasó después?" preguntó Gedeón.

"Me llamó a su estudio y me indicó que vigilara de cerca a su esposa. La seguí escaleras arriba y la escuché dando órdenes a su sirvienta. Luego, seguí a la sirvienta hasta el garaje", continuó Keizer.

"Volviste al estudio después de eso?" Vicente cuestionó.

"Sí, volví para informarle a Wolf lo que estaba pasando, y fue entonces cuando escuché una acalorada discusión en el estudio. Presioné mi oído contra la puerta, pero no pude entender las palabras que decían", explicó Keizer.

Kowalski preguntó sarcásticamente: "Por qué no abriste la puerta y escuchaste esta vez, como lo hiciste cuando la señorita Abigail estaba discutiendo con Wolf?".

Keizer respondió: "Porque Wolf había cerrado la puerta con llave cuando se encontró con el extraño. Sin embargo, miré por el ojo de la cerradura y noté que todas las luces de la habitación estaban encendidas. Incluso si hubiera abierto la puerta, tenía miedo de que lo hicieran". me han visto".

Gideon intervino, instando a Keizer a concentrarse en lo que era importante. "Continuar con lo significativo".

Keizer cumplió y proporcionó más detalles. Miré mi reloj y vi que llegaste a la una y veinticinco minutos. A la una y media, Wolf me llamó a su estudio.

Curioso, Gideon preguntó: "Cómo te contactó?".

"A través de un timbre que conectaba el estudio con mi pequeña oficina. Cuando entré, él estaba sentado en su escritorio, escribiendo algo", explicó Keizer.

Gideon preguntó más: "Podrías decir lo que estaba escribiendo?"

"Sí. Estaba escribiendo una nueva última voluntad y testamento. Lo vi dejar su pluma después de escribir el nombre de Ava O'Neill. Luego, me pidió mi informe", recordó Keizer.

"Y?" Gideon pidió más información.

"Le informé de todo lo que había ocurrido, incluido el hecho de que estabas al otro lado del pasillo en el salón", continuó Keizer.

Gideon despertó su curiosidad y preguntó: "Cómo reaccionó ante eso, Keiser?"

"Él se echó a reír. Luego, dijo: 'Entonces, tenemos al célebre detective, el Gran Vincent Gideon, ¿en la casa? Haré que sea útil'. Se recostó en su silla y siguió riéndose", reveló Keizer.

Interrumpiendo, Kowalski se hizo cargo e instó a Keizer a saltarse los detalles repetitivos. "¡Sigue adelante, pero no repitas lo que ya sabemos!"

Keizer obedeció, compartiendo más. "Él dijo una cosa más. '¡El gran Vincent Gideon me ha hecho un gran servicio al venir aquí esta noche! Asegúrate, Keiser, de que todas las ventanas estén cerradas y puedas retirarte por la noche'".

Gideon sondeó más, "Algo más?"

"Cerré con llave todas las ventanas del estudio, y mientras cerraba la puerta de su oficina, él todavía se reía entre dientes", agregó Keizer.

Gideon preguntó: "Tenías alguna idea de lo que quiso decir con lo que dijo?"

"En realidad, Gideon, pensé que podría estar refiriéndose al hecho de que tenía suficiente información para solicitar el divorcio. Creo que se cansó de que tú y Abigail se confabularan", sugirió Keizer.

Gideon preguntó: "Estás seguro de que Wolf estaba solo a la una y media de la mañana?"

"Sí, estoy completamente seguro. No había nadie más en la habitación", afirmó Keizer.

Curioso por la caja fuerte del armario, Gideon preguntó: "Qué pasa con la caja fuerte del armario?"

"Estaba medio abierto. Cuando miré adentro mientras pasaba, vi que estaba vacío", compartió Keizer.

Gideon continuó el interrogatorio, "Te fuiste a la cama?"

"No, me quedé despierto y me senté en mi oficina. Quería ver qué pasaba. Estaba seguro de que te confrontaría en su oficina, Gideon. Después de unos veinte minutos, sentí sed y fui a buscar un trago. Cuando Cuando salí al pasillo, escuché voces en el salón", recordó Keizer.

Gideon señaló: "Abby tenía razón. Dijo que la estabas espiando".

Keizer lo corrigió: "Cuando entré al pasillo, escuché que se abría la puerta del estudio y pensé que Wolf saldría. Rápidamente me retiré a mi oficina y me senté en silencio. Esperé cinco minutos y luego me aventuré a salir al pasillo. de nuevo. Faltaban cinco minutos para las dos. Tanto la puerta del estudio como la del salón estaban cerradas.

Curioso, Gideon preguntó: "Escuchaste a alguien hablar?"

"No, no se escuchaba ningún sonido en ninguna de las habitaciones. ¡Fui al comedor para sacar una bebida del refrigerador cuando escuché el sonido de un disparo! Inmediatamente corrí al estudio y te vi, Gideon, con Abigail sosteniendo una Wolf estaba desplomado, la sangre cubría su pecho. Estaba seguro de que estaba muerto ", relató Keizer, con voz temblorosa.

Gideon preguntó aún más: "Entonces, en todo este tiempo, ¿nunca viste a Abby entrar al estudio?"

"No, solo asumí que ella había entrado cuando escuché que la puerta del estudio se abrió. Necesitaba una prueba de que no estaba en el estudio y una coartada para la policía. Por eso afirmé que estaba cerca de la escalera. Significaría que no estaba en el estudio cuando se disparó. No sabía que Abigail me había visto", confesó Keizer.

Kowalski comentó: "Es bueno que la señorita Abigail te haya visto, o podrías haber terminado en su celda".

"Soy inocente. ¡Yo no maté a Wolf!" declaró Keiser.

Gideon lo tranquilizó: "Está bien, Keiser. No serías la primera persona inocente en encontrarse en una celda de la cárcel. ¿Ahora, hay algo más que desees decirnos?"

"Ve a ver a tu madre, Keiser. Te llamaremos en un momento", instruyó Gideon.

"Gideon, la persona que abrió la puerta del estudio a las dos menos cinco, podría haber sido nada menos que el asesino. Casi a las dos de la mañana, Wolfgang había terminado de abrir las puertas. Cualquiera podría haber entrado al estudio", especuló Keizer.

Kowalski miró a Gideon, el horror evidente en sus ojos. Según la declaración de Keiser, abrir la puerta significaba una cosa: el asesino sabía que Abby estaba en el salón al otro lado del pasillo. Deliberadamente planearon incriminarla por el asesinato de Wolfgang.

"¡Keiser, vuelve!" llamó Kowalski.

Gideon continuó, "Explica el desbloqueo de la puerta una vez más".

"Escuché que Wolf giraba la llave y abría la puerta a la una y media. Estoy seguro. La puerta estaba abierta cuando Abigail entró en la habitación. No me equivoqué cuando escuché que se abría la puerta".

Gideon preguntó más a Keizer: "Cómo sabes que Wolf abrió la puerta?"

Estaba solo en una habitación cerrada cuando me fui. Las ventanas estaban cerradas. ¿Quién más podría haberla abierto, Gideon?

"Tienes razón. Nadie más, por supuesto", mintió Gideon, que no estaba dispuesto a revelar su conocimiento de la habitación secreta.

"Una última pregunta, aunque lo dijimos antes. Cuando saliste de tu oficina por segunda vez para tomar una copa, no se oyó ningún sonido ni del estudio ni del salón. ¿Por casualidad, abriste ligeramente la puerta del estudio? " preguntó Kowalski.

"No, no lo hice. Como te dije antes, tenía miedo de que me vieran. La habitación estaba completamente iluminada y me habrían descubierto fácilmente", aclaró Keizer.

Los dos detectives interrumpieron su interrogatorio, preocupados por la respuesta de Keiser. Si Keizer estaba diciendo la verdad, sus deducciones y teorías se hicieron añicos. Debió haber visto al asesino si el estudio estaba completamente iluminado cuando entró Abigail. Sin embargo, ella insistió en que no vio a nadie. La confusión nubló sus expresiones.

Gideon continuó: "Keiser, desearía poder estar seguro de que estás diciendo la verdad".

"Es la verdad, Gideon. ¡Lo juro! ¿Por qué me lo inventaría?" Keizer protestó.

Gideon reconoció: "Efectivamente. Entonces, si dices la verdad, no viste a nadie cuando miraste por el ojo de la cerradura".

"No, no vi a nadie", confirmó Keizer.

En busca de más claridad, Kowalski se dirigió a Keiser: "Todavía estoy a oscuras sobre algunas cosas, Keiser. ¿Afirmaste estar muy familiarizado con el negocio de Wolf, correcto?".

"Sí, muy familiar", afirmó Keizer.

"Es cierto que sacó todos sus valores de la oficina de MacDonald y los usó para apostar en el mercado de valores?" preguntó Kowalski.

"Solo puedo decir que, si Ian dijo eso, debe ser verdad. No sabía que tenía ningún valor", admitió Keizer.

Kowalski continuó: "Escuchaste algo sobre él especulando en el mercado?"

"Sí, me dijo que tenía algunas acciones en las que estaba considerando arriesgarse", reveló Keizer.

"¿Y después de especular con esas acciones, lo perdió todo?" presionó Kowalski.

"¡Todo!" Los ojos de Keiser se abrieron con sorpresa. "No tenía idea de que fuera tan malo. Ganó y perdió en el mercado antes, pero nunca hasta el punto de un fracaso total. ¿Perdió toda su fortuna?"

"Sí. ¿A cuánto ascendía toda su fortuna?" preguntó Kowalski.

"No estoy seguro. Creo que recibió más de cuatrocientos cincuenta mil dólares cuando se casó con Abigail", compartió Keizer.

Curioso, Kowalski preguntó: "Cómo sabes eso?".

"Tuvieron una discusión una vez. Ella le dijo algo sobre cómo él la había humillado al obligarla a firmar toda su fortuna, dejándola completamente dependiente de él", recordó Keizer.

Kowalski preguntó: "Recuerdas lo que dijo en respuesta?"

"Sí, lo recuerdo vívidamente. Él dijo: 'Por eso me casé contigo, querida'", respondió Keizer.

Gideon y Kowalski se levantaron del sofá. "Creo que tenemos todo lo que necesitamos. No menciones nuestra visita a nadie. Durante el juicio, te sugiero que te ciñas a la coartada que le diste a la policía. Si descubren que mentiste durante la investigación, enfrentarás dificultades". durante el interrogatorio del fiscal de distrito", aconsejó Gideon.

"Estás bromeando?" preguntó Keizer.

"No, en absoluto. Cíñete a tu testimonio anterior", afirmó Gideon.

CAPÍTULO TRECE
UN VIEJO FÓSIL DEFIENDE A ABIGAIL

Los dos detectives partieron de los apartamentos y regresaron al centro, resumiendo las revelaciones compartidas por Adolph Keiser. ¿Eran todos ciertos? ¿Quién podría decir?

"Sabes, Jonathan, solo tenemos teorías, y por un momento, la mía se hizo añicos por completo cuando Keizer mencionó que el estudio estaba iluminado. Por lo que puedo imaginar, tuvo que ser justo antes de que Abby entrara al estudio", contempló Gideon.

"Dios mío, muchacho, si Bulldog supiera ese hecho, se reiría en tu cara cuando subieras al banquillo de los testigos. Dijiste que el estudio estaba a oscuras", señaló Kowalski.

"Tienes razón. Aún más importante, ¿qué pensaría el jurado del relato de Abby entonces?" Gedeón reflexionó.

"¿Es por eso que le pediste a Keizer que repitiera su testimonio?" preguntó Kowalski.

"Sí, de hecho. No les estoy dando a nuestros oponentes ningún espacio para maniobrar en esta investigación. Este partido ya está desigual", respondió Gideon, frunciendo el ceño mientras reconciliaba los hechos.

"Aún así, Vincent, Keizer aún podría delatarnos. Es débil y podría derrumbarse bajo el contrainterrogatorio de Bulldog", expresó Kowalski preocupado.

"Tienes razón. Es un maldito mentiroso y un cobarde. ¿No lo viste retorcerse en su silla cuando mencionamos llamar a la policía? Solo quería asustarlo para que dijera la verdad. Pero, maldita sea, ¿qué hicimos?" nada al final", Gideon apretó con más fuerza el volante.

"Vincent", Kowalski comenzó a reír sardónicamente, "estás equivocado, amigo mío. Nos proporcionó una cosa: una habitación iluminada, ¿no?"

Gideon miró a Kowalski con una profunda mirada de preocupación. "¿Dime, Jonathan, crees que nuestro asesino fue lo suficientemente inteligente como para encender el estudio y dejar la puerta abierta? ¿Qué piensas?"

"No estoy seguro, Vince", respondió Kowalski con tristeza.

"No creo que se diera cuenta de que Keizer iba y venía por el pasillo esa mañana. Fácilmente podría haber apagado las luces cuando escuchó pasos acercándose. Probablemente estaba cerca de la puerta, asegurándose de saber exactamente cuándo entraría Abby en la habitación". habitación", razonó Gideon.

—Pareces convencido, Gideon, de que el asesino sabía que la señorita Abigail vendría al estudio —lo desafió Kowalski—.

"Sí, lo soy", afirmó Gideon.

"Tengo que desafiarte, Vince. No puedo entender en qué estás basando tu conclusión. La señorita Abigail no tenía idea de que cruzaría ese pasillo hacia el estudio hasta que le sugeriste que recuperara la carta de amor de improviso". el momento. ¿Cómo concilias eso? cuestionó Kowalski.

Gideon sacó su pipa, vació el tabaco de cereza viejo y usado en el cenicero y volvió a llenar la cazoleta. Después de encender su pipa, respondió: "Eso es fácil. El asesino estaba en la habitación cuando Keizer entró a la una y media. Probablemente estaba escondido en la caja fuerte del armario en la habitación secreta".

Jonathan interrumpió: "Pensé que dedujiste que el asesino no sabía sobre la habitación secreta hasta que obligó a Wolf a sacarle la información justo antes de matarlo".

"No, amigo mío. Dije que él no entró por ese camino, no que no supiera de la habitación. Keizer mencionó que Wolf y su invitado estaban discutiendo en voz alta. Wolf sabía lo entrometida que era su secretaria y que a menudo se quedó afuera de su puerta escuchando a escondidas. Entonces, escondió al visitante en la caja fuerte del armario y cerró la puerta. El visitante escuchó toda la conversación entre Wolf y Keiser", explicó Gideon.

"Maldita sea, Gideon, eres bueno. Todo tiene sentido", respondió Jonathan. "Sin embargo, me mantienes cerca como tu abogado del diablo, ¿verdad?"

"Qué quieres decir?" preguntó Gedeón.

"Conociendo la naturaleza humana, el asesino sabía que estabas al otro lado del pasillo. Se puso en tu lugar. Si él estuviera en tu posición y acabara de enterarse de la carta de amor, naturalmente, le pediría a la señorita Abigail que obtuviera la evidencia incriminatoria. Así que, el asesino sabía que vendría, pero no cuándo", sugirió Kowalski.

"Lo siento, Jonathan, pero no veo cómo podría hacerlo a menos que fuera un mago. Y sabemos que eso no es probable. Tal vez estamos tratando de complicar las cosas. El asesino entró a las dos de la mañana y le disparó a Wolfgang. No sabía que Abby estaba al otro lado del pasillo. Salió por la salida secreta de la habitación oculta. Abby fue implicada por pura casualidad. Después de todo, ¡solo se escuchó un revólver, se escuchó un disparo en la habitación y se encontró una bala! Gedeón concluyó.

"Vincent, tienes razón. Me olvidé del problema del disparo en la oscuridad. Lograr tal hazaña en la oscuridad total sería imposible, por decir lo menos. A menos que..." Kowalski se desvaneció.

"A menos que qué?" inquirió Gideon.

"A menos que podamos explicarlo asumiendo un disparo anterior, pero sería genial si pudiéramos encontrar la bala que falta. Has cambiado de opinión acerca de que el crimen fue impulsivo, Vincent", comentó Kowalski.

"No exactamente. Lo que estoy tratando de decir es que el asesinato fue premeditado. Se cometió a sangre fría, meticulosamente planeado hasta el más mínimo detalle, días antes de que se disparara el tiro fatal ", aclaró Gideon.

"Tengo una idea bastante buena de quién podría ser parte de este esquema. Solo podría ser alguien cuya inteligencia supere la nuestra. El asesino manipuló cuidadosamente a Abby para su plan. Es por eso que estamos perplejos. Ninguno de nosotros puede encontrar un punto débil. ", confesó Gedeón.

"Si hay un punto débil, tenemos suficiente tiempo para descubrirlo antes del juicio, ¿Vincent?" preguntó Kowalski.

"Sí, no dejes que te asuste. Tenemos que darnos prisa", dijo Gideon, presionando el acelerador de su Ford 1934 mientras se dirigían hacia una nueva pista: la mujer del caso, Ava O'Neill.

"Vince, le prometiste a la señorita Abigail no involucrar a Ava en este caso. Ella no quería que ella fuera parte de esto", le recordó Kowalski.

"Lo sé, Jonathan. Pero no tenemos otra opción. Hemos hecho todo lo posible para evitar traerla, pero el tiempo apremia, y ahora es necesario interrogarla. Creo firmemente que la mujer estaba en el estudio de Wolf que temprano en la mañana, entre la una y media y las dos", explicó Gideon.

"Dios, Vince, te ayudé a recuperar la concentración, pero esto se está volviendo más complicado. Debes preguntarte, ¿cómo entró en la habitación cerrada?" Kowalski planteó la pregunta crucial.

El Ford se detuvo frente al edificio de apartamentos de Ava. "Si ella incluso insinúa que ella es la mujer en cuestión, la haremos hablar como lo hicimos con Keiser. No tomará mucho tiempo. Si me equivoco, que así sea. No estaremos peor que estamos ahora", declaró Gideon.

Cuando los hombres salieron del auto y se pararon en la acera, Jonathan volvió a preguntar: "Todavía no has respondido mi pregunta anterior, Vince. ¿Cómo entró en una habitación cerrada?".

"Debemos eliminar lo imposible en tu declaración, amigo mío. Ella debe haber entrado por la entrada secreta", especuló Gideon.

"Ahora te estás contradiciendo a ti mismo, Vince. ¿Cómo pudo saber ella lo de la entrada? ¿No dijiste una vez que ni siquiera el asesino podía saberlo?" desafió Kowalski.

"Cuando entremos y nos encontremos con Ava, tú harás las preguntas. Dudo en sacar conclusiones precipitadas. Realmente no sé cómo llegó allí. Pero sé que estaba en el estudio. Tú haces las preguntas y lo discutiremos después", decidió Gideon.

Kowalski frunció el ceño, ligeramente perturbado por el repentino cambio de comportamiento del famoso detective. Sin embargo, mantuvo la compostura y dijo: "Supongo que solo soy un viejo detective fracasado".

"Para nada. Puede que no haya sido yo mismo cuando visitamos a Givens en la estación de policía, pero recuerdo la información que recibimos de su amistad con el detective. Me fijé más de cerca en el pañuelo manchado de sangre; pertenecía a Ava O' Neill, no Abby. ¿Recuerdas cuando me lo entregaste y me pediste que oliera la fragancia? Lo hice", relató Gideon.

"¿Reconociste el olor?" preguntó Kowalski.

"No", admitió Gideon.

"Era Rose Petal Essence. Mi novia..." comenzó a decir Kowalski.

"¿Disculpa, tu novia? ¿No estás cerca de los ochenta?" Gedeón intervino.

"Qué estás diciendo, Vince? Uno nunca es demasiado viejo para tener novia", replicó Kowalski.

"Lo siento, solo estaba bromeando contigo, Jonathan. Continúa por favor", se disculpó Gideon.

"El otro pañuelo que olimos tenía una ligera fragancia", continuó Kowalski.

"Lo sé, Jonathan. Se lo compré meses antes de que se casara con Wolf. Es Violet Blossom," reveló Gideon.

"Muy bien. Ahora que hemos establecido dos aromas en cada pañuelo, no es diferente de que tú fumes tabaco de cereza y yo fume tabaco de ciruela. Ambos aromas son distintos", señaló Kowalski.

"Vamos a ello. Si encontramos el más mínimo rastro de esencia de pétalos de rosa en su habitación, sabremos sin lugar a dudas que el pañuelo manchado de sangre le pertenece a ella", sugirió Gideon.

Los hombres entraron en la oficina del administrador del apartamento y preguntaron por la residencia de Ava O'Neill. El recepcionista no pudo proporcionar la información y llamó a la encargada del apartamento, Loueva Johnson. Se les pidió que tomaran asiento y la esperaran.

En unos minutos, ambos detectives quedaron atónitos. No estaba claro si uno describiría a Loueva como clásicamente bella, pero sus grandes ojos azul líquido exudaban inteligencia, cautivando a los hombres. Había una innegable simetría en sus rasgos, que los tenía hechizados.

Gideon luchó por mantener la compostura y se sonrojó cuando ella se dirigió a él. "Soy Loueva Johnson", se presentó amablemente. "Cómo puedo ayudarle?"

"Soy Vincent Gideon, y este es Jonathan Kowalski. Estamos aquí para ver a Ava O'Neill".

"Me temo que no está aquí. No ha estado aquí durante días. Se fue el siete de octubre y no ha regresado", dijo Kowalski, con la decepción evidente en su rostro. "Sabes adónde fue?"

"No realmente. Pensé que solo había ido a visitar a la familia o algo así", respondió el administrador del apartamento.

Hubo una breve pausa en la conversación. Gideon notó que la mirada de Jonathan estaba fija en la blusa abierta con cuello de pico de la mujer. Comprendiendo la distracción, le dio un codazo a su amigo en las costillas, redirigiendo su atención al asunto. "Lo siento, perdí el hilo de mis pensamientos por un momento. Estamos investigando el asesinato de Wolfgang Klein".

"¿Dios mío, me estás diciendo que Ava tuvo algo que ver con la muerte de ese pobre hombre?" exclamó Loueva.

"Oh, no, en absoluto, Loueva", la tranquilizó Gideon con una sonrisa cada vez mayor. "Su nombre fue mencionado en la última voluntad y testamento del señor Klein".

"Había un reportero aquí el otro día, y le dije lo que sabía. Prometió no decir nada, pero luego fue y lo imprimió en el periódico. ¿Ustedes dos son reporteros?" preguntó Loueva.

Kowalski, un anciano astuto con experiencia en todas las facetas de la vida, usó su voz para tranquilizar a Loueva. Ella suspiró aliviada, acomodándose más cómodamente en el sillón de orejas de la esquina.

Gideon empezó a interrogar al administrador del apartamento. "Loueva, antes mencionaste que Ava se fue de aquí durante el día siete de octubre, correcto?"

"Sí. Todavía estaba despierto, escuchando la radio a altas horas de la noche, cuando ella cruzó el vestíbulo con una maleta en las manos y salió por la puerta", recordó Loueva.

"Encontraste raro que ella se fuera a esa hora de la noche? ¿Lo hacía a menudo?" preguntó Gedeón.

"No realmente. No le dije nada a ese otro hombre", hizo una pausa, sonriendo a Jonathan. "Pero tienes una cara honesta. Sé por qué se fue y, sinceramente, yo habría hecho lo mismo si fuera ella".

Kowalski respondió: "Qué es lo que no le dijiste al reportero, Loueva?"

"Todo se reduce a meterse con estos muchachos ricos solteros que se creen hombres y tienen más dinero que cerebro", explicó Loueva, manteniendo a raya a los detectives con sus cautivadoras respuestas.

"Por qué estaba haciendo algo malo? No entiendo", cuestionó Gideon.

"Realmente no tenía nada en contra de ese chico, pero otro hombre comenzó a cortejar a Ava. Era mayor, con barba y anteojos. Le dije que no debería enfrentarlos. Se estaba buscando problemas". Loueva elaboró.

Gideon continuó con su línea de preguntas. "Loueva, a qué tipo de problema te refieres?"

"En la mañana del 7 de octubre, Blair vino aquí con aspecto de loca. Yo estaba en mi oficina, pero podía escucharlos discutiendo acaloradamente en la misma habitación en la que estábamos sentados. Lo último que recuerdo es que la puerta se cerró de golpe y él diciéndole que no quería tener nada que ver con ella", relató Loueva.

"Más tarde esa noche, ella estaba con su maleta, saliendo por la puerta. Creo que solo quería esconderse hasta que superara su dolor", concluyó Loueva.

Kowalski aprovechó la oportunidad. "¿Podemos visitar su habitación, Loueva?" Llevaba una amplia sonrisa en su rostro.

Loueva lo miró; su sonrisa podría haber derretido el corazón de cualquier mujer. Se levantó de la silla y subió la escalera, con Vincent y Jonathan siguiéndola de cerca. Jonathan casi tropezó con un par de pasos, sus ojos vagaban más allá de donde estaba pisando.

Al entrar en la habitación, Jonathan se acercó al tocador y abrió una caja sobre la mesa. Mientras Loueva conversaba en voz baja con Vincent, Jonathan se guardó discretamente uno de los pañuelos en el bolsillo.

Kowalski regresó rápidamente a la puerta casi tan rápido como habían entrado. Gracias, Loueva. Ya hemos visto suficiente.

"Sí, Loueva, gracias", agregó Gideon.

"No hay problema, caballeros. Vuelvan cuando quieran", dijo Loueva mientras los hombres bajaban las escaleras. "Jonathan, pasa por aquí si tienes más preguntas". Sabía que tenía al anciano en la palma de su mano.

Afuera, Gideon preguntó: "Y bien, ¿Jonathan?"

"Es de ella. ¡Mira!" Jonathan sacó el artículo que tomó de la caja del tocador de Ava. Lo sostuvo en la palma de su mano: una pequeña bolsa de raso amarillo bordada en rojo.

"Esto se está volviendo ridículo, Jonathan. ¿Cuántas bolsitas más de estas pequeñas encontraremos en esta investigación? Tiene que ser la tercera hasta ahora", comentó Gideon.

"¿El tercero? Solo conozco este y el que tenía Blair Thomas", dijo Jonathan.

"Ludwig también tenía una de estas bolsas. Era idéntica a la que encontraste en la habitación de Ava. Me pregunto si ella se la dio", reflexionó Gideon, mirando su reloj.

"Sí", afirmó Vincent. "Démonos prisa y vayamos a la casa de Klein. Necesitamos echar otro vistazo a esa habitación secreta".

"Crees que Ava se esconde debido a su pelea con Blair?" preguntó Jonatán.

"No, no lo creo", respondió Gideon, haciendo una pausa para ordenar sus pensamientos. "Ella no cometió el asesinato. Pero creo que puede proporcionarnos la hora real de la muerte".

"Si está tan profundamente involucrada en este caso, debe estar protegiendo la identidad del asesino. De lo contrario, hace mucho tiempo que se habría presentado y no habría dejado que la señorita Abigail se quedara en la cárcel", reflexionó Jonathan.

"¡Ciertamente! O tal vez el asesino la mantiene cautiva. Es probable que sepa demasiado, y él no quiere liberarla, al menos no todavía", propuso Gideon.

"Eso cambia todo. ¿Por qué no la mata simplemente en lugar de mantenerla cautiva? Ya cometió un asesinato. Otro asesinato lo llevaría a la misma soga", se preguntó Jonathan.

"Un hombre matará a la mujer que ama por una sola razón, Jonathan. Pero esa condición no existe en este caso", afirmó Gideon.

"¡Dios mío, el asesino está enamorado de Ava O'Neill! Entonces, lo que estás diciendo, Gideon, ¿es que Blair Thomas asesinó a su tío?" exclamó Jonatán.

Gideon se encogió de hombros. "Tal vez sea Blair Thomas. Tal vez sea otra persona. Si Ludwig Hoffmann la conociera, es muy probable que él también estuviera enamorado de ella. Si has visto su foto, también lo estarías".

CAPÍTULO CATORCE

UNA SEGUNDA VISITA A LA HABITACIÓN SECRETA

Gideon redujo la velocidad y se detuvo en la esquina de Whitcomb Drive desde la residencia de Klein. Caminaron por la acera irregular, que había sido levantada por las raíces de varios magnolios gigantes.

Al llegar a la casa, se dirigieron al ala trasera donde estaban las dependencias de los sirvientes.

Anillo. Anillo. Anillo.

Gideon tocó el timbre de los sirvientes. Era tarde en la noche, con un suave resplandor que se extendía por los terrenos de la propiedad. "Son Gideon y Kowalski, Samuel. Por favor, déjanos entrar por el pasillo hacia el ala principal".

"Sí, señor", respondió Samuel. Por aquí, por favor.

El mayordomo abrió la marcha por el pasillo y abrió la puerta del ala principal. Caminó unos pasos por delante de los hombres, encendiendo los interruptores de luz en el pasillo.

"Eso será todo, Samuel. Podemos tomarlo desde aquí", dijo Gideon. "Deja la puerta abierta. Saldremos por donde entramos una vez que hayamos terminado".

"Muy bien, señor."

Los detectives avanzaron por el pasillo hacia la puerta del estudio. Gideon le susurró al detective mayor: "¡Detente, Jonathan! Creo que escuché a alguien ahí dentro", y abrió la puerta.

Entrando en la habitación con cautela, contuvieron la respiración, sintiendo los latidos de su corazón latir con fuerza en sus pechos. La oscuridad envolvió el espacio. Gideon alcanzó la pared y encendió el interruptor, inundando la habitación con luz.

Los dos detectives se apresuraron a cruzar la habitación y abrieron la puerta de la caja fuerte del armario. "Vincent, revisa las cortinas. Yo me encargaré de la cerradura de combinación. Ve si hay alguien aquí".

"Nadie aquí, Jonathan".

"Debo estar de acuerdo contigo. Juro que escuché pasos. Tenemos que estar alerta. Algo no se siente bien".

Después de abrir la primera puerta con la cerradura de combinación, Kowalski sacó una llave maestra de su bolsillo y se agachó para abrir la siguiente puerta.

Gideon iluminó la habitación con su linterna y se la entregó a Jonathan. Los dos hombres atravesaron apresuradamente la habitación secreta hacia la puerta al final de la escalera. Había otra puerta frente a ellos, también abierta con una llave maestra. Bajaron la escalera en silencio y se aventuraron a salir a la noche.

De repente, un ruido rompió el silencio. Ambos hombres se congelaron en seco, escaneando su entorno. Escuchando atentamente, solo podían oír el suave susurro de la brisa otoñal entre los árboles.

"Está bien, Jonathan. Sigamos adelante. Tenemos trabajo que hacer", dijo Gideon, comenzando a caminar de regreso en la dirección de donde venían. Volvieron sobre sus pasos, cerrando la puerta de entrada con una llave maestra. Subiendo la escalera de regreso a la puerta de la habitación secreta, Gideon se acercó y apartó el sofá de la pared. Con la palma del detective presionada contra la pared, comenzó a frotarla.

"Qué pasa, Vince? ¡Habla! No puedo leer tu mente", instó Jonathan.

Gideon no respondió la pregunta. En cambio, se detuvo y levantó la cabeza, escuchando atentamente como si escuchara pasos. "¡Jonathan, rápido, ayúdame a empujarlo!"

Mientras empujaban el sofá, algo se cayó y rodó por el suelo. Gideon lo recogió, se enderezó y apagó la luz y la linterna de la habitación.

Reabrieron la puerta que conducía a las escaleras y dirigieron la luz hacia abajo. Nadie estaba presente. Los dos detectives empezaron a preguntarse si los crujidos de la vieja casa les habían engañado los sentidos.

"¡Maldita sea, Jonathan! Debo estar imaginando cosas".

"Eso es extraño porque escuché los mismos sonidos que tú".

"Vamos. ¡Volvamos al estudio!" exclamó Gideon, pasándose los dedos por su espeso cabello.

Al llegar al estudio, Jonathan se apresuró y se sentó en la silla donde mataron a Klein. "Gideon, ven a pararte aquí", le indicó al detective que se uniera a él junto al escritorio.

"Crees en fantasmas?"

"No, no lo hago. Muchas personas afirman haber visto fantasmas en mis otros casos, pero siempre encuentro una explicación lógica para demostrar que no existen. Al menos hasta ahora".

"Extrañamente, podría jurar que alguien estaba en esta habitación cuando entramos. La lámpara de mesa se encendió y luego se apagó", confesó Jonathan.

"Sí, yo también lo vi".

"Estoy aliviado. Estaba empezando a pensar que me estaba volviendo loco".

"No, fue la lámpara. Significa que alguien estaba en esa caja fuerte. Pero quienquiera que haya sido, tenía la sartén por el mango. Me temo que se escaparon", admitió Gideon.

"Sí, lo hicieron", coincidió Jonathan. Sacó un enorme anillo de hombre de oro de su bolsillo y se lo entregó a Gideon. "Mira este."

Después de examinar el anillo, Gideon se lo devolvió a Vincent. Justo cuando volvió a guardarlo en su bolsillo, se inclinó y le susurró al oído a Jonathan: "No digas nada. Mira la puerta de la caja fuerte. Luego da la vuelta y actúa como si no pasara nada".

Kowalski hizo lo que Gideon le pidió, mirando la puerta y notando que la perilla del dial giraba silenciosamente por sí sola. No pudo evitar sentirse convencido de que había una presencia fantasmal en la casa.

Vincent, sin embargo, no creía en fantasmas. Solo conocía una explicación de lo que había sucedido: el asesino había abierto la puerta de la caja fuerte desde adentro, alguien que conocía la combinación de Jonathan.

Gideon había jugado un juego con el posible intruso. Había mencionado el anillo para hacerle creer que lo había descubierto. En realidad, era el alfiler de Blair Thomas.

Los dos detectives se estremecieron, sintiendo la intensa mirada de ojos invisibles sobre ellos. Permanecieron sentados, sin poder moverse.

"Jonathan, estoy convencido de que Blair Thomas mató a su tío", continuó Gideon. "Este alfiler prueba su presencia y su conocimiento de la habitación secreta. No hay nada más que podamos encontrar en el estudio. Hemos terminado aquí".

"Estoy exhausto, Vincent. Ha sido un día largo. Por favor, llévame a casa".

—Muy bien, Jonathan. A mí también me vendría bien una buena noche de sueño —asintió Gideon a regañadientes, levantándose de la silla y mirando la caja fuerte—. Para su sorpresa, la puerta estaba cerrada y no mostraba señales de haber sido forzada.

Se apresuraron a salir de la habitación. Jonathan preguntó por qué caminaban tan rápido cuando llegaron al pasillo. Gideon se limitó a sacudir la cabeza, negándose a vocalizar ninguna palabra. Se apresuraron por el pasillo y llegaron a la puerta que conducía al ala de los sirvientes.

"Espera aquí un momento, Jonathan. Volveré pronto. Mantén la puerta cerrada mientras no estoy".

Desapareció por otro pasillo, dejando a Jonathan esperando impaciente en la oscuridad. Todo en lo que podía pensar era en quién podría ser la persona detrás del giro de la cerradura de combinación. O tal vez todo fue solo una alucinación. Pero no pudo ser. Vincent también lo había oído.

"Vamos, tenemos que darnos prisa", dijo Vince de repente, volviendo. No intercambiaron palabras mientras cruzaban los terrenos de la propiedad, deteniéndose en la puerta para recuperar el aliento. Luego continuaron caminando hasta la esquina de Whitcomb Street y se subieron a su automóvil.

No habían ido muy lejos en su camino de regreso al centro cuando Kowalski miró a Gideon con una expresión confundida. "¿Había realmente alguien en la caja fuerte, Vincent?"

"Absolutamente. Al principio dudé de mí mismo, pero el hombre regresó", confirmó Gideon.

"Su astucia me intriga, Jonathan. Sabía que estábamos allí. ¡Vino a averiguar cuánto progreso habíamos hecho para poner a ese hijo de puta tras las rejas donde pertenece!"

"Entonces, me estás diciendo, ¿Vince, que fue el asesino en el armario? ¿Realmente tuvo el descaro de venir aquí esta noche?"

"Debe haberlo hecho. ¿Quién más tiene una llave para esas puertas? Recuerda, tomó la llave de Wolf; la única otra está en nuestro poder".

"Entiendo eso. Pero, ¿cómo supo la persona la combinación que usamos?"

Gideon encontró diversión en su artimaña jugada con el asesino. "El otro día, cuando cerraste la caja fuerte, sugerí usar 'GIDEON' como combinación. Debe haberse familiarizado con ella. Pensó que era inteligente al no cambiarla él mismo, pensando que nos llevaría a creer que había manipulado con la secuencia de letras. Pero subestimó mi propia astucia al sospechar de su visita.

"¡Maldita sea, Vincent! ¿Por qué no fuiste al armario de inmediato y lo detuviste? ¿Por qué nos sentamos en el estudio y perdimos la oportunidad de atrapar al bastardo?" Jonathan levantó la barbilla y lo miró con frialdad.

"Puedes responder esa pregunta tú mismo. ¿Recuerdas cuando llegamos por primera vez? ¿Ambos no escuchamos pasos? Estaba aquí entonces. ¿Y qué pasó cuando lo perseguimos? Nos eludió, tal como lo habría hecho de nuevo".

"Entonces, todo ese extraño intercambio de palabras fue-"

"Simplemente una artimaña", interrumpió Gideon, su rostro lleno de determinación. "Me alegro de que haya sido convincente. Estaba tratando de burlar al más inteligente de los demonios".

Gideon metió la mano en su bolsillo y sacó el anillo. Brillaba bajo la farola cercana. Tuvieron que reducir la velocidad para Jonathan, que no estaba acostumbrado a un ritmo tan rápido a setenta y cinco.

"Kowalski, fuiste nuestro golpe de buena suerte en la habitación secreta. Cuando apartamos el sofá de la pared, busqué un lugar donde se pudieran ocultar las cosas, tal vez un panel secreto. Cuando atrapaste tus gemelos en los hilos del sofá y tiraste de tu muñeca, se soltó el anillo. Cambió todo en nuestra investigación".

"Vince, estoy confundido". Sus cejas se levantaron en interrogación.

Gideon se detuvo bajo una farola junto al coche. Tomó el anillo y lo giró en su mano. "Esta banda de oro significa todo. Definitivamente nos estamos calentando, amigo mío. Mira más de cerca. ¿De quien es?"

Jonathan agarró su linterna y dirigió su haz hacia el anillo. "Me temo que no lo sé, Vince".

Incluso para el famoso detective, su habilidad para reprimir emociones se desvaneció. Sus ojos se movieron hacia un lado, vidriosos con una brillante capa de lágrimas. Su labio inferior tembló. Las palabras escaparon lentamente de su boca.

El anillo era un pesado sello de oro con un monograma profundamente grabado, un anillo que Gideon conocía muy bien. "Compré este anillo para que Abby se lo diera a su hermano por su cumpleaños. Fue hace casi un año. Ludwig siempre se preocupó por su hermana mayor, y la mirada en sus ojos lo demostró cuando ella se lo dio. Él le prometió que lo usaría siempre y nunca se lo quitaría. Sin embargo, aquí está, apareciendo en medio de nuestra investigación en la habitación secreta. Todo lo que hará será traer más dolor a Abby".

"Lo siento, Vince. ¿Que puedo hacer para ayudar? ¡Encontremos a este asesino!" Dijo, levantando las cejas significativamente.

"Cómprame la cena, viejo amigo. Luego se va a Broadway Avenue. El sendero está demasiado caliente ahora para ir a casa y descansar un poco".

"Estoy de acuerdo. Conduce, hombre. ¡Pise el pedal a fondo, detective!"

Gideon condujo el auto durante diez minutos cuando Jonathan lo convenció de que podían pasar a cenar a su casa. Insistió en que tendrían una comida mejor en su casa que en cualquier restaurante de Portland.

Gideon llamó a Billy Bob para ver cómo estaba Jacob.

Después de preparar la cena, Jonathan se sentó a la mesa y agachó la cabeza. Estaba mental y físicamente exhausto de correr por la ciudad todo el día.

"Jonathan, no debería arrastrarte conmigo por más tiempo hoy. Necesitas descansar. No es justo para ti. Iré solo a Broadway.

—Vince, tienes razón. Estoy cansada, pero tú también".

"En efecto. Pero el camino está caliente. Debo continuar.

"Entonces continuaré contigo. Déjame hacernos un poco de café y nos vamos.

Los dos hombres entablaron una conversación. La cuidadora del detective se había superado a sí misma y sirvió la cena de mariscos más excelente que Gideon podía recordar haber tenido en mucho tiempo. Vincent continuó compartiendo historias de sus viajes de caza, señalando la alfombra de osos en el piso y el jabalí gigante colgado en la pared.

Las historias fueron entretenidas y momentáneamente ayudaron a Jonathan a olvidarse de los asesinos y los peligros que acechaban. Incluso se olvidó de que existía un lugar como Portland, Oregón, ya que el famoso detective le contó historias de una cacería de osos Kodiak en Alaska.

"Ahí es donde conseguí esa piel en el suelo", dijo mientras se dirigían al salón.

Después de sentarse en la habitación, Jonathan no dijo nada y miró la enorme alfombra de oso pardo que adornaba el piso de madera. Se imaginó la aterradora experiencia de encontrarse cara a cara con una bestia tan enorme en la naturaleza.

"Gideon, fue un momento agradable. Disfruté tus historias. Fue bueno no pensar en asesinos por un tiempo, pero debemos ponernos en marcha ahora".

El detective mayor le entregó un cigarro cubano bien enrollado a Gideon. "Gracias, Jonatán. Es hora de ponerse a trabajar. Podemos disfrutar de estos puros en el camino".

Condujeron durante veinte minutos hasta que llegaron a las secciones menos afortunadas de Portland en su ruta hacia Broadway Street.

Mientras conducía, Jonathan revisó su pregunta inicial sobre el anillo. "Vince, Ludwig debe haber estado en la casa de Klein esa noche ya que su anillo estaba en la habitación secreta. ¿Es eso lo que piensas?"

"Sí, debe haber estado detrás de la puerta del armario en algún momento durante la noche. El culpable se escondió en la caja fuerte cuando Keizer entró en la habitación a la una y media. Es la misma persona que escuchamos esta noche, girando la cerradura de combinación detrás de la puerta".

"En efecto. Si eso es cierto, no podría haber sido Ludwig ya que está en el fondo del río en alguna parte. ¿Por qué demonios querría Vincent volver al lugar donde saltó Ludwig?

El coche se detuvo bajo una farola frente a la pensión donde se había alojado Ludwig.

Anillo. Anillo. Anillo.

Vincent y Jonathan esperaron a que alguien respondiera. Roberta Slaton abrió la puerta y al mismo tiempo encendió la luz del porche. Eran casi las nueve de la noche. "¡Sin vacantes!" dijo sin rodeos, cerrando la puerta.

"Esperar. No necesitamos alojamiento", respondió rápidamente Gideon. "Solo tenemos algunas preguntas que hacerle". Extendió un billete de veinte dólares.

Roberta miró el billete verde, se limpió las manos en el delantal y dijo: "Adelante. Adelante".

La mujer condujo a los hombres por el pasillo hasta una gran sala de estar. Permanecieron de pie y Gideon sacó una foto de su bolsillo y se la mostró a Roberta. "El diez de octubre, uno de sus huéspedes saltó del puente al río y se ahogó. Este es el hombre que se quedó aquí —dijo Gideon bruscamente. "Es este él?"

"No puedo decirlo con seguridad. Este hombre se ve demasiado aseado y bien afeitado", respondió después de estudiar la fotografía por un momento.

Jonathan se estiró, tomó la foto de la mano de Gideon y caminó hacia la chimenea. Agarró un pequeño trozo de carbón y ennegreció la parte inferior de la cara en la fotografía.

Regresó y una vez más le mostró la foto a Roberta.

"¡Ese es el! Sí, señor, ese es el hombre.

La voz de Gideon atravesó la conversación como un cuchillo afilado mientras guardaba la fotografía. "Cómo se llama la persona que le informó sobre el suicidio?"

Bryce Fowler.

"Gracias."

Los hombres se fueron y caminaron afuera. Cruzaron el estacionamiento y Jonathan dijo: "Dios mío, ¿cómo se queda la gente en ese lugar? Olía a huevos podridos. ¡Maldición!"

"En efecto." Gideon se rió por un momento. "Fue rango allí. Supongo que uno se acostumbra. Se encogió de hombros. "Vamos, súbete al auto. Vayamos a los muelles. Tenemos que encontrar a este Bryce Fowler.

Llegaron cerca del punto donde el puente comenzaba a cruzar el río Portland. Un grupo de hombres estaba parado debajo de una farola, jugando a los dados. Quédate en el coche, Jonathan. Iré a ver si alguno de estos hombres es Fowler.

"No lo creo, amigo mío. Estamos en esto juntos." Jonathan salió silenciosamente del auto y cerró la puerta.

Se acercaron al grupo de hombres. Gideon mantuvo su mano en su revólver en su bolsillo, en caso de que surgieran problemas. El lugar no parecía seguro a esa hora de la noche. La niebla que llegaba del Pacífico solo se sumaba a la atmósfera espeluznante.

"Alguno de ustedes, caballeros, ¿puede decirme dónde podemos encontrar a Bryce Fowler?" preguntó Gedeón.

"Quién pregunta?" respondió una voz del grupo.

"Lo soy", respondió Gideon.

"Qué quieres con él?" preguntó el hombre.

Gideon tuvo la sensación de que no necesitaba buscar más. "Eres Bryce Fowler?"

"¡Bingo! Ese es el nombre que me puso mi madre", dijo el hombre, haciendo que los demás se rieran. Se alejó del grupo, con Vincent y Jonathan siguiéndolo.

"Que es lo que desean muchachos?"

"Camine con nosotros un rato, y si responde algunas preguntas, hay un billete de veinte dólares para usted".

Los hombres caminaron una corta distancia y se apoyaron en el auto de Gideon. "El diez de octubre, un hombre que se quedó en casa de Roberta Slaton saltó desde ese puente al río Portland y se ahogó. ¿Es eso correcto?"

"Sí, seguro que lo hizo. Ya se lo conté a todos los policías.

"Lo siento, señor Fowler, pero no somos la policía. Somos investigadores privados —aclaró rápidamente Gideon. "Fue al puente y saltó. ¿Fue así como sucedió?"

"No exactamente. Mis amigos y yo estábamos jugando a los dados cuando pasó junto a nosotros y entró en el puente. Estaba completamente solo. No pudimos evitar fijarnos en el tipo. Gritó algo, levantó los brazos y se zambulló. Todos pensamos que era extraño porque miramos hacia el agua y nunca volvió a salir a la superficie. Supongo que se lo debe haber llevado la corriente.

"Has oído si ya se ha encontrado el cuerpo?"

"Aún no. Creo que se necesita tiempo para que flote en alguna parte. Pero es posible que nunca se encuentre si flota río abajo y se adentra en el océano abierto".

Gideon sacó su linterna y enfocó la fotografía que había sacado de su bolsillo. "Es este el hombre que viste saltar esa noche?"

"Sí, ese es él."

"Gracias, señor Fowler". Gideon le entregó un billete de veinte dólares.

Cuando Fowler regresó con su grupo de amigos, Jonathan dijo: "Salgamos de aquí rápidamente. Cuando Fowler les muestre a los demás su dinero, es posible que ellos también quieran obtener algo para ellos".

¡Gideon pisó el acelerador! Se fueron a toda prisa.

Jonathan preguntó: "Qué piensas, Vincent? ¿Se encontrará el cuerpo alguna vez?

"No, no lo hará. ¿Cómo podría? ¿Sería bastante extraño, no crees?, que un cadáver emergiera si nunca existió en primer lugar.

"Qué quieres decir?"

"Piensa un momento en ello. Las propias palabras de Fowler nos dijeron que no se ahogó".

"Él nos dijo?" Jonathan se rascó un lado de la cabeza, claramente confundido.

"¿Sí, recuerdas? Caminó hacia el puente, levantó los brazos en el aire y se zambulló en el río".

"¿Está bien, y qué?"

"Se tiró al agua. Si no supiera nadar, habría saltado. Una vez que llegó al agua, su instinto habría sido comenzar a nadar, sin importar cuánto quisiera ahogarse. El buceo requiere habilidad. Si hubiera saltado, sería una historia diferente".

"Entonces, dejó sus pertenencias en casa de Roberta para crear la impresión de que se había suicidado", continuó el cansado detective.

"Sí, para que todos creyeran que Ludwig Hoffmann se había ahogado", confirmó Gideon.

"¿Pero, por qué diablos haría eso?"

"Necesitamos esperar un momento para que las piezas del rompecabezas encajen en su lugar, Jonathan. No queremos sacar conclusiones precipitadas. Podría haber tenido una buena razón para sus acciones.

"Una vez que tengamos noticias de Black Rock Cove en unos días, tendremos una respuesta más clara. Hasta entonces, debemos darle a Ludwig el beneficio de la duda. Además, puede que no sea el único enamorado de Ava O'Neill".

"Las cosas se están moviendo demasiado rápido para mí, Vincent". El rostro de Jonathan mostraba signos de fatiga. "Esta es la segunda vez que mencionas que el asesino está enamorado de Ava O'Neill. Parece que hay una falla en esa suposición".

"Por qué dices eso?"

"Si el asesino ama a Ava, entonces debe saber que ella usa el perfume Rose Petal Essence, ¿correcto?"

"Sí, Jonathan, él lo sabe. De hecho, no me sorprendería que también tuviera una de esas bolsas de satén.

"Entonces nuestro culpable no es tan inteligente como lo has hecho creer. Si lo fuera, no habría colocado por error un pañuelo perfumado con pétalos de rosa en la mano de Klein para redirigir a la policía hacia la señorita Abigail, especialmente si vio a Ava en el estudio esa noche".

Una pequeña sonrisa jugó en las comisuras de la boca de Gideon. "Recuerdas hoy cuando dije que el uso de la esencia de pétalos de rosa por parte de Blair parecía sospechoso? Fue por ese pañuelo. El asesino estaba familiarizado con esa fragancia, y como el pañuelo tenía un leve olor, no la reconoció. Debió encontrarlo tirado en el pasillo o cerca del estudio, pensando que pertenecía a Abby, y lo puso en las manos de Klein".

"Entonces, todas las pistas que apuntan a Blair también se aplican a Ludwig. ¿Es esa tu conclusión?

"Sí."

"También tenía una bolsa de paquetes de oro".

"En efecto. Sin embargo, no deberíamos condenar a ninguno de ellos hasta que tengamos más hechos". Gideon se detuvo y dejó salir a Jonathan en su casa. "Buenas noches mi amigo. No le informemos a nadie que Ludwig no se suicidó hasta que sepamos más definitivamente qué sucedió en el estudio. Ya casi llegamos, amigo mío. Su rostro exudaba una fuerza inherente.

"Muy bien, Vicente. Nos vemos mañana."

CAPÍTULO QUINCE
LAS PISTAS SALEN DE LA ENSENADA

La mañana se precipitaba con la rapidez de las mareas del Pacífico, imparable e implacable. Gideon se puso la almohada a regañadientes sobre su cabeza, anhelando unas cuantas horas más de oscuridad. Lo que anhelaba no era dormir, sino la oportunidad de verter sus pensamientos en un papel, reordenarlos y volver a empaquetarlos en su mente.

Pronto, la cacofonía del tráfico de la hora pico llenaría el aire, acompañada por el aroma de Billy Bob preparando café y tostando pan. Gideon sabía que tenía que recomponerse. Este fue sin duda el más crucial de todos los casos en los que había trabajado. No podía permitirse el lujo de cometer errores.

Anillo. Anillo. Anillo.

Gideon apretó la almohada con más fuerza contra sus oídos.

"Señor, el hombre de Cove está en la ciudad. Estará aquí en dos horas", insistió una voz.

No hay descanso para los malvados. Era hora de ponerse en movimiento. "Despierta, Kowalski, y dile que venga", ordenó Gideon.

"Sí, señor."

En cuestión de segundos, Gideon estaba de pie, con los ojos bien abiertos y todos los restos de sus sueños borrados. Se apresuró al baño, mirando el despertador sin sentido, preparándose para un día exigente.

Jonathan llegó a la casa de Gideon y lo condujeron al salón, donde encontró a Vincent conversando con un joven que aún no había cumplido los treinta años y que había perdido todo rastro de niñez. Agarrando el asa de una taza de café, se puso de pie mientras Kowalski se acercaba.

"Bien, está aquí. Señor Kowalski, Derek Gunther es un amigo cercano de Ludwig Hoffmann y acaba de llegar en el tren de la mañana desde Black Rock

Cove. Puede brindar información valiosa sobre las actividades de Hoffmann en los últimos meses".

Jonathan estrechó la mano del joven. El trío encendió cigarros habanos y comenzó su conversación. "Si ustedes, caballeros, no tienen objeciones, daré un paso atrás y proporcionaré un poco de contexto sobre cómo me involucré", propuso Derek.

Gideon intervino: "Está bien, Derek. Solo cuéntanos tu historia. Estoy seguro de que nos será de gran ayuda".

"Hace ocho años, era cajero de Klein Savings and Loan. Recién cumplí veinte, lleno de ambición y deseoso de hacer una fortuna, como algunos de mis amigos con autos lujosos".

"Mi cheque de pago no era sustancial, pero Wolfgang Klein, uno de los hijos de los directores, me tomó cariño. Prometió ayudarme a ganar mucho más de lo que ganaba semanalmente".

"La culpa es de mi juventud e ingenuidad, pero confié en él y me sumergí de inmediato. Me convenció de desviar dinero del banco y entregárselo para la especulación bursátil. Había demasiados ojos puestos en él, siendo el hijo de un director. Me convenció para que lo hiciera, prometiendo asegurarse de que no se hicieran inspecciones y duplicar el dinero antes de devolvérmelo para volver a depositarlo".

"Cuánto le diste, Derek?" preguntó Gedeón.

"Cincuenta mil dólares."

"Cincuenta mil? Esa es una suma significativa. Continúe, por favor".

"Después de que le entregué el dinero, solo pasaron dos días antes de que los examinadores del banco revisaran los libros y me atraparan in fraganti, robando cincuenta mil dólares".

"Espera un segundo, Derek. ¿Admitiste que tomaste el dinero inmediatamente cuando lo descubrieron?" preguntó Gedeón.

"No, señor. Acudí a Wolf para recuperar el dinero, pero él sonrió y me dijo que el mercado había sufrido una recesión repentina, lo que provocó que lo perdiera todo. Se rió y dijo que era un riesgo que tenía que enfrentar. Ninguna investigación alguna vez lo tocó, y afronté las consecuencias".

El rostro de Gunther enrojeció de ira. Cada palabra que decía avivaba el fuego dentro de él. "Ese hijo de puta nació en la riqueza mientras yo era pobre. Confía en mí, no conoces la pobreza hasta que ves los números rojos en tu cuenta bancaria. Pagué por su ganancia".

"Cuando salí de prisión en abril pasado, respiré aire fresco, miré las nubes en el cielo y prometí vengarme de él".

"Mataste a Wolfgang Klein?" intervino Kowalski.

"Espera, Jonathan. Deja que Derek termine".

"Había estado fuera solo dos meses cuando me encontré con un amigo que había hecho en prisión. Me dijo que lo habían contratado para provocar una pelea con un joven, tal como lo hizo conmigo. Se suponía que la pelea arruinaría eso". la vida de un chico, igual que la mía".

"La ubicación resultó ser uno de los resorts que Klein frecuentaba. Mi plan comenzó a tomar forma. Le pregunté a mi amigo-"

"Un momento", interrumpió Gideon. "Cuál es el nombre de tu amigo?"

"Ned Reynolds".

"Gracias, continúa".

"Le pregunté a Ned si podía unirme al juego de cartas. Aceptó y me dijo que me acercara a él y le dijera que era su amigo, y que me dejarían entrar sin ningún problema".

"Cuando llegó la noche, alquilé una habitación en el resort y descubrí dónde se estaba llevando a cabo el juego de cartas. Esperé en una mesa en la esquina más alejada de la habitación".

"Wolfgang y el niño entraron. Al principio, no reconocí a Klein porque usaba una peluca con el pelo negro y tupido. Habían pasado más de ocho años desde la última vez que lo vi. Sin embargo, Ned me hizo un gesto con la cabeza cuando entraron, y supe que era él de inmediato".

"Estás seguro de que fue él?" preguntó Gedeón.

"Sí, señor. La habitación estaba tenuemente iluminada, llena de humo, pero reconocería su forma de caminar y gestos en cualquier lugar. Me uní al juego".

"Klein no te reconoció?"

"Cuando me senté, frunció el ceño, no porque supiera quién era yo, sino porque estaba arruinando sus planes. Además, ocho años de prisión cambian la apariencia de un hombre".

"Qué pasó después?" La anticipación de Gideon creció. La trama se espesó.

"Jugamos al stud de cinco cartas y observé a Ned hacer trampas abiertamente al vislumbrar la siguiente carta de la baraja. Era ridículo lo descarado que era. El chico, al que estaban engañando, se emborrachaba cada vez más y no se daba cuenta de lo que estaba pasando. Le gritó a Ned, llamándolo un hijo de puta de doble juego".

"Ned se abalanzó sobre el niño, falló, pero derribó dos sillas y lo hizo caer al suelo. Fue entonces cuando empujé mi silla hacia atrás y vi a Klein sacar un revólver de su tobillo y disparar tres tiros rápidos. Los dos primeros alcanzaron la cabeza de Ned. pecho, y el último pasó por encima de mi cabeza. Me agaché, afortunadamente, o no estaría aquí hoy".

"Tuviste suerte, de hecho, Derek. ¿Qué hiciste entonces?"

"No hice nada. No me levanté del suelo y vi a Klein colocando el revólver en la mano del niño. Le gritó".

"Recuerdas lo que dijo?" preguntó Kowalski, lleno de curiosidad.

"Sí, señor, lo recuerdo vívidamente. Dijo: '¡Se ha ido, Ludwig! No te preocupes. Te sacaré de aquí. ¡No te preocupes!'".

Derek bebió un vaso de agua traído por Billy Bob para él y los dos detectives. "Estalló el caos en la habitación. La gente corría, sin saber de dónde procedían los disparos. Golpearon la puerta cerrada. Klein corrió y apagó las luces".

"Cuando la puerta se derrumbó, había suficiente luz para ver una puerta de salida, así que huí por ella. No me quedé para implicar a Klein. Soy un ex convicto y él es un hombre rico. ¿Qué oportunidad tendría que convencer a la policía para que me creyera?"

"El asesinato de Ned fue noticia, y sabía que era solo cuestión de tiempo antes de que me alcanzaran y comenzaran a hacerme preguntas. Salí de allí y me dirigí a la estación de tren. Cuando llegué, vi a Wolfgang y Ludwig comprando Entradas."

"Me acerqué al mostrador de boletos después de que se fueran y pregunté a dónde se dirigían. Me dijeron que era Portland. Así que compré un boleto y vine aquí. Planeaba reunirme con Ludwig en algún momento y contarle la verdad sobre lo que sucedió esa noche."

"Cuando llegué aquí, llamé a un taxi. Tan pronto como cerré la puerta y me acomodé en el asiento trasero, Ludwig abrió la puerta y se unió a mí. Me miró y mencionó que me había visto abordar el tren de regreso en Cove".

"Estaba sobrio?" preguntó Gedeón.

"Sí, mucho. Debe haber pensado que conocía a Ned por ciertas miradas que intercambiamos. No sé cómo, pero me preguntó si lo conocía. No mentí y confirmé que sí".

"Se sentó a mi lado, mirando al frente, y nos quedamos en silencio por un rato. Probablemente fue cuatro o cinco meses antes de que volviera a encontrarme con él. Estábamos en un popular club nocturno del centro, y fue entonces cuando lo vi. No lo hizo. No me reconoció inicialmente porque me había dejado barba".

"Me senté en su mesa y parecía visiblemente angustiado. Tenía los ojos inyectados en sangre y parecía que no se había bañado en días. Había estado sosteniendo algo sobre mi cabeza durante meses y me sentí muy mal".

"Lo animé a que lo compartiera conmigo".

"Y lo hizo?" Gideon preguntó ansiosamente.

"Sí, lo hizo con gran detalle. Usó a Ludwig en una pelea de bar hace meses y lo protegió de las autoridades. Su hermana tuvo que casarse con él para salvar a Ludwig de ser descubierto en ese club nocturno en Black Rock Cove".

"Qué dijiste cuando te lo dijo?"

"Para ser honesto, no dije mucho. Necesitaba desahogarse, y lo dejé divagar. Mencionó que normalmente no bebía tanto, pero Wolfgang siguió empujando las bebidas a su manera, pagando la cuenta como él. era rico. Entonces Ludwig dijo que se peleó con Ned en la mesa porque lo atrapó haciendo trampas y deslizándose dos ases. Fue entonces cuando Wolfgang me entregó su arma y le disparó a Ned dos veces en el pecho.

"¿Dios mío, le dijiste lo que realmente sucedió?" intervino Kowalski.

"Sí, lo hice. Era algo que debería haberle dicho la última vez que nos vimos, pero no lo hice. Wolfgang arruinó mi vida, la vida de ese chico y parece que también obligó a una mujer llamada Abigail a casarse con él."

"Ludwig debe haber estado furioso una vez que escuchó cómo fue engañado, ¿verdad?"

"Oh, eso es un eufemismo. El chico estaba furioso. Se levantó de un salto, golpeando su silla varios pies hacia atrás de la mesa. Juró que volvería a Portland y confrontaría a Wolfgang".

"¿Entonces, salió corriendo por la puerta?" preguntó Gedeón.

"No, no lo hizo. Empezó a irse, luego se dio la vuelta, recogió su silla y se sentó a la mesa, escondiendo su rostro entre sus manos. ¡Le dije que se levantara y fuera a matar a ese bastardo! Por supuesto ", era simplemente una forma de hablar. No pensé que realmente lo haría. Luego, me miró y dijo que Wolf había obligado a su hermana a casarse con él para salvar mi vida. Dijo que volvería a ser libre". ella primero y luego hacer que Wolfgang pague".

"Eso fue todo?" preguntó Gedeón.

"No, fuimos a un restaurante al otro lado de la calle y recuperamos la sobriedad con varias tazas de café. Redactamos una carta para Wolf, indicando que teníamos pruebas irrefutables de su asesinato de Ned y testigos que testificarían sobre ese hecho. Por supuesto, se refería a mí, pero no mencionamos eso en la carta. Esperamos cinco días y recibimos un telegrama de él que decía que Ian MacDonald, su abogado, estaba en camino a Black Rock Cove para reunirse con nosotros ".

"Como se veia?" preguntó Gideon, impaciente por mantener la historia fluyendo.

"Cuando llegó el hombre, fue exactamente cinco días después. Tenía una barba poblada tan roja como el fuego, y su cabello colgaba largo alrededor de sus orejas, también rojo fuego".

Gideon le había permitido a Derek hablar largo y tendido, tomando un descanso durante el cual Billy Bob les trajo bocadillos y té. Después de quince minutos, reanudaron su conversación.

"Derek, dime, ¿quién habló más en tu reunión con MacDonald?" preguntó Gedeón.

"En realidad, Ludwig lo hizo. Se comportó bien y le dijo al abogado que podía probar que Wolf disparó la pistola, no él. Mencionó que tenía varios testigos para respaldar esa afirmación", respondió Derek.

"Cuál fue la respuesta de MacDonald a eso?" preguntó Gedeón.

"Aquí está la parte graciosa. Dijo que Wolf lo había engañado, y por eso no tenía nada más que decir. MacDonald mencionó que regresaría a Portland para aconsejar a Wolfgang que se divorciara de Abigail, y después de eso, deberíamos hacer lo que necesitáramos para hacer", explicó Derek.

"MacDonald pasó mucho tiempo contigo?" Gideon insistió más.

"No, señor. No pasó más de diez minutos y luego se fue a Portland", confirmó Derek.

Gideon miró a Jonathan, encontrando la breve reunión bastante inusual. Jonathan dijo: "¿Es todo lo que puedes decirnos, Derek?".

"Oh, no, señor, hay mucho más", respondió Derek. "Recibimos una carta de Wolfgang Klein hace un par de semanas. Pensamos que sería una noticia sobre el proceso de divorcio, pero en cambio, decía que, dado que Ludwig y yo teníamos pruebas de su asesinato de Ned Reynolds, estaba dispuesto a darle a Abigail una oportunidad de divorciarse de él. Sin embargo, la carta mencionaba una condición que debíamos cumplir".

"Y qué fue eso?" preguntó Gedeón.

"Abigail no quería el divorcio. Wolfgang pensó que sería mejor si Ludwig se apresuraba a regresar a Portland para verlo personalmente antes de tomar medidas adicionales. Quería que Ludwig hablara a solas con su hermana, y podrían arreglar las cosas a su satisfacción. El La última oración decía que, si Ludwig encontraba esto agradable, lo encontraría en casa a la 1:30 de la mañana del siete de octubre", explicó Derek.

Vincent intervino: "¿Podemos ver la carta, Derek?"

"No, señor, Ludwig se lo llevó", respondió Derek.

Kowalski se irritó. "Qué hizo él?"

"Ludwig le transmitió su deseo de tener una conversación con Wolfgang enviándole un telegrama. Pensé que estaba loco y le ofrecí mis servicios. Si había que dispararle al hombre, lo iba a hacer," confesó Derek.

Los dos detectives miraron a Derek con sorpresa. "Oigan, muchachos, es broma. No mataría a nadie. Podría usar mis puños y golpearlo casi hasta la muerte, pero no lo mataría", aclaró Derek.

"¡En efecto!" dijo Gedeón. "Qué discutieron tú y Ludwig a continuación?"

"Le dije que debería llevar un arma para protegerse. No confiaba en el bastardo hasta donde podía arrojarlo. Ludwig se rió y dijo: 'No necesito una pistola. Sé dónde guarda Wolfgang la suya, y si Lo necesito, solo tomaré prestado el de Wolfgang'", relató Derek.

"¿Algo más, Derek?" preguntó Gedeón.

"No, señor. Salió por la puerta, y el ocho de octubre leí sobre el asesinato de Klein en los periódicos. Sabía que Ludwig había perdido el control y lo había matado cuando lo leí. Seguí leyendo y me sorprendió no encontrar ninguna mención de Ludwig estaba allí. Las noticias lo informaron como una pelea entre Abigail y Wolfgang. Ludwig ni siquiera estaba allí ", concluyó Derek.

"No había sabido nada de él durante tres días después del asesinato, y me preguntaba por qué no me había contactado. Entonces, vi la triste noticia en los periódicos de que se había suicidado y ahogado en el río. Solo podía supongo que llegó demasiado tarde y se ahogó en el dolor", agregó Derek.

Gideon sonrió ampliamente y extendió su mano para estrechar la de Derek. "Derek, Jonathan y yo estamos agradecidos de que hayas viajado hasta aquí para hablar con nosotros hoy. Por favor, acepta mi oferta de hospitalidad y quédate aquí por la noche antes de regresar a Black Rock Cove mañana".

Kowalski intervino: "Igual que lo que dijo mi amigo, Derek. Has sido increíblemente útil. ¿Antes de terminar nuestra visita, puedes hacernos un último favor? ¿Puedes mirar esta foto y decirme si reconoces a la persona? "

Jonathan sacó una vieja foto de Ludwig de su bolsillo. Derek asintió rápidamente. "Claro, ese es Ludwig. Pero cuando lo conocí, tenía una barba poblada. Dijo que se la dejó crecer para disfrazarse para que nadie lo reconociera. Mencionó que se la afeitaría antes de irse a Portland porque su hermana le dispararía". él si ella lo atrapa luciendo tan andrajoso".

Jonathan sonrió y se detuvo por un momento. "Aparentemente cumplió su palabra. Solo tuvo una sombra de las cinco en punto cuando fingió suicidarse".

Derek se levantó y miró a Gideon. "Cuando descubras dónde está, házmelo saber. Sé que todavía está por aquí en alguna parte. Agradezco tu oferta de hospitalidad, pero tengo algunos amigos con los que quiero ponerme al día aquí antes de regresar a The Cove".

Billy Bob acompañó a Derek hasta la puerta principal y Kowalski se volvió hacia Gideon. "Vincent, mañana a primera hora, debemos ver a MacDonald. Tenemos que averiguar qué tipo de consejo dio con respecto a este asesinato".

"Ciertamente, Jonathan. Mañana a primera hora, pasaré a buscarte a las nueve".

"Buenas noches", se despidió Jonathan.

Alrededor de las ocho y media de la mañana, el estimado Vincent Gideon se embarcó en un día ajetreado. Salió de su residencia en su elegante Ford negro treinta y cuatro y condujo por Riverside, mirando las nubes dominantes que cubrían el cielo de la mañana, dejando fugaces manchas de azul. Aunque en su mayoría blanco, había un toque de gris, lo que sugiere que la lluvia podría jugar un papel en el día siguiente.

Ambos detectives primero se detuvieron en un restaurante cercano a la vuelta de la esquina del lugar de Kowalski y disfrutaron de un abundante desayuno. Una vez que terminaron, Kowalski le pidió al mesero que limpiara la mesa. Sacó un directorio de ciudades de cinco centímetros de grosor de su maletín y pasó lentamente a las páginas que enumeraban los servicios de MacDonald.

Gideon lo observó de cerca. "Jonathan, no es extraño que MacDonald no tenga una oficina en Portland? ¿Dónde lleva a cabo sus negocios diarios si es abogado? No perdamos más tiempo. Estamos quemando la luz del día. Vamos ir a su casa". Vincent se puso de pie y miró a Jonathan, sin esperar una respuesta.

Los hombres condujeron durante no más de veinte minutos y llegaron a Sunlight Apartamentos en Fifteenth Street, donde MacDonald residía en una suite de esquina más amplia. Gideon levantó la aldaba de latón para señalar su presencia.

Una mujer mayor abrió la puerta. "Puedo ayudarle?"

"Sí, eso esperamos. Ian MacDonald está en casa?" preguntó Gedeón.

Gritó una voz detrás de la mujer, una empleada en una centralita cercana de la elegante casa de apartamentos. "Señor MacDonald? No está en casa".

"Está fuera de la ciudad?" preguntó Gedeón.

"Oh, no, supongo que regresará alrededor de las cuatro. Esa es su hora habitual cuando está en la ciudad", respondió la mujer. Vincent notó la encantadora sonrisa que le dedicó Kowalski y no pudo evitar preguntarse por qué el anciano siempre parecía atraer la atención de las mujeres. Sacudió la cabeza, ligeramente divertido.

Kowalski le devolvió la sonrisa, mejorando sus posibilidades. "Pasa mucho tiempo fuera?"

"Sí, está fuera más a menudo que aquí", respondió ella.

Kowalski y Gideon se dieron la vuelta para irse, y Kowalski se volvió para sonreírle una vez más a la atractiva mujer. "Oh, por favor, si no te importa, no menciones que estuvimos aquí preguntando por él. Puede que no lo aprecie".

Los hombres volvieron a conducir y Kowalski le preguntó a Gideon: "Vincent, hacia dónde ahora?".

"El Klein Savings and Loan. Necesito averiguar si nuestro amigo abogado no tiene oficina y gana suficiente dinero para vivir. Jacob probablemente esté de regreso en el banco y pueda ayudarnos ya que me enteré de que allí es donde MacDonald opera".

A su llegada, Gideon envió su tarjeta comercial con un empleado a la oficina privada de Jacob Hoffmann. Rápidamente fueron admitidos.

"Qué pasa, Gedeón?" preguntó Hoffmann, con una pizca de miedo en su voz.

"No te alarmes, Jacob. Tengo buenas noticias que transmitir. Me gustaría que le informaras a Abby que he hecho progresos en su caso. Déjame decirte lo que hemos descubierto", comenzó Gideon, compartiendo los detalles de su conversación con Derek Gunther y la información que habían obtenido.

Los ojos de Hoffmann brillaron con esperanza cuando miró a Kowalski, pensando que tal vez jugó un papel importante en descubrir la verdad. Sin que él lo supiera, Gideon había iniciado la investigación y prefirió mantener un perfil bajo.

"Señor Kowalski, ¿cómo puedo ayudarlos a usted ya Gideon? Ha liberado una gran carga de mi mente. Ahora, puedo pensar en Ludwig con lástima en lugar de solo horror en mi corazón", dijo Hoffmann, agradecido por el progreso.

"Jacob, vine al banco para recopilar información. Wolfgang Klein tenía una cuenta aquí?" Kowalski se hizo cargo del interrogatorio, ya que Jacob había confiado en él para ayudar a encontrar a su sobrino.

"Phillip Simms puede brindarle esa información", respondió Jacob, llamando al jefe de caja para que se uniera a ellos.

Gideon asintió a Simms cuando se conocieron. Jacob le presentó a Simms a Kowalski y le dijo: "Phillip, por favor ayuda al señor Kowalski en lo que necesite. Todo lo que desee".

"Muy bien", respondió Simms con una sonrisa cordial, volviendo su atención a Jonathan. "Estoy a su servicio, señor".

"Necesito saber si Wolfgang Klein tenía un saldo bancario aquí. Si lo tenía, ¿cuánto era?" preguntó Kowalski, tomando la iniciativa.

Simms consideró por un momento. "El señor Klein cerró su cuenta el seis de octubre", comenzó. "Ese día no lo olvidaré porque al día siguiente lo asesinaron. El saldo en su cuenta era de cuatrocientos cincuenta mil dólares. Le di el dinero en billetes grandes, para que le fuera más fácil llevarlo".

Gideon intervino: "Ian MacDonald también realiza operaciones bancarias aquí?"

"Sí, creo que lo conozco. Tiene una gran barba roja y cabello rojo, ¿verdad?" Simms respondió.

"Sí, ese es el hombre. ¿Cuál es su saldo?" preguntó Kowalski.

Simms se excusó brevemente para comprobar la información. Cuando regresó, dijo: "El saldo bancario de Ian MacDonald es de diez mil dólares".

"Hubo algún depósito reciente hecho?" Kowalski insistió más.

"No, en realidad no. Parece que solo ha habido débitos de su cuenta y ningún crédito en las últimas tres semanas", respondió Simms.

"MacDonald tiene una caja de seguridad?" preguntó Kowalski.

"Sí, de hecho, lo hace", confirmó Simms.

Jacob intervino, comprobando si todo iba bien. En ese momento, Kowalski preguntó: "¿Podemos examinar el contenido de su caja de seguridad, Phillip?"

Simms miró a Jacob, buscando aprobación.

"Está bien, Phil. Iré con ellos", dijo Jacob, y procedieron juntos.

Gideon y Kowalski siguieron a Simms por el pasillo del banco hasta una puerta en la parte trasera del edificio, que conducía a un tramo de escaleras donde se encontraban la bóveda y las cajas de seguridad. Simms abrió la pesada puerta, otorgándoles acceso a la habitación a prueba de fuego llena de cajas de seguridad.

Llegaron a uno de los palcos más grandes, el número diecisiete. Simms abrió la puerta delantera del gabinete y sacó una caja de hojalata, colocándola en la mesa de observación en la habitación. Al abrir la tapa, la encontraron llena de billetes verdes, para sorpresa de todos.

Gedeón dijo: "Ahí, caballeros, están los cuatrocientos cincuenta mil dólares".

Simms afirmó: "Sí, señor. Esas son las facturas que le di a Wolfgang el día antes de que lo mataran".

Gedeón se volvió hacia Jacob. Cierra la tapa, colócala de nuevo en la pared y cierra el armario. No podemos probar que MacDonald no tiene derecho al dinero. No podemos arriesgarnos a que las autoridades lo confisquen o les alerten de lo que hemos encontrado. Mantengamos nuestra investigación discreta por ahora, enfocada en resolver el asesinato de Wolfgang".

Jacob asintió y cumplió con las instrucciones de Gideon. Gideon miró a Jacob y dijo: "Gracias por tu ayuda".

"Por supuesto, cualquier cosa que nos acerque a liberar a mi sobrina", respondió Jacob.

"Perdón por la prisa, pero tenemos que avanzar. Tenemos más cosas que hacer hoy", dijo Gideon.

Gideon y Kowalski se dirigieron por Main Street y Kowalski interrogó a su amigo. "Vincent, es seguro asumir que MacDonald asesinó a Klein y se ayudó a sí mismo con el medio millón de dólares?"

Gideon, con los ojos fijos en la carretera, sonrió sombríamente. "Para nada, amigo mío. MacDonald no robó el dinero. No creo que nunca estuvo en su poder. Pero tienes un punto válido, y descubriremos la verdad cuando lo interroguemos más tarde. Debería ser un relato bastante interesante", finalizó con sarcasmo. "Te dejaré ahora y volveré a recogerte a las cinco. Necesito revisar algunas cosas".

Jonathan reflexionó sobre las palabras de Gideon mientras pasaba la tarde en la casa tranquila, recuperando el descanso que tanto necesitaba. Se preguntó por qué Gideon no se sorprendió cuando descubrieron que MacDonald tenía el dinero. Parecía que Vincent ya sabía dónde estaba durante su conversación en el banco.

Jonathan recibió una llamada alrededor de las cuatro y media de la tarde, llena de entusiasmo de Vincent Gideon. Su voz sonaba aguda, y lo primero que pensó Jonathan al responder fue: "Qué pasa, Vincent? ¿Qué pasó?"

"Nuestro buen amigo MacDonald tendrá dificultades para explicar todo lo que he descubierto esta tarde. Ese hijo de puta no es abogado, amigo mío. ¡Ni siquiera está registrado para ejercer la abogacía en Oregón o Portland, de hecho! " Vicente comenzó a reír.

"¡No un abogado!" Jonathan repitió, desconcertado.

"Nop. Tendremos una conversación interesante con el impostor esta noche en su apartamento. Nos vemos allí a las siete y media", dijo Vincent, su entusiasmo palpable.

CAPÍTULO DIECISÉIS
ESTALLIDO EN LA CALLE QUINCE

La impaciencia de Kowalski creció a medida que pasaba el día, ansioso por enfrentarse cara a cara con MacDonald. Gideon se había marchado solo, dejando a Kowalski a oscuras sobre sus planes. ¿Qué tramaba el renombrado detective?

Afortunadamente, Gideon se había ido temprano a la reunión con MacDonald y Gideon en los apartamentos de la calle Quince. Sin embargo, sufrió un reventón en su neumático delantero derecho en el camino. Llegó a una estación de servicio y esperó en el vestíbulo durante una hora mientras el encargado reparaba la llanta.

Finalmente, a las siete y cuarto, Kowalski llegó al apartamento de MacDonald, un poco antes de la cita programada. Aparcó su coche detrás del de Gideon y llamó a la puerta para indicar su llegada, el sonido resonó por el pasillo.

En cuestión de segundos, MacDonald, elegante y afable, abrió la puerta y dio la bienvenida a los dos hombres al interior. Lo siguieron a una habitación llena de ceniceros de pie y remolinos de humo.

Kowalski entró en la habitación y se detuvo, abrumado por la grandeza de la cámara. Amueblada en un estilo italiano de la época del Imperio, la habitación rezumaba elegancia. Paneles de tapices rojos desteñidos adornaban las paredes, complementados con una mezcla de muebles dorados y otras piezas eclécticas. Aunque era un conglomerado de estilos, tenía cierto encanto.

Sin intercambiar palabras, Gideon y Kowalski se hundieron en las profundidades de dos cómodos sillones de orejas. Casi de inmediato, MacDonald les entregó los habanos más largos que jamás habían visto.

El rostro de Gideon mostraba una leve sonrisa, que no pasó desapercibida para Kowalski. Estaba ansioso por ver cómo MacDonald explicaría razonablemente las dudas que Gideon y Kowalski tenían sobre él.

La personalidad del abogado pelirrojo y la influencia tranquilizadora de los habanos largos despertaron la curiosidad de los dos detectives por escucharlo justificarse y demostrar que no era el asesino de su amigo, Wolfgang Klein.

Sin embargo, con su vasta experiencia en la resolución de casos sin resolver, Gideon no se dejaba convencer fácilmente por gestos como una silla lujosa y un cigarro raro. Se sentó, observando los gestos de MacDonald, esperando el siguiente movimiento como un hábil jugador de ajedrez.

"Caballeros, es un placer que me acompañen esta noche", dijo MacDonald, rompiendo el silencio. Se sentó frente a los dos detectives. "¿En qué puedo ayudarte, Gideon?"

"Nos hemos topado con algunas cosas extrañas durante nuestra investigación del asesinato de Wolfgang Klein, algunas de las cuales no encajan", comenzó Gideon, inclinando la cabeza hacia atrás y dando una larga calada al cigarro cubano, soplando anillos de humo hacia el techo. "No me gusta acusar a alguien a menos que esté completamente seguro. Los hechos que rodean el asesinato apuntan a usted, señor MacDonald. No lo estoy acusando, pero estamos aquí para atar algunos cabos sueltos en nuestra investigación".

MacDonald se inclinó en su silla, inclinándose en dirección a Gideon. "Le agradezco que no salga corriendo apresuradamente y acusándome sin pruebas. Haré todo lo posible para responder a todas sus preguntas. ¡Adelante, dispare!"

Gideon sacudió las cenizas de su cigarro y lo dejó en el cenicero de pie junto a su silla. "¿Eres abogado, Ian?" preguntó sin rodeos.

MacDonald giró el cigarro ligeramente hacia un lado, mirando el extremo ardiente al rojo vivo mientras el humo se elevaba. Después de un momento de silencio, respondió: "No estoy registrado para ejercer la abogacía en Portland, si eso es lo que está preguntando".

"Ian, ¿qué te da derecho a representar a Wolfgang Klein y actuar como abogado en la investigación de Abigail Klein?" Gideon respondió con calma.

"Todas las suposiciones y malentendidos surgieron durante el interrogatorio policial en la indagatoria. Adolph Keiser, el secretario de Wolfgang, les dio la idea de que yo era un abogado. Me invitaron a la indagatoria; no me presenté por mi propia voluntad."

"Se le ordenó asistir?" preguntó Gedeón.

"Sí. La policía insistió en que asistiera a la investigación. Asumí el papel que me impusieron. No tuve tiempo de explicar mi complicada relación con Wolf".

"Qué hay de actuar como abogado de Abigail?"

"No aconsejé a la señora Klein en absoluto. De hecho, la primera vez que la vi fue cuando entró al estudio durante la investigación".

Kowalski intervino: "Ian, por qué todos asumieron que eras abogado?".

"Estudié derecho durante cinco años y estaba a punto de tomar mi examen de abogado cuando mi tío murió en Escocia. Tuve que ir al extranjero para liquidar su patrimonio y me quedé con una cantidad increíble de dinero. Cuando regresé a los Estados Unidos, Tenía una cuenta bancaria llena de dinero y no quería volver a estudiar para mis exámenes".

Gideon observó cada movimiento de MacDonald mientras explicaba su historia. Algunos gestos hicieron que Gideon se sintiera incómodo, aunque no podía precisar por qué.

MacDonald continuó después de dar otra larga calada a su cigarro y agregar más humo a la habitación que ya estaba llena de humo. "Verán, amigos míos, aunque no obtuve mis credenciales, Wolfgang Klein tenía más confianza en mi juicio que en aquellos con las credenciales adecuadas que manejaban sus asuntos legales. Le di asesoramiento legal a Wolfgang como amigo porque era su confidente. Nunca intenté ejercer la abogacía en Portland, Oregón, ni en ningún otro lugar".

"Tengo una buena mente para verificar sus afirmaciones", desafió Kowalski.

MacDonald se rió entre dientes. "Siéntete libre de verificarlo. No tengo ningún problema con eso".

Tomando otra larga bocanada de su cigarro, Gideon dijo: "No dudo de usted, señor MacDonald. Sé que no ha ejercido la abogacía, pero necesitábamos entender su conexión con el difunto, especialmente porque sabía tanto sobre él". Sin embargo, tengo una pregunta más".

"Qué es?" preguntó MacDonald, intrigado.

"¿Representaste a Wolfgang cuando fuiste a Black Rock a ver a Ludwig Hoffmann, correcto?" preguntó Gedeón.

MacDonald no se inmutó ante la pregunta, a pesar de que Kowalski se inclinó hacia adelante, esperando cualquier reacción.

"No, señor, no fui a ver al señor Hoffmann en capacidad legal. Wolf me envió porque estaba al tanto del asunto y quería que aprendiera más sobre las pruebas que Ludwig afirmaba tener contra él. Lo que Wolf me llamó en su telegrama, abogado o lo que sea, nunca lo vi".

"Cómo sabes que envió un telegrama?" preguntó Kowalski.

"Qué es esto, el tercer grado, señor Kowalski? ¿Por qué todas estas preguntas?" MacDonald parecía un poco incómodo.

"No, señor MacDonald. Me disculpo si así parece. Solo estamos tratando de aclarar ciertos asuntos. Por favor, señor, ¿puede responder algunas preguntas más?" preguntó Kowalski.

La molestia de MacDonald disminuyó mientras sonreía con indulgencia. "Muy bien, adelante", dijo.

Gideon y Kowalski habían agotado sus preguntas y MacDonald había dado respuestas satisfactorias que ayudaron a disipar las dudas. Gideon se levantó de su silla y dijo: "Gracias por su hospitalidad y por ayudarnos a atar algunos cabos sueltos. Nos disculpamos por molestarlos tan tarde en la noche".

"No hubo problema en absoluto, caballeros. ¿Respondí todas sus preguntas satisfactoriamente?" preguntó MacDonald con una sonrisa irónica.

"Sí, sus respuestas fueron satisfactorias y arrojaron luz sobre el caso. Sin embargo, aún debemos tomar otras medidas", respondió Gideon.

"Qué quieres decir con diferentes medidas?" preguntó MacDonald, sirviendo tres tragos y brindando por el éxito de la investigación.

Mientras MacDonald agasajaba con más agua mineral con gas de la cocina, Gideon salió disparado hacia el pasillo y rápidamente entró en otra habitación. Era un dormitorio lujosamente amueblado, decorado en azul y dorado, claramente perteneciente a una mujer.

Gideon abrió rápidamente el cajón del tocador. "Vincent, date prisa. Tenemos que salir. ¡Oigo que MacDonald regresa!" susurró con urgencia.

Los hombres volvieron corriendo a sus sillas justo cuando MacDonald regresaba con una botella de gaseosa y una hielera. Miró con sospecha a los dos detectives, observándolos dando otra calada a sus puros, llenando la habitación de humo.

MacDonald sirvió las bebidas y levantó su copa, proponiendo un brindis por su éxito final. Kowalski rápidamente bebió su bebida de un trago y colocó el vaso en la mesa auxiliar cercana. Gideon simplemente tocó sus labios con el vaso antes de dejarlo.

"Lo siento, señor MacDonald, pero casi nunca bebo whisky", explicó Gideon.

"Me disculpo. ¿Puedo ayudarte con algo más?" preguntó MacDonald. "No, gracias. Apreciamos tu oferta, pero debemos irnos", respondió Gideon, extendiendo su mano a MacDonald. Kowalski hizo lo mismo. Los hombres salieron del apartamento y caminaron por la acera hacia sus autos. Kowalski no pudo contener su curiosidad y preguntó: "Vincent, ¿qué estabas haciendo en esa habitación? Casi nos atrapan".

—Fisgoneando —confesó Gideon.

"Una cosa es segura, ese no era el dormitorio de MacDonald", comentó Kowalski.

Gideon se rió entre dientes. "Tú también lo notaste".

"No podía faltar. Una habitación bastante extraña para un soltero", observó Kowalski.

"Sí, pero lo más importante", dijo Gideon, ¿"te fijaste en los colores, azul y dorado? ¿Una combinación familiar, no crees?"

"No estoy seguro de a qué te refieres, Vincent". El renombrado detective levantó una pequeña bolsa de satén dorado bordada en azul y la balanceó ante los ojos de Kowalski. ¡La bolsa emitía la fragancia de Rose Petal Essence!

LA MENTE DE GIDEON seguía dando vueltas mientras trataba de dormir un poco. Aunque tuvo una noche inquieta, se despertó con el brillo del sol que entraba por la ventana de su dormitorio. Después de unas cuantas tazas de café, se apresuró a su oficina, donde sacó el estante de su escritorio de roble, revelando su fiel máquina de escribir Royal. No perdió el tiempo,

deslizó un trozo de papel de máquina de escribir en la máquina y comenzó a
escribir sus notas del interrogatorio de la noche anterior a Ian MacDonald.
Los brazos de hierro giraron como un pulpo fuera de control de una novela
de Julio Verne, golpeando la cinta negra, creando una tormenta de sonido.
Cada fila completada producía una campana que sonaba, y el rodillo se
deslizaba hacia abajo con un ruido sordo para comenzar la siguiente línea de
tinta. *¡MacDonald y la fragancia de Rose Petal Essence! ¡MacDonald y la bolsa
de satén amarilla bordada en azul!*

Estas palabras resonaron en la mente de Gideon, pero sin importar lo
que hiciera, no pudo encontrar una razón plausible para que MacDonald
cometiera el asesinato. No parecía haber ningún motivo para que él dañara a
Abby, ya que ni siquiera la conocía. A pesar de la habitación azul y dorada,
no tenía ningún interés romántico en Ava O'Neill. MacDonald nunca había
visitado el apartamento de Ava O'Neill, como habría descrito Loueva
Johnson.

Era poco probable que, al estar comprometida con Blair Thomas, Ava
hubiera recibido insinuaciones de otros hombres. Las respuestas de
MacDonald a las preguntas fueron satisfactorias, y parecía que incluso
Kowalski no tenía dudas sobre su participación en el asesinato. La conexión
entre MacDonald, Rose Petal Essence y la mujer con las bolsitas bordadas en
azul podría ser una coincidencia. Este caso había llegado a un punto en el que
la verdad era más extraña que la ficción.

Con cada golpe de las teclas de la máquina de escribir, la cinta negra
como la tinta saltaba, golpeada por el martillo de hierro. En cuanto a los
sospechosos, Blair Thomas, Ludwig Hoffmann e Ian MacDonald fueron
fuertes contendientes. La evidencia hasta ahora apuntaba más hacia Ludwig,
ya que Blair era inocente y MacDonald carecía de un motivo suficiente.

A las once de la mañana, Kowalski visitó a Gideon en su oficina, donde el
detective estaba sentado solo, todavía escribiendo en su máquina de escribir.
"Vincent, tienes un momento para algunas preguntas?" preguntó Kowalski,
mirando los papeles esparcidos por el escritorio de Gideon.

"Absolutamente." Gideon sacó la última página de sus notas y la colocó
encima de una de las pilas.

"Algo nuevo?"

"En realidad, no. No estoy seguro de cómo decir esto". Kowalski hizo una pausa. "He llegado a un callejón sin salida".

"¡No, Jonathan! ¿Qué estás diciendo? ¿Estás renunciando al caso?" Gideon interrumpió, consternado por la declaración de Kowalski.

El detective mayor se echó a reír. "Renunciar al caso cuando todo está en su lugar? Debes estar bromeando", exclamó con un tono exultante. Sus ojos bailaban bajo la luz del sol que entraba por una ventana cercana. "Lo que quise decir es que es hora de cerrar este caso. No más andar de puntillas".

"Tu tiempo es perfecto, amigo mío. Estoy aquí tomando notas y casi listo para implementar mi plan".

—¿Entonces sabes quién es el asesino, Vincent? "No, solo tengo una idea, pero no tengo pruebas. Como dije antes, nuestro asesino es un individuo brillante. Estamos profundizando en su asesinato cuidadosamente planeado. Esto es lo que propongo". Gideon alcanzó una hoja de papel doblada en la esquina y la abrió. "He hecho que algunos muchachos distribuyan esto por el lado oeste de la ciudad".

Kowalski miró el papel y notó el olor fresco de la tinta. Era un folleto que ofrecía una recompensa de cinco mil dólares por cualquier información que pudiera conducir al descubrimiento de Blair Thomas, vista por última vez el ocho de octubre. El volante incluía una foto de Blair y una descripción, con una línea final que decía que Vincent Gideon pagaría la recompensa.

"Hay un problema, Vincent. Cuando cientos de miles de personas afirmen haberlo encontrado, te inundarán de tontos hambrientos de dinero. Y, además, ¿qué te hace pensar que está en Portland?" preguntó Kowalski.

"Anoche, cuando llegué a casa, uno de los sirvientes de la finca de Klein me estaba esperando. Descubrió que Blair había tomado un taxi hasta la Cuarta Avenida y la Calle Quince en el lado oeste de la ciudad. Después de eso, desapareció por completo. Así que, todavía debe estar en la ciudad."

"Espera un segundo, Vince. La noche que perseguimos al asesino y tú acusaste a Blair Thomas, en realidad estabas tomando al verdadero culpable con la guardia baja, haciéndoles creer que ya no estabas interesado en él", se dio cuenta Kowalski.

"Tienes razón, Jonathan. Hay dos razones para la desaparición de Blair. Una, él es el asesino. Pero como acabas de decir, lo he descartado. Blair

Thomas no mató a su tío. Jacob Hoffmann declaró que Blair era un muchacho excelente, íntegro, que quería mucho a su tío".

"Vincent, veo a Blair como un joven apasionado y de mal genio. ¿Pero es capaz de asesinar a sangre fría?"

"Una pregunta válida, Jonathan. En un momento de ira, posiblemente, pero no a sangre fría", afirmó Gideon.

"El asesinato de Wolfgang Klein fue premeditado. Eso descarta a Blair".

"Muy bien. ¿Cuál es la segunda razón para excluir a Blair de nuestra investigación?"

"Estaba comprometido para casarse con Ava O'Neill, pero negó haberla conocido. Cuando Alastair Owens le mostró el pañuelo, se puso nervioso, temiendo que alguien pudiera reconocerlo como el de Ava. Sabía algo sobre lo que ocurrió en el estudio esa noche. No hay duda al respecto. O tal vez él sabía sobre su visita planeada a la casa de Klein. De cualquier manera, tenía conocimiento relevante para este caso".

"Veo lo que dices, Vincent. Blair dejó la investigación en el estudio de Klein y no sabía el veredicto cuando se fue. Pero el joven debe haber sido un cabo suelto para el verdadero asesino. El asesino no quería que viniera más tarde y estropeara su plan de implicar a la señorita Abigail. Creo que el verdadero asesino lo atrajo lejos del Club Spencer y ahora lo mantiene cautivo en algún lugar de la ciudad para evitar que presente pruebas.

"Esa sí que es una posibilidad, Jonathan. El asesino ya ha matado una vez, y probablemente les resulte menos difícil volver a matar si es necesario. Pero no creo que Blair esté cautiva", afirmó Gideon con firmeza. "¡Qué villano es esta persona!" exclamó Jonatán.

"Cómo supieron que Blair podría interrumpir fácilmente su plan para incriminar a Abby? Los artículos escritos por los periodistas en la investigación no se publicaron hasta la mañana siguiente".

"Puedo responder a eso, Jonathan. El verdadero asesino estaba en la investigación. Dedujeron que Blair representaba una amenaza para su culpabilidad. Muchas personas estaban presentes en el estudio ese día, y no sabía quiénes eran. Podrían haber se disfrazaron de reportero o de cualquier otro personaje. Tal vez el asesino incluso se atrevió a disfrazarse de fiscal".

"De hecho, estoy de acuerdo, Vince. ¿Pero cuando el verdadero asesino se dé cuenta de que estás buscando activamente a Blair porque crees que posee pruebas cruciales, ¿no se sentirán inclinados a asesinar al niño y eliminarlo? No estoy seguro de si entender."

"Desafortunadamente, amigo mío, ese es un riesgo que debo tomar ahora. Ahora que estoy convencido de que el asesino tiene cautivo a Blair, debo rescatarlo de un mal destino. El tiempo se acaba, Jonathan. Le he mostrado al asesino mi mano. Quiero que Blair y el asesino que estoy tratando de detener hagan todo lo posible para frustrarme. ¡Si pueden!"

EL ANOCHECER DESCENDIÓ, lanzando un frío vespertino que puso la piel de gallina en los brazos de Gideon cuando llegó a casa después de hacer mandados personales. Los arbustos que alguna vez fueron verdes ahora parecían casi negros, de pie en una silueta cruda contra las paredes pintadas de blanco de la casa del detective. Parecía que los colores habían sido drenados por una fuerza invisible, como si un pintor hubiera cambiado abruptamente su paleta.

Gideon se retiró a la cama, decidido a despejar su mente de los enrevesados caminos que había tomado el caso. Necesitaba dormir desesperadamente, pero se le escapaba. Los eventos de la investigación se repetían en su mente. Reflexionó sobre el significado del anillo de Ludwig encontrado en la habitación secreta y se preguntó si podría proporcionar una pista para exonerar a Abby de su celda. Los pensamientos de Blair, Ava O'Neill y el dormitorio azul y dorado de MacDonald también se filtraron a través de sus pensamientos, entrelazándose en una red compleja.

De repente, a Gideon le pareció percibir un olor a esencia de pétalos de rosa, una fragancia familiar. Con ese olor persistente en su mente, se deslizó hacia el reino de los sueños.

En el sueño, se encontraba parado en la habitación secreta detrás de la caja fuerte del armario, su apariencia reflejaba el apartamento de MacDonald. Se quedó congelado, rodeado por el agradable aroma del perfume Rose Petal Essence.

Mientras estaba allí, inmerso en la fragancia, una figura pasó corriendo junto a él y entró en el estudio. La persona salió inmediatamente de la puerta de la caja fuerte del armario y disparó un revólver a Wolfgang. El grito penetrante de una mujer atravesó el aire.

El hombre arrastró a la mujer mientras pasaba corriendo junto a Gideon nuevamente, dejando caer el anillo de Ludwig a sus pies durante su huida. Gideon se inclinó rápidamente y recuperó el anillo. Cuando miró hacia arriba, ¡se encontró frente a un demonio terrible! Si uno pudiera pintar un retrato de este demonio, uno vería los ojos de Ludwig, las expresiones de Blair y el cabello rojo fuego y la barba poblada de MacDonald.

El agresor colocó a la mujer a su lado y levantó su revólver nuevamente, apuntando a Abby, la mujer que había sacado a la fuerza del estudio. Reaccionando instintivamente, Gideon se lanzó hacia adelante, agarrando al asesino con fuerza con ambas manos, gritando: "¡Te tengo! ¡Te tengo!"

Con un sobresalto, se despertó, con los brazos fuertemente envueltos alrededor de una almohada cercana.

CAPITULO DIECISIETE
MALOS SUEÑOS A MEDIANOCHE

Las primeras horas de la mañana envolvieron a Gideon mientras se sentaba en la cama, el sudor se le pegaba a la frente y se secaba con el dorso de la mano. No fue el sueño lo que lo despertó, sino un sonido inusual en su habitación lo que lo despertó.

El ruido vino de la puerta, crujiendo al abrirse muy lentamente, sus bisagras emitiendo una fuerte y chirriante protesta. Gideon se sentó erguido, mirando en la oscuridad hacia la entrada, frotándose los ojos con el dorso de la mano.

Con precaución, el renombrado detective recuperó su revólver debajo de la almohada. Sabía que estaba completamente despierto; esto no era un sueño. Apretó su agarre sobre el arma, sus sentidos se intensificaron. El reloj de Westminster dio doce campanadas y él contuvo la respiración. De repente, la habitación se llenó de luz cuando se encendió el interruptor. Reaccionando rápidamente, Gideon saltó de la cama y envolvió sus brazos alrededor del hombre que estaba frente a él.

El intruso, un individuo de la calle con aspecto de indigente, llevaba un gorro de algodón bajado para ocultar sus cejas. Su aspecto descuidado, sin afeitar durante días y los ojos hundidos y sin vida repugnaron a Gideon.

"Quién diablos eres tú?" gritó el detective mientras Billy Bob entraba corriendo y se movía hacia el hombre. Gideon no permitió que Billy Bob interviniera y apuntó su pistola directamente al corazón del intruso.

"Una última oportunidad antes de disparar. ¿Quién diablos eres?" exigió Gedeón.

El hombre permaneció en silencio, en lugar de eso estalló en carcajadas. "¡Te engañe!"

"¡Kowalski! Maldita sea, podrías haber hecho que te mataran".

"Solo quería ver si pasé la inspección", se rió Kowalski. "Cómo me reconociste?"

"Fue tu risa lo que te delató. De lo contrario, nunca hubiera sabido que eras tú. ¿Pero por qué?"

Jonathan no ofreció muchas explicaciones. "Aquí." Le arrojó algunas ropas andrajosas a Gideon. "No tenemos tiempo que perder".

"No me vas a decir por qué estás aquí o vestida así".

"Tus folletos funcionaron. Alguien me dijo dónde encontrar a Blair Thomas".

Gedeón no perdió el tiempo. No preguntó sobre el disfraz de Kowalski, sino que se cambió al atuendo andrajoso y experimentó su notable transformación. Después de todo, podría decirse que fue el mejor en asumir diferentes identidades ... ¡un transformista natural!

Jonathan fue testigo de la asombrosa transformación de Gideon cuando salió con el rostro manchado de negro humo y una gorra vieja bajada para cubrir sus orejas.

Los dos detectives estaban en el salón, preparándose para embarcarse en su misión, cuando Billy Bob los llevó a cada uno una humeante taza de café para mantenerlos alerta durante su aventura. Vestido con su bata de baño y pantuflas, el sirviente había sido despertado bruscamente de su sueño.

"A donde vamos?" preguntó Gideon, su voz teñida de entusiasmo.

"¿Conoces Din Ho's, el restaurante chino en Chinatown?"

"Sí, ciertamente. Me encanta ese lugar".

"¡Entonces debemos darnos prisa!"

El plan de Gideon de distribuir volantes por toda la ciudad dio resultados. ¿Pero, por qué no fue él el contactado? ¿Por qué el informante contactó a Kowalski? Sin embargo, encontrar a Blair Thomas seguía siendo su máxima prioridad y necesitaban actuar con rapidez para llegar a él a tiempo.

Gideon gritó instrucciones. "Billy Bob, quédate en el pasillo junto al teléfono". Miró a su amigo, cuyos ojos estaban medio cerrados. "¡Billy Bob! Tienes que estar despierto. Si el teléfono no suena a las dos en punto, llama a la Jefatura de Policía y diles que envíen a algunos oficiales a lo de Din Ho". Se dio la vuelta y comenzó a caminar hacia la puerta. "¡Billy Bob, mantente despierto!" mostró una breve sonrisa.

"Sí, señor, Vincent. No me dormiré. No con su vida y la del señor Kowalski en juego", respondió Billy Bob, con preocupación evidente en su voz.

Las cejas de Gideon se levantaron. "Billy Bob, sé que puedo contar contigo". Se detuvo a la luz del pasillo. "Kowalski, si vas a parecer un mendigo, necesitas más manchas en la cara". Sacó una pequeña caja de negro de humo de su bolsillo, frotando un poco alrededor de las orejas y el cuello de Kowalski. Dando un paso atrás, examinó a su amigo una vez más. "Sí, estás listo para irte". Respiró hondo, seguido de una serie de jadeos constantes.

Los dos hombres salieron corriendo de la casa y se subieron al Ford 1934 de Gideon. Kowalski rebosaba de emoción. "A toda velocidad, amigo mío". Con un sonido chirriante de la transmisión, se alejaron a toda velocidad hacia la parte occidental de la ciudad, Chinatown y Din Ho's.

"Está bien, Vincent. ¿Cuál es el plan?"

"¿Tienes tu revólver, Jonathan?"

"Por supuesto, un oso defeca en el bosque?"

"Está bien, esa fue una pregunta estúpida. Solo utilízala si es absolutamente necesario. Cuanto menos participemos en un tiroteo, mejor".

"Mi oferta de cinco mil dólares ciertamente aceleró las cosas, no crees, ¿Jonathan?"

"Sí, en efecto. ¿Pero dime, por qué me contactaron cuando mi nombre estaba en el volante para contacto?"

"Solo pisa, Gideon. Te lo explicaré". El detective pisó el acelerador, con cuidado de no llamar la atención con una infracción de tráfico. "Adelante, Jonathan. ¿Qué le dijo el joven a Jenkins?"

"Él y su amigo fueron contratados para secuestrar a Blair. Lo ataron en una habitación de arriba en la parte trasera de un establecimiento comercial. Había algo que Blair sabía que el jefe quería averiguar".

"Sin duda, Blair poseía información crucial sobre el asesinato, y el asesino quería determinar el alcance de su conocimiento. O tal vez, el asesino se impacientó y trató de evitar que Blair revelara pruebas incriminatorias. De todos modos, el muchacho está cautivo, y debemos alcanzarlo antes de que se acabe el tiempo".

"Debemos darnos prisa, Vincent. El asesino debe haberse dado cuenta de que, con nuestro esfuerzo y la recompensa que le ofrecimos, había dado órdenes de matar al niño. Un asesinato más no perturbaría su conciencia en lo más mínimo. Nuestra oportunidad es llegar allí. antes que él".

"¡Vincent, podría ser una trampa!"

"Ciertamente. Por eso le ordené a Billy Bob que llamé a la policía si no estamos en casa a las dos en punto".

"Vamos a buscarlos."

"Lo siento, Jonathan. Me temo que te he arrastrado a una situación peligrosa. Esta misión es demasiado peligrosa. Podríamos-"

"¿Estás loco, Vincent? ¿Parezco como si me hubiera caído de la parte trasera de un camión de nabos? No puedes hacer nada para mantenerme fuera de esta pelea".

"Muy bien. Realmente eres un amigo valioso, Jonathan".

"Tengo una pregunta antes de cargar con las armas encendidas. ¿Por qué no hacemos que la policía rodee el lugar de inmediato? ¿Por qué entramos solos?"

"Estamos tratando con Chinatown. Tienen hombres estacionados en cada esquina, actuando como vigilantes de cualquier cosa sospechosa. En el momento en que se enteren de la policía, Blair Thomas indudablemente desaparecerá, y les garantizo que nadie descubrirá su paradero."

"Tienes razón, Vincent. Días después, un cadáver marchito sería sacado del río Portland".

El mero pensamiento envió escalofríos por la espalda de Gideon, y sus nudillos se pusieron blancos mientras agarraba con más fuerza el volante. ¡Qué horrible destino le esperaba a Blair si él y Jonathan no jugaban bien sus cartas y lo alcanzaban a tiempo!

Gideon entró en Chinatown y aparcó a dos manzanas del restaurante Din Ho's. Salieron silenciosamente del vehículo y maniobraron a través de aceras y callejones hasta que llegaron a la entrada trasera de Din Ho's.

Al entrar, inmediatamente se encontraron con un fornido chino. En un tono brusco, Gideon dijo: "Ha llegado el jefe? Nos envió a cuidar al prisionero hasta su llegada".

El hombre corpulento miró a los dos detectives durante varios segundos, luego hizo un gesto hacia las escaleras, agitando la mano con desdén.

Vincent y Jonathan subieron la empinada escalera, uno tras otro debido a su estrechez. Los pasamanos de la escalera estaban repugnantemente sucios e intentaron subir sin tocarlos, pero resultó imposible.

Al llegar a la cima, se enfrentaron a una puerta cerrada. Sin palabras, intercambiaron miradas y prepararon sus revólveres. Gideon se metió la pistola en el cinturón y sacó un instrumento de metal largo y estrecho, forzando hábilmente la cerradura. La puerta cedió sin hacer ruido, lo que permitió a los dos hombres entrar en la habitación.

Jonathan iluminó la oscuridad con su linterna, el rayo se movió rápidamente alrededor de la cámara. Estaba vacío, a excepción de un catre en el rincón más alejado. Jonathan detuvo el movimiento de la linterna, enfocando su haz en la cama, revelando la forma propensa de un hombre.

Los detectives contuvieron la respiración, esperando que no fuera demasiado tarde, rezando porque el hombre que buscaban todavía estuviera vivo. Al acercarse, vieron que no era otro que Blair Thomas.

El horror grabó sus rostros cuando intercambiaron una mirada. Blair parecía estar en las etapas finales de una enfermedad devastadora. Su rostro mostraba cortes y magulladuras, y sus ojos se habían convertido en huecos hundidos por la desesperación. La carne de su rostro había sido arrancada, dejando una visión espantosa.

"Dios mío, Vincent. Este pobre hombre apenas se aferra a la vida. ¿Cómo lo sacaremos? No puede caminar", susurró Kowalski. Tendremos que turnarnos para llevarlo.

"Lo siento, Jonathan, pero no creo que tengas la fuerza. Lo haré, pero debemos movernos rápido antes de que llegue el asesino".

"Qué pasa con el chino gigante de abajo?"

"Apuesto a que no planteará ningún problema. Después de todo, estamos trabajando para el jefe, ¿verdad?"

"Espero que estes bien."

En silencio, Gideon se inclinó sobre Blair y lo sacudió suavemente, sacándolo de su estupor. Blair abrió los ojos. "¡Aléjate! No tengo nada que decirte. ¡Nada!"

"Blair, soy yo, Vincent Gideon", aseguró en un tono tranquilizador. "Todo estará bien. Estamos aquí para ayudarte. Tenemos que darnos prisa y salir de aquí".

Blair se giró hacia la voz de Gideon, el alivio reemplazó al miedo en sus ojos. Era un marcado contraste con las voces amenazantes que había escuchado durante su tormento. "Ayúdame, por favor. Ayúdame a levantarme".

Asistiéndolo, Gideon deslizó su brazo alrededor de Blair para sostenerlo. Tuvieron que esquivar las estrechas escaleras. Era hora de probar la teoría de Gideon cuando llegaron al fondo. ¿Los dejaría pasar el chino?

Gideon llegó a la planta baja y su mirada se encontró con la expresión tranquila del chino sentado en un taburete en la esquina del pasillo. El hombre estudió atentamente a los dos detectives ya Blair Thomas desde la puerta.

"MALDITA SEA", MURMURÓ Gideon por lo bajo. "Coloquemos a Blair en el último escalón de las escaleras, Jonathan. Ese gigante de ahí definitivamente está involucrado". Miró hacia la puerta trasera, donde dos hombres estaban de pie con los brazos cruzados.

Kowalski no podía creer lo que veía. Vincent sacó su revólver de su cinturón y apuntó al imponente hombre. "Ahora, ya seas Din Ho o Din Who, o cualquiera que sea tu nombre, levanta las manos y entra en silencio a la habitación junto a ti". Gideon hizo un gesto con el cañón de su arma hacia una habitación lateral en el pasillo.

"Ve ahora, o usaré esto".

El chino simplemente ofreció una leve sonrisa y observó a los hombres con calma. Aparte del cambio sutil en sus labios, su posición permaneció sin cambios.

Jonathan se inclinó y susurró: "Vincent, creo que ese gran hombre sabe muy bien que, si disparas, toda la casa se derrumbará sobre nosotros".

"No jodas, Sherlock," respondió Gideon con un toque de diversión.

"Espera, déjame llevar a Blair. Tú sube y le das un puñetazo en la mandíbula al tipo grande. Una vez que toque el suelo, tú y yo podemos sacar a Blair de aquí, ir al auto y largarnos de aquí". Esquivar."

Gedeón no dijo nada. Él siguió el plan. Volvió a guardar el revólver en el cinturón. Jonathan colgó a Blair sobre su hombro.

Será mejor que nos dejes pasar, grandullón. El enorme chino seguía concentrado en Blair y Jonathan, que estaban detrás de Gideon. Necesitaba desviar su atención de ellos. "¡Muévete ahora, o saldrás lastimado, chino!"

Vaya, no debería haber dicho eso. El chino reorientó toda su atención hacia el detective más joven. Cuando comenzó a hervir, Gideon rápidamente retrajo su brazo y asestó un poderoso puñetazo de lleno en la mandíbula del gigante.

En un abrir y cerrar de ojos, el chino se tumbó boca abajo en el pasillo y los hombres aprovecharon la oportunidad para avanzar. Su destino seguía siendo incierto, pero lograron abrir una ruta de escape a otra habitación.

Tomando a Blair de Jonathan, Gideon condujo al trío a través de la habitación tenuemente iluminada, derribando sillas sin querer en su paso apresurado. El experimentado detective abrió el camino hacia lo que parecía ser otra puerta.

Kowalski abrió la puerta y, justo cuando lo hacía, Gideon gritó: "¡Al suelo!". Un hacha pasó zumbando junto a la cabeza de Jonathan, incrustando su hoja en la pared detrás de él.

Jonathan se enzarzó en una lucha feroz con otro chino. En medio de sus forcejeos, Gideon vio un jarrón en un puesto cercano, lo agarró rápidamente y lo estrelló contra la cabeza del atacante. El agarre del hombre se aflojó alrededor del cuello del detective, y se desplomó en el suelo con un ruido sordo repugnante.

Gideon corrió hacia Jonathan, pero instintivamente miró hacia atrás. El gigante se había levantado del suelo, empuñando un machete de hoja larga y preparándose para arrojárselo a Jonathan. "¡Cuidado!" Vincent gritó. Jonathan también había visto el peligro inminente.

¡Estallido!

El sonido de la pistola de Jonathan reverberó en el aire. El cuchillo del gigante voló hacia atrás cuando su cuerpo cayó al suelo, sus gritos de agonía llenaron la habitación.

¡Gong! ¡Gong!

De repente, la resonancia de un badajo golpeando un gong resonó desde una fuente inesperada, impregnando el restaurante.

Los tres detectives se acurrucaron apretadamente en un rincón, con los ojos fijos en el enjambre de chinos que salía de todos los rincones del establecimiento. Era precisamente lo que habían anticipado que sucedería si recurrieran al uso de sus armas de fuego.

Gideon empujó con fuerza a sus compañeros hacia el rincón, blandiendo su revólver. Disparó las luces rápidamente, envolviendo la habitación en la oscuridad.

Entonces estalló el caos. El sonido de pies arrastrándose llenó el aire.

¡Destello! ¡Destello!

El revólver de Gideon estalló con ráfagas cegadoras de luz como si un rayo cayera del cañón de su arma.

"¡Maldita sea, me han golpeado!" El grito de angustia de Jonathan atravesó el caos cuando una bala le atravesó la carne.

Más destellos de los revólveres de los detectives iluminaron la oscuridad, acompañados por el arrastrar de pies.

"¡Enciende una luz! ¡Date prisa! ¡Proporciona algo de luz!" Una voz diferente, familiar para Gideon, gritó con urgencia.

El movimiento cesó abruptamente, dando paso a un silencio espeluznante. Se encendió una luz de gas, bañando la habitación con un resplandor tenue. Gideon y Jonathan permanecieron acorralados, protegiendo a Blair Thomas de cualquier daño. La sangre corría por el brazo de Jonathan.

La sala estaba llena de chinos, su presencia retrocedió para dar paso a un hombre que dio un paso al frente. Sus brazos se cruzaron sobre el pecho y su mirada malévola se clavó en los ojos de Gideon.

"Entonces", dijo el hombre con voz ronca, llena de entonación sarcástica, "tú y el anciano pensaron que podrían ser más astutos que yo, ¿eh?"

Gideon optó por permanecer en silencio. La abrumadora cantidad de chinos impidió que Jonathan demostrara el verdadero alcance de su destreza.

"Realmente creíste que era un idiota tonto que no anticiparía tu llegada esta noche?" El hombre se rió. "Todavía hay algunas personas en este mundo más inteligentes que usted, señor Gideon".

El renombrado detective, sabiendo que las palabras tenían poco poder, especialmente porque su revólver estaba vacío, tranquilamente lo devolvió a su cinturón. Luego, para sorpresa de los presentes, se rió suavemente. Jonathan se echó hacia atrás, sin saber si su amigo había perdido la cabeza.

"Hágase a un lado, Gideon. Deje que Din Ho se lleve al niño. Entonces, me ocuparé de usted, el gran Vincent Gideon", declaró el jefe, descruzando los brazos y metiendo la mano en el bolsillo de su largo abrigo.

Gideon continuó riendo, un destello de conocimiento brillando en sus ojos. "Eso no va a pasar. Tendrás que venir a buscarlo, asesino", respondió con calma.

El jefe no perdió tiempo en hablar más con el detective. Rápidamente sacó su revólver y disparó. Gideon saltó a un lado, pero no lo suficientemente rápido como para evadir la bala. El dolor lo atravesó mientras su brazo colgaba inerte a su costado.

¡Maldita sea, no se había movido lo suficientemente rápido!

"¡Mataré a ese hijo de puta!" Gritó Gideon, lanzándose hacia adelante. Sin embargo, el firme agarre de Jonathan sobre el hombro de Gideon detuvo su carga impulsiva y lo empujó hacia la esquina junto a Blair.

¡Estallido! ¡Estallido! ¡Estallido!

Un golpe fuerte y contundente resonó en la habitación cuando golpearon la puerta. Sonaron los silbatos y los hombres que irrumpieron por la entrada emitieron un grito de mando: "¡Bajen las armas!".

La habitación estalló en gritos y caos. Las voces gritaban: "¡Policía! ¡Policía!" En un instante, el jefe, con su arma aún apuntando a Blair, rápidamente cambió de opinión y disparó la lámpara de gas que iluminaba el área. La oscuridad envolvió la habitación, intensificando el caos.

Los pies corrían por el suelo de madera, las sillas se echaban a un lado y los golpes en la puerta persistían acompañados de fuertes gritos de "¡Policía! ¡Corran!"

Los disparos resonaron en el aire como un trueno, sin la fuerza bruta de una tormenta. Aunque comparativamente pequeños, resonaron por todas partes, llenando Chinatown con ecos penetrantes y anunciando muerte y destrucción.

Un cuerpo sin vida se derrumbó a los pies de Gideon, derribado por una bala que había terminado con su existencia antes de que el sonido llegara a los oídos del detective. La violenta exhibición empañaba la quietud de la mañana de octubre, cada disparo cargaba el peso de la mortalidad.

Entonces, como un golpe rápido y pesado, una silla descendió de la oscuridad, se estrelló contra la cabeza de Gideon y lo envió al suelo.

En su estado de inconsciencia, Gideon escuchó débilmente la voz de Joe Givens gritando: "¡Gideon! ¡Gideon!" La oscuridad una vez más lo consumió.

Después de unos minutos, el detective recuperó gradualmente sus sentidos, sintiendo como si un fuego líquido se derramara por su garganta. Se incorporó bruscamente, jadeando por aire. "Qué demonios...!"

"¡Gideon, cálmate! Soy yo".

"Datos?"

"Sí".

Los recuerdos inundaron al detective. "Dónde está Kowalski? ¿Dónde está Thomas?"

"Está justo allí. Está bien". La preocupación de Gideon creció cuando miró a su derecha y vio a Kowalski sentado en una silla cercana, sonriendo como una zarigüeya. La ropa de Kowalski estaba rasgada, la sangre le corría por la cara y su brazo derecho estaba vendado y colgado. "Kowalski, estás...?"

"¡Bien! Estoy bien. Oiga, doctor, no se preocupe por mí. Cuide a Blair". Thomas permaneció inconsciente.

Gideon apretó la mano izquierda y se frotó los ojos para recuperar la orientación. Se dio cuenta de que ya no estaba en Chinatown. "Vincent. Vincent, se encuentra bien, señor?" La voz de Billy Bob resonó. El detective entonces se dio cuenta de que estaba en su propio salón en su casa.

Blair yacía inmóvil en un sofá cercano, tan rígida como un cadáver. "Billy Bob es Blair...?"

"Está inconsciente, señor".

El médico les indicó que llevaran al niño a la cama. Llévalo al dormitorio de abajo. Billy Bob, prepáralo para él. Givens y el médico se llevaron a Blair.

"Jonathan, ¿qué pasó después de que me desmayé?" Gideon levantó la mano y sintió un bulto del tamaño de una pelota de ping-pong en la parte superior de su cabeza. "Recuerdo haber escuchado a Givens, y luego todo se volvió negro".

"Lo siento, Vincent. Cuando escuché a la policía gritar, supongo que me desmayé", dijo con una sonrisa. "Cuando recuperé el conocimiento, la mayoría de esos chinos habían escapado, excepto unos pocos tirados en el suelo". Jonathan desvió la mirada y fijó los ojos en un cuadro colgado en la pared detrás de Gideon. "Me temo que el jefe también se escapó".

"Una cosa es segura, Jonathan. ¡Se acercó tanto a mi cara que lo miré fijamente a los ojos! Nunca los olvidaré". Gideon hizo una pausa por un momento. "Ese hijo de puta se escapó. ¡Maldita sea!"

"Sí, el bastardo escapó. Givens no sabía nada de él, Vincent. Una vez que me quité el mareo, le informé sobre el jefe de cabello blanco y la policía lo buscó, pero fue en vano. Le dije a Givens para llevarnos a tu casa. Espero que haya estado bien".

"Absolutamente." Gideon se reclinó con una sonrisa. "Qué tan mal está tu brazo?" Podía decir por la expresión de Jonathan que su brazo le estaba causando dolor.

"Oh, mi brazo está bien. Pero qué gran pelea acabamos de pasar. La mejor parte es que logramos encontrar y salvar a Blair de su muerte inminente".

"Efectivamente", respondió el detective. "Me gustaría escuchar su historia cuando sea más fuerte. ¿Por cierto, el jefe le disparó?"

"No. El chico está bien. Definitivamente no quería que lo lleváramos, eso es seguro". Jonathan hizo una pausa momentánea, frotándose suavemente el brazo herido. "Ese bastardo se detuvo a solo un pie frente a ti. Pensé que iba a apretar el gatillo en ese mismo momento. No puedo entender por qué no lo hizo. ¡Te reconoció! Me di cuenta por la forma en que te miró. ¿Lo has visto antes?

"Sin duda, me reconoció, Jonathan. Me vio la noche que lo perseguimos en el estudio de Klein. Cuando se acercó a mi cara, vio más allá del negro de humo que le había puesto. Intentó matarme, estoy seguro.

Jonathan se volvió cuando la puerta se abrió, revelando a Givens y al médico entrando en la habitación. "Qué dijo el doctor?"

El detective de la policía miró a Gideon mientras respondía a la pregunta de Jonathan. "Estará bien. Billy Bob es un empleado leal, Vincent. Está haciendo sopa para el muchacho. Blair no ha comido en días". Givens se acercó y se sentó junto a Gideon.

"Joe, tu llegada esta noche nos salvó la vida a todos".

"Sí, es bueno que estaba trabajando en el caso y estaba tarde en la jefatura de policía cuando Billy Bob nos llamó. Dejé todo, reuní a algunos hombres y me dirigí directamente a Chinatown".

"Te estamos eternamente agradecidos, Joe". Gideon extendió su mano, que Givens agarró con una sonrisa tímida. "Si no hubieras aparecido, me temo que Kowalski y yo estaríamos flotando boca abajo en el río".

Kowalski intervino: "Lo mismo, Joe. Gracias". El experimentado detective añadió su expresión de agradecimiento.

"Todo es parte del trabajo, muchachos. ¿Y bien, Doc?" El médico entró en la habitación.

"El niño estará bien una vez que tenga comida en la barriga. Billy Bob está con él ahora. Volveré más tarde hoy para ver cómo está". El doctor volvió su mirada hacia Gideon. "Y mi consejo para ti y Jonathan es que descanses un poco. Ambos lo necesitan".

"Lo haremos, Doc. Gracias", respondió Gideon.

Givens recogió su abrigo y se dirigió hacia la puerta. "Ustedes, muchachos, no son los únicos que necesitan dormir. Volveré más tarde hoy para escuchar la historia de ese niño también. No estoy seguro de cómo se relaciona con el asesinato, pero estoy seguro de que será interesante, decir El menos."

Los dos detectives asintieron con la cabeza. Subieron las escaleras, se despojaron de sus ropas rotas y se dieron un baño caliente. Billy Bob le entregó a Jonathan un par de pijamas y lo guió a su habitación para pasar la noche, instándolo a descansar.

La vista de la cama parecía increíblemente tentadora para Jonathan, ofreciendo un respiro para su cabeza palpitante.

CAPÍTULO DIECIOCHO
BLAIR THOMAS RESCATADO Y CUENTA TODO

Jonathan se despertó antes que Vincent y descubrió su ropa cuidadosamente doblada, entregada por Samuel en la mañana para que la usara al levantarse.

No mucho después, Gideon bajó las escaleras, despertado por el aroma del tocino chisporroteante. Ambos comenzaron a sentirse como ellos mismos de nuevo, aunque Kowalski aún se cuidaba del dolor en su brazo.

Exudando una energía inquieta, Gideon preguntó: "Billy Bob, ha estado aquí el médico esta mañana?".

"Sí, vino y se fue. El Doc dijo que regresará más tarde esta tarde. El señor Thomas todavía está dormido".

Todavía molesto por su fracaso en detener al asesino, Kowalski expresó: "Vincent, ojalá hubiéramos atrapado al jefe anoche". Dejó escapar un suspiro. "Tienes razón. Sin duda, él es el asesino".

"De hecho, amigo mío. Es una pena. Si lo hubiéramos atrapado, esta terrible experiencia habría terminado y Abby estaría libre".

Después del desayuno, los hombres se reunieron en el salón, cada uno cortando la punta de un cigarro habano. Kowalski se acomodó en una silla mientras Gideon caminaba hacia la ventana cercana, saboreando su humo. "Desearía que ese maldito doctor se diera prisa y regresara. Necesitamos escuchar la historia de ese chico. Creo que también puede decirnos dónde está Ava O'Neill".

"Tienes razón, Vincent. Tenemos que actuar con rapidez. Ese jefe es demasiado astuto, y ahora que lo hemos expuesto, no se quedará por mucho tiempo. Sabe que nos estamos acercando a él".

Finalmente, alrededor de las cinco de la tarde, el doctor y Joe Givens llegaron a la casa. El médico confirmó que sería seguro interrogar a Blair sin causar daño.

Billy Bob trajo una silla adicional a la habitación y los tres investigadores se sentaron junto a la cama. Antes de comenzar el interrogatorio, observaron a Blair recostado sobre almohadas, con las mejillas sonrojadas y sus profundos ojos azules brillando extrañamente hacia ellos.

El médico se paró detrás de ellos y aconsejó: "Creo que el niño podrá responder a sus preguntas, pero por favor sea breve. Todavía necesita un descanso muy necesario".

Blair miró al médico. "Antes de comenzar a responder sus preguntas", miró a Billy Bob, que acababa de traerle otro plato de sopa, "Necesito que usted, doctor, me responda una pregunta. ¿Estoy cuerdo?"

"Sí, está absolutamente cuerdo, como cualquier hombre", respondió el médico en voz baja.

Blair volvió su mirada hacia el detective Givens y dijo: "Por favor, recuerden eso, caballeros, cuando comiencen sus preguntas. Puede parecer que me he vuelto loco, pero les aseguro que no".

A pesar del entusiasmo de Gideon por comenzar el interrogatorio, se remitió al detective de la policía. Después de todo, sabía que seguía siendo el testigo clave en el caso de Abby.

"Blair, en lugar de que yo haga preguntas, cuenta tu historia de principio a fin. Interrumpiremos con preguntas a medida que avancemos. ¿Es eso aceptable?". Givens le habló con amabilidad, con cuidado de no molestarlo.

"Muy bien. Para empezar, necesito volver a la mañana del siete de octubre. Señor Gideon, tanto usted como el detective Givens estuvieron en la investigación. Afirmé que había discutido con mi tío Wolf sobre Abigail. No le estaba diciendo a la verdad. Nuestro argumento era en realidad sobre Ava O'Neill.

Gideon se sentó un poco más lejos de la cabecera de la cama y acercó su silla para escuchar mejor a Blair. Cuando mencionó a Ava O'Neill, Givens se acercó aún más.

"La conocí hace un año cuando se mudó a Portland para asistir a la universidad aquí. En julio nos comprometimos. Ahorré casi un año para comprarle un anillo de diamantes. Una vez que aceptó mi propuesta, la presenté como mi prometida, y fue entonces cuando mi tío se interesó mucho en ella. Prometió ayudarla con su matrícula, incluso la sacó algunas veces después de sus clases".

Givens preguntó: "¿Entonces, su tío comenzó a salir con la señorita O'Neill?"

—Bueno, sí, así lo percibí. Ava me acusó de celos, alegando que mi tío Wolf era un hombre viejo y casado.

"Muy bien, Blair, llévanos a la mañana del siete de octubre".

"Estaba saliendo de casa para ir a trabajar cuando mi tío me llamó a su estudio. Me mostró el anillo de diamantes que le había dado a Ava. Dijo que ella se lo había devuelto, cancelando nuestro compromiso y planeando verlo esa noche. Según para él, yo ya no era parte de su vida.

Naturalmente, la furia me envolvió. ¿Quién era él para dictar qué mujer podría estar en mi vida? Para colmo de males, agitó el anillo frente a mí. Estaba hirviendo de ira, y justo cuando estaba a punto de estrangularlo, llamó a Keizer al estudio".

"Entonces, ¿cómo te lo impidió eso? Habría estado lo suficientemente furioso como para vencerlos a ambos".

"Tal vez fueron ellos dos, o tal vez la pistola que guardaba en su cajón superior. No lo sé. En cuestión de segundos, me echó de la casa. En lugar de usar la puerta del estudio y el pasillo, yo Atravesé las puertas francesas hacia el jardín. Antes de salir corriendo, le advertí que volvería y que se arrepentiría".

Gideon intervino antes de que Givens pudiera hacer la siguiente pregunta, su impaciencia palpable. "Adónde fuiste después de salir de la casa de Klein?"

"Corrí al departamento de Ava y la acusé de ser una completa perra. Le dije que mataría al tío Wolf antes de que él pudiera tenerla. Cuando me fui, cerré la puerta tan fuerte que podría haber roto las bisagras. Luego, Corrí a la tienda de armas de Campbell y me compré una pistola", respondió Blair rápidamente, con el corazón acelerado.

Blair desvió la mirada de los detectives y se concentró en una gran pintura al óleo en la pared. Con voz temblorosa, continuó: "Más tarde esa noche, regresé y me escondí en el jardín oscuro. La ira me consumió, ahogando mis pensamientos e instándome a calmarme. ¡Agarré la pistola con fuerza, listo para derribar la puerta y dispara a ese hijo de puta!" Un leve temblor resonó en su voz, traicionando sus abrumadoras emociones.

"Tenía la intención de esperar a que llegara Ava, luego entrar y matarlos a ambos". Su voz se volvió severa, desprovista de simpatía.

Kowalski intervino, su voz endurecida, "Entonces, ella le disparó. ¿Es eso lo que estás diciendo, Blair?"

"No, señor. Ella se quedó allí, apuntándolo con el arma, y las luces se apagaron. Pensé que ya podría haberle disparado cuando di la vuelta al frente de la casa y regresé".

"¿Escuchaste algún sonido, como un disparo, Blair?" preguntó Givens, picada la curiosidad.

"No, señor. Estaba paralizado por el miedo. Me quedé allí, mirando a través de esa rendija debajo de las cortinas hacia la oscuridad. No podría decir con certeza cuánto tiempo estuve allí. Entonces, escuché pasos, y el miedo se apoderó de mí. Rápidamente me liberé del rosal y corrí lo más rápido posible hacia la puerta principal. No encontré a nadie en el camino. No me atreví a mirar hacia atrás. Lo siguiente que supe fue que estaba caminando por una calle bulliciosa en el ciudad."

Givens quería resolver algunos cabos sueltos. "Blair, te quedaste en las calles de la ciudad o regresaste a tu departamento?"

"Regresé a mi habitación en los apartamentos y sucumbí al puro agotamiento. Dormí hasta pasada la hora del almuerzo. Cuando el mayordomo me despertó, mi primer pensamiento fue para Ava. Sin pensar, corrí a su lugar. Pero ella no estaba allí. Roberta me dijo que se había ido desde la noche anterior.

"Cómo asististe a la investigación?"

"No asistí intencionalmente a la audiencia. Regresé a la casa de mi tío para ver si Ava había sido arrestada y encontré al forense Owens dirigiendo la investigación".

Gideon preguntó: "¿Todavía la amas, Blair?".

"Sí. Por eso, cuando entré en la investigación sabiendo que había matado a mi tío y no la vi allí, consideré protegerla negando cualquier conocimiento de ella. Después de dar mi testimonio, subí corriendo las escaleras, recogí algunas pertenencias, y me apresuré a regresar a la casa de Ava. Pero ella todavía no había regresado. Decepcionado, regresé a mi casa nuevamente, y fue entonces cuando encontré un mensaje esperándome en la recepción".

Givens preguntó: "Todavía tienes el mensaje contigo?".

"No, señor. Lo destruí después de leerlo. Pero nunca olvidaré las palabras escritas en la nota.

"Blair, querida mía. Maté a tu tío para salvar mi honor. Si me amas, por favor ayúdame a escapar. Me aterra ir a la silla eléctrica. Por favor, no puedo soportar la notoriedad de un juicio. Te presento Yo en la esquina de McCarty Avenue y Stockbridge Street. Te estaré esperando en un taxi. – Ava"

"No perdí el tiempo. Le dije al mayordomo que me iba de la ciudad por negocios. Paré un taxi y fui a McCarty Avenue y Stockbridge Street". Blair se acercó y tomó una pastilla para el dolor de la mesita de noche, luego respiró hondo y suspiró.

Kowalski dijo: "Te estaba esperando el taxi?"

"Sí, señor, lo era. Cuando llegué, se abrió una puerta y una mano se extendió, haciéndome señas para que subiera. Entré en el auto. Tan pronto como me senté, me presionaron un trapo contra la cara. Sabía era cloroformo o algo similar cuando todo comenzó a girar. Capté un olor a trementina. Recuerdo estirar la mano y agarrar un abrigo. Me debilité y todo se oscureció.

Cuando recuperé el conocimiento, me encontré tirado en la habitación donde me rescataste en el restaurante. No tengo muchos recuerdos de haber estado allí, excepto cuando alguien que quería información sobre el asesinato me despertó repetidamente a bofetadas ", dijo con voz entrecortada.

Givens preguntó: "Recuerdas alguna de las preguntas que te hicieron? ¿Qué querían de ti?".

"Lo siento, pero temí por la vida de Ava. Si les dijera que la vi matar a mi tío, temí que le pasara algo".

Blair se quedó dormido. Givens miró a Gideon y Kowalski, frotándose las sienes mientras pensaba profundamente.

"Si lo que dice este chico es cierto, ¿dónde encaja Abigail? Creo que lo que dice puede ser solo un sueño. Klein fue asesinado a las dos de la mañana".

Gideon respondió: "No estaba soñando con estar cautivo. Kowalski y yo podemos confirmarlo. En cuanto al resto de su historia, creo que es mayormente cierto". Gideon se volvió hacia Jonathan. "Qué piensas, mi amigo?"

Kowalski había estado observando al niño acostado en la cama cuando Gideon hizo la pregunta. Sin querer, no respondió. "Blair", llamó, cuando el niño abrió los ojos de nuevo, "eres lo suficientemente fuerte como para responder algunas preguntas más?"

"Sí, señor. Solo estaba descansando mis ojos".

"Puedes describir al hombre que te interrogó?"

"En realidad, nunca lo vi. La habitación siempre estaba muy oscura cuando me interrogaba. Sin embargo, una vez, cuando se inclinó sobre mí, agarré un puñado de cabello. ¡Tenía barba!"

Gideon asintió a sabiendas.

"El hombre no dejaba de preguntarme dónde estaba la noche en que mataron a mi tío. Insistió en que, si realmente apreciaba mi amor por Ava, debería decírselo. Dijo que la liberarían si cooperaba".

Después de beber agua, Blair continuó: "Había algo en cómo preguntó. Pensé que podría ser otra trampa, similar al incidente del taxi. Pensé que podría ser una estratagema para hacerme revelar información para que pudieran encarcelar a Ava". Por lo que sabía, podría haber sido la policía tratando de sacarme algo".

"No te preocupes, muchacho, ya tenemos al asesino encerrado tras las rejas".

Gideon estuvo a punto de intervenir, pero Kowalski se le adelantó. "¿Ah, de verdad?" replicó sarcásticamente. "Escucha lo que hemos descubierto, Joe". El aguerrido detective procedió a esbozar los principales hechos del caso.

Gideon asintió con la cabeza, revelando los detalles del caso. Era crucial mostrar que el asesino no era solo la mujer a la que habían encerrado, sino alguien completamente diferente.

Givens escuchó con asombro, al igual que Blair. Contaron la entrada secreta y el segundo disparo. Klein no fue asesinado por Ava O'Neill o Abby. Fue asesinado por el jefe con el que habían peleado en el restaurante Din Ho's en Chinatown.

Además, Wolfgang no fue asesinado a las dos de la mañana, sino a las dos menos veinte.

El jefe también tenía cautiva a Ava y había incriminado deliberadamente a Abigail por el asesinato.

Los ojos del detective Givens se abrieron con asombro. No conocía los hechos que Kowalski había revelado, lo que interrumpió la narrativa establecida.

Lo mismo ocurrió con Blair. "¿Entonces, Ava no mató a mi tío? ¡Gracias a Dios!" Abrumado, se derrumbó y se cubrió la cara con una almohada, incapaz de contener las lágrimas.

Gideon agregó: "No, Blair, Ava no mató a Wolfgang. Jonathan y yo haremos todo lo posible para encontrarla por ti. Confía en nosotros". Su voz se suavizó, perdiendo su tono acerado.

CAPÍTULO DIECINUEVE
LA BÚSQUEDA DE AVA O'NEILL

Llegó el doctor, su tiempo perfecto. Los tres detectives salieron del dormitorio y bajaron al salón de Gideon. Vincent se sentó en su escritorio, abrió una caja de tabaco de caoba y ofreció a los otros dos detectives habanos enrollados.

Una vez que todos encendieron sus cigarros, Gideon se acercó a las estanterías, con el ceño fruncido en profunda reflexión. Kowalski y Givens le dieron algo de espacio, reconociendo su reputación como el segundo detective más famoso del mundo, solo superado por uno del que no se había sabido nada en seis años.

Givens dijo: "Vincent, puedes darnos a dos viejos detectives algunos detalles más? Parece que me he equivocado en todo. ¿Quién es este jefe del que nos habló Jonathan? ¿Hay algo más que quieras agregar?".

Gideon quería que Abby fuera liberada de la cárcel y no vio ningún daño en proporcionar información adicional ya que su amigo ya había revelado los puntos cruciales. Le explicó a Givens cómo descubrieron la puerta de la caja fuerte del armario secreto a otra habitación, las bolsitas bordadas en oro y azul y sus entrevistas con Adolph Keiser, Loueva Johnson e Ian MacDonald. También mencionó haber encontrado el anillo de Ludwig y el hecho de que todavía estaba vivo.

"Para responder a su pregunta, detective Givens, no puedo decir quién es el jefe porque no lo sé. Pero tengo una buena idea de que definitivamente estaba disfrazado cuando lo vimos. Observé su forma de caminar. Cuando él entró en la habitación, estaba encorvado, fingiendo vejez con una cojera. Sin embargo, cuando se apresuró a apagar la luz, no había signos de vejez. Fue entonces cuando me di cuenta de que era un maestro de la transformación".

"Maldita sea, Vincent, tienes razón", exclamó Givens, golpeando su puño en la palma de su mano. "Por favor, descríbemelo".

"Tenía un rostro arrugado que asomaba por debajo del ala de un sombrero gris oscuro, que era lo único que cubría su cuero cabelludo, que de otro modo sería calvo y moteado, a excepción de una franja escasa de cabello blanco. Sus ojos estaban fuertemente tapados y cargados con pliegues arrugados, casi como si estuviera dormido. Tenía una larga barba de color blanco plateado y usaba anteojos con montura de alambre dorado ".

"Eso suena como un disfraz completo para mí", declaró el detective con convicción. "¡Ese es nuestro hombre!"

"Esa es la única parte en la que no estoy de acuerdo, Vincent. Soy un anciano y creo que nuestro jefe es un anciano", dijo Kowalski.

Givens miró a Gideon ya Kowalski. "Ustedes dos han hecho un progreso considerable en este caso. Pero realmente necesitan que mis muchachos regresen al cuartel general para seguir su rastro. ¡Pronto lo tendremos donde pertenece el hijo de puta!"

Gideon permaneció tenso. "Joe, no sé si hemos hecho tanto progreso. Hemos reducido a nuestros sospechosos al encontrar a Blair, pero no hemos pasado más de cuatro días. Cada vez que descubrimos un hecho nuevo, no tiene fundamento. Pensamos que lo habíamos descubierto cuando Blair creyó que vio el asesinato, pero estaba oscuro y no escuchó un disparo. No puede jurar que vio cómo le disparaban a su tío. Sin esa prueba, Abby tiene que quedarse. en la cárcel."

"Vincent, tú y mi viejo amigo Kowalski deberían ayudarme a descubrir la identidad del asesino", declaró Givens.

Gideon reflexionó en silencio. ¿Cómo? ¿Creía Givens que podía triunfar en este desafiante caso? Antes de que Kowalski redirigiese su atención, le entregó a Gideon una lista de preguntas, afirmando que encontrar respuestas a esas preguntas revelaría el nombre del asesino. Ya deberían haber llegado a ese punto.

Era como si Kowalski pudiera leer la mente de Gideon. "Vincent, todavía tienes la lista de preguntas que te di cuando comenzamos este caso juntos?"

Antes de responder, Gideon metió la mano en su bolsillo trasero y sacó las cuatro hojas de papel que contenían las preguntas que Kowalski le había dado.

"Bien. Veo que todavía tienes los papeles contigo. Abre la lista y revisémoslos con Givens aquí".

"Muy bien", estuvo de acuerdo el famoso detective, exhalando audiblemente. Le entregó la lista al detective de la policía, quien haría las preguntas.

"La primera pregunta, ¿'Por qué se disparó la pistola a las dos de la mañana del siete de octubre?'", Inquirió el detective Givens.

"Para implicar a Abby", respondió Vincent con un significativo levantamiento de cejas.

"El asesino también encendió la lámpara?" preguntó Givens mientras escribía cuidadosamente la respuesta, mientras que Vincent no dudó en responder.

"Sí. Encendió la lámpara con un interruptor dentro de la caja fuerte del armario".

"Cómo entró y salió del estudio?"

"Entró al estudio a través de las puertas francesas y salió por la entrada secreta en la caja fuerte del armario".

"Incorrecto", intervino Kowalski. "Entró en la habitación desde el pasillo a través de la puerta".

Givens continuó escribiendo y Gideon simplemente se recostó, permitiendo que Kowalski expresara su punto de vista.

"Está bien, señores. Vincent, la cuarta pregunta: 'Cuál fue el motivo del asesinato?'"

"No puedo responder a eso todavía, Joe", admitió Vincent nerviosamente, humedeciendo sus labios secos. "Me parece que la respuesta a esa pregunta depende de quién cometió realmente el asesinato. Necesitamos localizar al asesino para descubrir el motivo".

"Está bien, no escribiré nada para esa pregunta todavía. ¿Ahora, por qué los médicos no estuvieron de acuerdo con la causa de su muerte? ¿Cuál fue la correcta?" Givens se rió entre dientes. "El médico joven parecía superado por el médico mayor".

Una vez más, fue el turno de Kowalski de responder. "¡Tendría que decir que ambos no estaban de acuerdo porque Dylan Dreyfus era un viejo pomposo! Sin embargo, el doctor Dreyfus tenía razón cuando dijo que mataron a Klein a las dos menos veinte".

"Por qué Wolfgang Klein se puso ese anillo en el dedo y se lo volvió a quitar?"

Kowalski continuó respondiendo, diciendo: "Podría haberlo tenido en la mano, se lo puso y luego luchó por quitárselo".

"En realidad", respondió Givens, "creo que se lastimó el dedo con el anillo que Blair Thomas le había dado a Ava O'Neill. Se lo puso apresuradamente, luego se lo quitó y se lo arrojó a Blair. Estaba apretado en su dedo meñique. "

"Entonces, ¿dónde está el diamante insertado?" preguntó Givens.

Ambos detectives se encogieron de hombros. Ninguno tenía una respuesta para el detective de la policía.

"No importa. Continuemos. ¿A quién pertenecía el pañuelo manchado de sangre?"

"Uno fácil. Pertenecía a Ava O'Neill debido a la fragancia Rose Petal Essence que lo cubría".

"Esto es bueno, caballeros. ¿Ahora, a dónde fue la segunda bala?"

"Lo siento, Joe, no tengo idea de dónde fue el tiro", respondió Gideon mientras Kowalski miraba por la ventana.

"¿Está bien, ya que conozco a mi viejo amigo allí", Givens miró la espalda de Kowalski mientras continuaba mirando por la ventana, "Jonathan examinó minuciosamente toda la habitación con su lupa?" Givens sabía que Kowalski siempre llevaba su lupa de confianza en el bolsillo de su abrigo.

"Sí, lo hizo. No se encuentra por ningún lado".

"Está bien, revisaremos esa pregunta. Ahora, ¿quién es esta Ava O'Neill?"

"Es la prometida de Blair Thomas. Según Jonathan, es una belleza", sonrió Gideon en dirección a su amigo.

"El asesino está enamorado de esta chica. Ella no es quien disparó".

Givens comenzó a sentirse confundido una vez más. "Si el asesino la ama, ¿cómo sabemos si solo la estaba usando? Incluso Blair dijo antes que creía que ella había matado a su tío".

Gideon agregó profundidad a la conversación. "Ava no le habría disparado a un hombre que encontró muerto cuando entró al estudio. No llegó hasta cerca de las dos, no veinte minutos para las dos".

"Está bien, ¿qué pasó con los valores de Klein?" Givens escribió algunas notas con su estilográfica mientras miraba el papel.

"Ian MacDonald dijo que Klein perdió su fortuna en el mercado", respondió Gideon.

"Por qué Ludwig Hoffman fue a Black Rock Cove y luego regresó a Portland y se suicidó?"

"Fue a The Cove a pedido de Wolfgang. Esto no es un rumor; es un hecho. Y sabemos que no se suicidó. Trató de hacer que pareciera de esa manera".

"Cuál es la conexión real de Ian MacDonald con Klein? Quiero decir, ¿cuál es su verdadera relación con él?".

"MacDonald es solo un amigo de Klein ya que no es abogado. Klein confió en su consejo".

"Vaya, eso no está bien. El hombre actuó como abogado en la investigación".

"Sí y no. Cuando hablamos con él, nos dijo que nunca vio a Abigail ese día y que no le dio ningún consejo. Podemos ocuparnos de él más tarde; no tenemos tiempo para él en este momento". La mandíbula de Gideon se apretó, sus ojos ligeramente entrecerrados.

Joe Givens cerró las cuatro hojas de papel y miró a los dos detectives. Estaba emparejando ingenio con dos de los mejores en el negocio. Gideon no perdió más tiempo. "Entonces, Joe, ¿te importaría decirnos quién cometió el asesinato de Klein?"

Givens sonrió. "Diablos, si lo sé. Pero no hemos respondido a todas las preguntas. Todavía está la cuestión del motivo y el paradero de la segunda bala". Miró a Kowalski. Comenzaré a rastrear la pistola que disparó el segundo tiro.

Kowalski regresó y se sentó con Gideon y Givens. Se estaba riendo de lo que acababa de decir el detective de la policía, con una expresión de satisfacción en sus ojos. "No me molestaría en tratar de encontrar la pistola. ¡Sé dónde está!"

"Sabes dónde está el arma, Kowalski, y no la has sacado", respondió Givens, cruzando los brazos.

"Maldita sea, Joe, ¿cómo podría?" Había un borde frío de ironía en su voz. "Tienes la maldita cosa encerrada en la jefatura de policía. El arma ha estado allí desde el primer día de este caso", dijo Kowalski, con ojos brillantes.

"Equivocado", intervino Gideon. "No, detective, no se equivoca".

Sólo tengo como prueba el revólver de Klein.

"Exactamente. Ese es el que se refiere Jonathan".

"Solo hay un disparo de esa pistola".

"Maldita sea, Givens, ¿quieres que te lo deletreemos?" Kowalski dijo con un aire de confianza en sí mismo. "Se disparó el tiro y se limpió el arma. Todas las recámaras se cargaron con balas sin disparar".

"Qué pasa con la segunda bala? ¿También está en el cuartel general?"

Fue el turno de Gideon de reír. Su voz cortó la conversación como un cuchillo afilado. "¡No hubo una segunda bala!"

"Ninguna segunda bala? ¿Qué diablos estás diciendo?"

"No." Su palabra flotaba en el aire como un águila volando con el viento. "No hubo una segunda bala porque el sicario se tomó la molestia de sacarla antes de disparar el cartucho a las dos de la mañana".

Givens se levantó y se despidió, necesitando regresar a la sede. Kowalski se negó a escuchar e invitó al detective a cenar con ellos.

"Sí", agregó Gideon, "únete a nosotros para tomar un bocado. Tal vez podamos discutir otro asunto urgente. ¿Dónde está Ava O'Neill?"

"Tienes razón, Vincent. ¿Dónde está ella, considerando que tenemos que buscar en toda la ciudad de Portland?"

Los tres detectives abandonaron el salón y entraron en el comedor. Gideon no había recibido invitados en la habitación desde que la había reformado por completo en previsión de su matrimonio con Abigail.

Mientras caminaban por el pasillo, el rosbif y otras fragancias de alimentos flotaban en el aire. Entraron en un exquisito comedor con paredes cubiertas de papel dorado brillante. Un gran candelabro colgaba del techo sobre la mesa de comedor de mezquite tallado. Un diseño celta tejido en azul y dorado adornaba el corredor en el centro de la mesa. Lo único que faltaba pero que pronto llegaría, era la comida.

Después de disfrutar de su comida, los hombres regresaron al salón para fumar un cigarro más después de la cena. Todos estaban llenos y dijeron muy poco mientras cada uno lanzaba anillos de humo al aire. Luego, de la nada, Gideon gritó: "¡Está bien, lo tengo! Sé dónde están cautivas Ava. Está en Whitcomb Drive".

Kowalski preguntó: "Me perdí algo, Vincent. ¿Cómo se te ocurrió eso?".

"Blair pensó que escuchó pasos en la acera y asumió que era Ava saliendo de la propiedad. Mencionó que no había nadie a la vista cuando llegó a la puerta principal. Si Ava hubiera salido de la casa, Blair la habría visto caminando por la calle. La única otra posibilidad es que se haya tirado por el borde del acantilado y saltado al río".

Givens objetó: "Tal vez solo se escondió en la propiedad y esperó a que Blair se fuera primero".

"La niña no sabía que Blair iba a estar allí y no tenía motivos para esconderse", afirmó Gideon con confianza. "No, estoy seguro de que todavía está en la casa de Klein. Es el lugar más fácil para esconderla. Seguro y protegido. Aparentemente, no hemos encontrado todas las habitaciones secretas. Si hubiera una o dos, podría haberlas fácilmente". tres o cuatro. Es una casa grande. ¡Vamos! Créanme, caballeros, ¡la liberaremos en una hora! El detective destilaba certeza.

"Usted y Kowalski quieren viajar conmigo?" preguntó Givens.

"Gracias, Joe, pero Kowalski y yo tomaremos mi auto. Te encontraremos allí en veinte minutos".

Kowalski y Gideon se subieron al auto, ansiosos por llegar a la propiedad de Klein. Condujeron hasta las afueras de la ciudad, donde Whitcomb Drive terminaba sin salida en el río Portland. El detective mayor se inclinó hacia adelante en el asiento delantero, mirando por el parabrisas hacia la oscuridad de la noche.

Estrellas de lentejuelas plateadas titilaban arriba como ascuas de un fuego agonizante, lanzando su resplandor sobre los dos detectives a medida que se acercaban a resolver el caso. Las estrellas iluminaron la cortina púrpura del cielo, cada una con su forma, tamaño y nivel de brillo únicos.

Al llegar a la finca, miraron hacia el río y notaron cientos de diminutas luces de embarcaciones en el puerto deportivo que se reflejaban en el agua, enzarzadas en una amistosa rivalidad.

Gideon y Kowalski no perdieron el tiempo observando las naves o las luces de las estrellas. Corrieron para llegar a la propiedad y encontrar a Ava O'Neill.

Apenas habían abierto y cerrado las puertas del Ford cuando Givens se detuvo, se detuvo y salió de su auto.

"Vamos al ala trasera. Theo estará allí. Debo hacerle una pregunta antes de entrar a la casa principal".

No pasó mucho tiempo antes de que Theodore respondiera a un golpe en las habitaciones de los sirvientes. "Hola, Theo. Estamos aquí para registrar la casa de nuevo. ¿Has estado en la casa principal desde que mataron a Wolfgang?"

"Sí, señor. Entro todos los días para abrir las ventanas y mantenerlas ventiladas, pensando que la señorita Abigail regresará en cualquier momento".

"Escuchaste algún sonido extraño mientras estabas en la casa?"

Theo miró a Gideon como si hubiera perdido la cabeza. "No, señor. Nadie ha estado en la casa excepto usted y el señor Kowalski esa vez".

"Hay un ático en la casa principal?"

"Sí, señor. Está polvoriento, y nadie ha estado allí en años".

El coraje y la determinación de Gideon eran como una roca dentro de él. "Theodore, haz un poco de sopa caliente. Te avisaré cuando la necesite".

Theo no cuestionó la petición del detective. "Sí, señor."

El detective Givens estaba perplejo. "Por qué le pides a Theodore que caliente un poco de sopa? ¿Si la encontramos, crees que la pobre niña también se está muriendo de hambre?" Caminaron por el pasillo en el corredor de las dependencias de los sirvientes a la casa principal.

"Givens, crees que nuestro asesino es un alma bondadosa que trata a su prisionero con guantes de seda? A pesar de las garantías de Theo, registraremos toda la casa de arriba a abajo".

Subieron la escalera hasta el segundo piso. Gideon asignó las habitaciones traseras a Givens y las delanteras a Kowalski. Continuó subiendo la escalera y buscó en el tercer piso, incluido el ático.

Fue en el segundo piso donde estaban los dormitorios de Wolfgang y Abigail.

Kowalski, después de una extensa búsqueda, se reunió de nuevo en la escalera. "Joe, no tuve suerte. No esperaba encontrarla tirada por ahí, o que Butler la hubiera encontrado. A menos, por supuesto, que estuviera mintiendo descaradamente".

"Tienes razón, Jonathan. Estoy de acuerdo. Creo que esto es solo una búsqueda inútil de Gideon".

Antes de que Kowalski pudiera responderle al detective de la policía, Gideon gritó escaleras abajo. "Persecución de gansos? ¿Podrían ustedes dos hablar más bajo?" Susurró: "Podía oírte claro como el agua. Si el asesino está aquí, seguramente lo asustaremos".

En voz baja, Givens respondió mientras subía las escaleras: "¡No hay forma de que el asesino tenga el valor de venir aquí!". exclamó Givens.

"He buscado en todo el ático. No hay una habitación secreta ahí arriba. Pero estoy seguro de que ella está en la casa. Tenemos que seguir buscando. No volvería a la casa por nada menos importante".

"Vincent, recuerdas cuando estábamos en la habitación secreta detrás de la caja fuerte del armario? Pensamos que podría haber otra habitación. ¿Recuerdas haber escuchado pasos en la escalera? Abrí la puerta y encendí mi linterna, pero no vimos nada. Ambos estábamos Seguro que escuchamos algo".

"Maldita sea, Jonathan, tienes razón. No puedo creer que se me haya olvidado. El asesino estaba allí esa noche, y se escondió de nosotros escapando a una segunda habitación de esas escaleras". Corrió hacia la puerta y bajó las escaleras. "Vamos, muchachos, les apuesto un dólar a una dona, ahí es donde la tiene escondida".

Los hombres llegaron al primer piso. Gideon se volvió hacia Givens. "Debemos caminar despacio y en silencio. No hables. Joe, ten tu arma lista, por si acaso".

Abrieron la puerta del estudio. La habitación estaba envuelta en completa oscuridad. Gideon y Kowalski encendieron sus linternas. Una vez que llegaron a la caja fuerte, Gideon marcó la combinación de seis dígitos, GIDEON, y la abrió.

Los hombres se agacharon y atravesaron la puerta batiente hacia la escalera oculta. Gedeón se detuvo. "Givens, Kowalski, quédense aquí. ¡No duden en disparar si alguien entra por la puerta del armario!"

Gideon descendió la escalera, barriendo con su linterna las paredes de ambos lados. No pasó mucho tiempo antes de que susurrara en voz alta a los otros dos hombres: "¡Aquí abajo! Vengan aquí abajo. ¡Lo encontré!"

Cuando los hombres llegaron al final de la escalera, Gideon se acercó a una vieja lámpara de gas en la pared que ya no funcionaba y la giró en el sentido de las agujas del reloj. Una sección de la pared desapareció de la vista y las linternas iluminaron otra habitación interior.

Gedeón no dudó. Entró en la cámara oscura y gritó: "¡Señorita O'Neill! ¿Está usted ahí?". Se congeló en sus pasos y miró a los otros dos detectives. Quédate aquí. Bloquea esta abertura. Miraré alrededor.

Givens le dijo en voz baja a Kowalski: "Maldita sea, huele a tumba o algo así. No me gusta esto, Kowalski".

"Yo tampoco. El asesino podría haber apagado la luz y está esperando a Vincent ya nosotros".

Gedeón regresó. "Está vacío, pero encontré una trampilla en el techo que conduce al segundo piso".

"Registré esa parte de la casa cuando estaba en el segundo piso. Esa trampilla de la que hablas lleva al dormitorio de Wolf".

"¿Hay alguna ventana en este lado?"

"No."

"Ah, nos estamos acercando, caballeros. Hay una habitación encima de la caja fuerte del armario. Hemos estado buscando debajo todo este tiempo. Volvamos al segundo piso. Realmente espero que no sea demasiado tarde".

Gideon fue el último en salir de la caja fuerte del armario e hizo girar la cerradura de combinación antes de cerrarla. Salieron del estudio y bajaron por el pasillo hasta el hueco de la escalera, luego subieron un tramo de escaleras hasta el segundo piso.

Givens susurró preocupado: "No entiendo nada de esto. ¿Por qué construir una casa con todas estas habitaciones ocultas?".

Gideon rió suavemente. "Supongo que es una forma conveniente de deshacerse de los enemigos. Nuestro asesino debe haber tropezado con la habitación de abajo cuando abrió la puerta exterior. Desde allí, fue bastante fácil descubrir la habitación de arriba".

Los hombres regresaron a la segunda habitación secreta y examinaron cada rincón y grieta de las paredes usando sus linternas, buscando cada centímetro cuadrado.

Fue Givens quien finalmente tropezó con un mecanismo de resorte. Presionó un panel roto de seis pulgadas en el pie de cama con el pie y, en silencio, un panel se deslizó hacia atrás.

Los tres hombres dirigieron sus linternas hacia la habitación cuando el panel de la pared reveló una vista que nunca olvidarían. El brillo combinado de sus linternas bañó la habitación con una luz suave.

Se quedaron paralizados, hechizados por la visión de una mujer joven con el pelo largo y rojo cayendo en cascada sobre sus hombros. Sostuvo el cañón del revólver dorado contra su pecho, con los ojos fijos en el techo.

Gideon y Givens se quedaron sin aliento, sus sentidos abrumados. Pero antes de que pudiera apretar el gatillo, Jonathan se abalanzó sobre ella y tiró el arma a un lado.

¡Bam!

La mujer cayó en los brazos de Jonathan, inconsciente pero no muerta.

Gideon corrió y le quitó a la niña a Jonathan, la llevó a la habitación de Klein y la acostó en la cama. "Vuelvo enseguida". Corrió a la cocina y le pidió a Theo que subiera la sopa al dormitorio de Klein.

Cuando el mayordomo y Gideon regresaron, Ava estaba sentada en la cama. Theo le entregó una bandeja con la sopa y ella comenzó a consumirla a toda prisa. Theo rápidamente preparó otro tazón y se lo acercó.

Kowalski se apoyó en la cama, con el codo apoyado en el borde, cautivado por la belleza de la mujer. Aunque claramente había sufrido, su rostro todavía estaba increíblemente pálido. El acento sureño en su voz cautivó al detective mayor, dejándolo incapaz de pronunciar una palabra.

Ava O'Neill, con la inquietante cualidad de una belleza sureña, comenzó a contar su extraordinaria historia, una historia tan increíble que a los detectives les pareció ficción.

CAPÍTULO VEINTE
AVA O'NEILL CUENTA SU HISTORIA

"**C**recí en un lugar que veneraba el honor como** un rasgo apreciado y protegido. Dejando atrás Nueva Orleans, me embarqué en un viaje a Portland para asistir a la Universidad de Oregón, en busca de conocimiento y un nuevo comienzo", recordó Ava.

A medida que se desarrollaba la historia de Ava, Kowalski no pudo evitar sentirse cautivado por su presencia. Sabía que su encanto irresistible sin duda llamaría la atención, tanto de jóvenes como de mayores. No era que tuviera la intención de hacerlo, pero no pudo evitar escuchar atentamente sus palabras.

"Cuando llegué por primera vez, hice caso del consejo de mi tía y mantuve la guardia alta. Al principio no recibí visitas, pero hice amistades cuando comencé a asistir a la universidad. Sin embargo, no pude deshacerme de una persistente sensación de soledad durante esos primeros meses", confesó Ava.

Su voz llenó la habitación mientras los tres detectives acercaban sillas de madera, obsesionados con la cautivadora mujer que compartía su historia. Incluso Theo estaba en un rincón cerca de la puerta, intrigado por cada palabra que escuchaba.

"Los dos jóvenes que conocí provenían de familias respetables y comencé a salir con ambos. Después de tres meses, el mayor me propuso matrimonio. Era una compañía agradable, pero no pude encontrar ningún amor por él y le expresé mis sentimientos. honestamente", reveló Ava.

Con la mirada fija en la pared adornada con un gran cuadro de los abuelos de Wolfgang, Gideon supo con precisión a quién se refería. Era el hermano de Abby, Ludwig Hoffmann. Ava era quien le había obsequiado con la bolsita azul y dorada. No fue su culpa; su belleza natural la había convertido en un blanco fácil para las manipulaciones de Klein.

"Hace tres meses, me comprometí con Blair Thomas. Él me presentó a su tío, Wolfgang Klein, quien se había casado recientemente con la hermana de Ludwig, Abigail", relató Ava. "El señor Klein mostró interés en mí, pero yo era ingenuo, pensando que solo quería ayudarme con mi matrícula universitaria. La forma en que me miró no parecía diferente de cómo me habían mirado otros hombres. Me había acostumbrado a llamar la atención. y no le di mucha importancia".

"A Blair lo consumieron los celos, tal vez debido a los diamantes engastados en aretes de oro blanco que el señor Klein me había regalado. No estoy seguro, pero su ira aumentó. No creía que estuviera haciendo nada malo y se lo expresé a Sus sentimientos fueron desconsiderados ", confesó Ava, su voz teñida con un toque de tristeza.

Gideon intervino con una determinación tranquila pero desesperada: "Ava, dinos cuándo comenzaron los problemas".

"El 6 de octubre, accidentalmente rompí el engaste de mi anillo de compromiso cuando se enganchó en la esquina de la puerta mosquitera cuando entré a mi apartamento. Estaba aterrorizada de que Blair descubriera mi descuido", explicó Ava, con una pizca de miedo aún persistente.

"Más tarde ese día, el señor Klein notó que no estaba usando el anillo y preguntó por su paradero. Le conté lo que había sucedido y amablemente se ofreció a llevarlo al joyero para que lo reparara", Ava hizo una pausa en su historia por un momento, tomando una mirada. unas cucharadas más de sopa.

Sus palabras descendieron sobre la habitación como una lluvia suave, agregando profundidad a la conversación. "Encontré su oferta increíblemente considerada y le confié mi anillo para las reparaciones necesarias".

"A la mañana siguiente, Blair llegó a mi departamento, hirviendo de ira, sus dientes apretados y sus ojos llameantes eran un testimonio de su furia. Me maldijo y me acusó de tener una aventura con su tío", relató Ava, con la voz llena de miedo. y tristeza

"Él te lastimó físicamente?" preguntó Kowalski, la preocupación grabada en su rostro.

"Oh, no, Blair nunca haría eso. Aunque estaba consumido por la ira, juró matar al señor Klein ese día y salió furioso. Estaba asustada", respondió Ava, recordando la intensidad del momento.

Sin perder tiempo, Ava continuó: "Una vez que me di cuenta de que el tío de Blair me había estado manipulando contra él, decidí defender mi honor y limpiar mi nombre. Inmediatamente llamé al señor Klein y le pregunté por el anillo reparado. Él aún no lo había hecho". Lo llevé al joyero. Insistí en recuperarlo y rechacé su invitación a cenar, alegando un compromiso anterior, pero expresando mi deseo de recoger el anillo".

"Me dijo que solo podía visitarlo a altas horas de la noche cuando él estaría en casa. El momento no importaba; simplemente quería que me devolvieran el anillo. Preocupado por despertar a su esposa u otros residentes, me informó sobre una entrada alternativa cerca de los jardines, cerca de las puertas francesas de su estudio. El señor Klein me aseguró que todas las puertas estarían abiertas ", relató Ava, con determinación evidente en su voz.

La sala permaneció en silencio mientras la historia de Ava revelaba lentamente la verdad, acercando a los detectives a la solución del caso.

Ava continuó: "Sabía que Blair tenía la intención de matar al señor Klein, y no podía permitir que eso sucediera, ya que él había malinterpretado mis intenciones y me culpé por su deseo de hacerle daño. Decidí dispararle al señor Klein y luego convertir el arma contra mí mismo, ya que Blair había perdido su amor por mí. No quería que nadie más asumiera la culpa de mis acciones, así que escribí una nota, la doblé y la guardé en mi bolsillo".

"Poco antes de la medianoche, salí de mi apartamento, informando a mi casera, que estaba despierta escuchando la radio, que me iba de viaje. Le indiqué que alegara ignorancia si alguien preguntaba por mi paradero. Llegué a la hora señalada. por Mister Klein. Ubicando la entrada del jardín, abrí la puerta y encontré un tramo de escaleras que conducían hacia arriba. Subí y empujé otra puerta", relató Ava, su voz llena de temor.

"Cuando la puerta se abrió, estaba en el estudio del señor Klein. Inspeccionando la habitación, lo vi en su silla, con la cabeza inclinada, aparentemente dormido. Me acerqué con anticipación temblorosa, mi corazón latía con furia. Sin embargo, noté que su pecho estaba empapado. en sangre antes de que pudiera apretar el gatillo. No había necesidad de que disparara, él ya estaba muerto. Blair se me había adelantado", reveló Ava, con una mezcla de conmoción y alivio en su voz.

Ava se alejó del cuerpo sin vida y entró a trompicones en la habitación a oscuras, derribando muebles y cayendo. Se dio cuenta de que había tomado la dirección equivocada cuando llegó a la puerta del pasillo. Ajustando sus ojos a la oscuridad, se dio la vuelta y se apresuró hacia la puerta secreta que conducía a los jardines. Pero cuando lo alcanzó, chocó con un hombre. Una bolsa de tela fue tirada con fuerza sobre su cabeza y sintió que la arrastraban por las escaleras. Cuando pensó que su final estaba cerca, la bolsa fue arrancada, revelando el rostro de Blair.

"Blair estaba allí contigo?" preguntó Kowalski, su voz llena de sorpresa.

"Sí. Me entregó un vaso de agua y me indicó que lo bebiera. Obedecí y me volví a dormir. Cuando me desperté, Blair no estaba. Me encontré en una habitación con solo un sofá y un puesto de fumar cercano. El La lámpara arrojaba una luz tenue que revelaba algo brillante en el suelo. Era el anillo de Ludwig", explicó Ava, con las mejillas pálidas sonrojadas al recordar el momento.

El detective Givens intervino: "Señorita O'Neill, disculpe la interrupción, pero ¿cómo supo que era el anillo de Ludwig?".

Un rubor de vergüenza coloreó las pálidas mejillas de Ava cuando respondió: "Cuando me lo propuso, se lo quitó y quiso dármelo. Lo estudié, retorciéndolo entre mis dedos, tratando de entender todo lo que había sucedido. Señor Klein estaba muerto, y me encontré cautivo. Y allí, en la habitación donde yacía, estaba el anillo de Ludwig".

Los detectives permanecieron en silencio, totalmente absortos en el relato de Ava. Su historia pareció desentrañar gradualmente la verdad y acercarlos a resolver el caso.

Mientras la somnolencia amenazaba con apoderarse de ella, los sentidos de Ava se despertaron cuando escuchó pasos que se acercaban. ¿La puerta se abrió y ella reunió la fuerza para hablar, "Ludwig?"

Una risita escapó de los labios de Blair cuando respondió: "No, no Ludwig, Ava. Es Blair". Sus brazos la envolvieron y Ava no podía creer lo que estaba pasando. ¿Por qué la había drogado Blair?

La confusión y la incredulidad la llenaron cuando le preguntó por qué estaba allí. Blair le informó sobre el asesinato de Mister Klein y cómo la policía sospechaba de su participación. Una ola de emociones contradictorias se apoderó de Ava, lo que la obligó a detener su narración.

"Le dije a Blair que no había matado al señor Klein", protestó, empujándolo. "Insistí en que su tío estaba muerto cuando entré en la habitación".

Blair la tranquilizó, reconociendo que sabía que ella no era responsable. Sin embargo, explicó que la policía tenía una creencia diferente. La había escondido en esa espantosa habitación y prometió ayudarla a escapar una vez que las autoridades se fueran.

Preparándose para partir, Blair le pidió que bebiera otro vaso de agua. Decidida a no volver a ser drogada, Ava le tiró el vaso de la mano. Su ira se encendió y estalló con furia. Él la llamó con un nombre despectivo, cubriendo apresuradamente su cabeza con un paño y casi asfixiándola hasta la muerte en ese mismo momento.

que levantaban su cuerpo y lo subían un tramo de escaleras, Ava sucumbió a la inconsciencia. Cuando recuperó la conciencia, se encontró tirada en un suelo de madera fría en una habitación vacía. No había sofá para mayor comodidad ni cama para dormir. La comprensión de que Blair la trataría de esa manera la dejó desconsolada.

Gideon, con la mirada fija en el cuadro de los abuelos de Wolfgang, tenía una expresión perturbada. Sumido en sus pensamientos, reflexionó sobre algo, pero permaneció en silencio, perdido en sus contemplaciones.

Ava continuó su narración, contando la segunda vez que Blair visitó su habitación cerrada. Mientras estaba allí, envuelto en la tenue iluminación de la cámara, ella le gritó repetidamente, preguntándole si temía que ella lo expusiera como el asesino de su tío.

Kowalski intervino: "Respondió? ¿Qué dijo?".

"Simplemente se quedó allí, lo cual fue increíblemente inusual", respondió Ava. "Intenté explicarle que su tío se había llevado mi anillo para repararlo y que no había nada entre nosotros. Insistí en que, si su tío había dicho lo contrario, entonces le estaba mintiendo a Blair".

Eventualmente, Blair habló y le preguntó si su tío había mentido acerca de que Ava viniera a verlo.

"¿Y cómo respondió usted, señorita O'Neill?" preguntó Givens.

Ava enterró su cara en sus manos por un momento. Levantó su rostro lleno de lágrimas y confesó: "Le dije que su tío mintió. No lo vi para huir juntos; vine a verlo porque planeaba matarlo y luego quitarme la vida. Llamé". él un maldito asesino ".

Ahora centrándose en Ava, Gideon le preguntó sobre el terror que experimentó en ese momento. Ella asintió, reconociendo el miedo que había sentido. "Sí, de hecho, fue aterrador. Pero dejó de avanzar hacia mí. Luego, comenzó a reírse. Me dijo que me dejaría consumirme en esa habitación, muriéndome de hambre. Cuando se fue, todo lo que pude hacer fue llorar. Pensé que no me quedaban más lágrimas, pero seguían corriendo por mis mejillas".

"Había una gran jarra de agua, y dudaba, no estaba segura de sí era droga o mortal. Mi sed me venció y bebí el agua. No tenía nada de malo", relató Ava, su voz mezclada con alivio y resignación.

Gideon empatizó con sus emociones enredadas, entendiendo su confusión y angustia. "Ava, perdóname por lo que puede parecer una pregunta tonta, pero aún amas a Blair Thomas?".

Después de un breve momento de silencio, Ava respondió: "Sí. En lugar de sentir puro odio hacia él, mi corazón está lleno de lástima. Todavía lo amo".

"¿Está bien, fue la última vez que lo viste?" preguntó Kowalski.

"No, señor. Regresó nuevamente esta noche, actuando aún peor que en sus visitas anteriores", compartió Ava. "Me informó que tenía un asunto de negocios que atender y necesitaba irse de la ciudad. Me dio un ultimátum: o me voy con él, o me obligará a elegir entre la vida y la muerte, una decisión terrible. No puedo Expresar lo aliviado que estaba cuando finalmente desapareció por la puerta".

Ava hizo una pausa, tomando algunos bocados más de la sopa de Theodore. "Pero Blair en realidad no se fue. Escuché que la puerta se abría una vez más, y él volvió a entrar. Se estiró al lado de la puerta y presionó un interruptor, revelando un enorme agujero en el piso. Amenazó con tirarme por el agujero si No me disparé a mí mismo. No le importó cómo morí, por la caída o el disparo en el pecho".

El detective Givens no pudo evitar preguntarse: "¿Entonces, por qué estabas a punto de pegarte un tiro cuando llegamos?".

"¡Nada en este mundo me hubiera convencido de ir con él, ese asesino! Era caer por ese agujero y sufrir una muerte espantosa por la larga caída o elegir morir por mi propia mano. Me negué a que fuera una experiencia gratificante". experiencia para él. Después de una hora de armarse de valor, ustedes, los detectives, entraron en la habitación y me rescataron", explicó Ava con un sentido de gratitud en su voz. Ella le sonrió a Kowalski, expresando su aprecio, las lágrimas corrían por sus mejillas nuevamente.

GIDEON SE ALEJÓ DE la cama de Ava, donde descansaba después de su terrible experiencia. Theodore regresó, recogió los platos y salió de la habitación. Gideon se acercó a las ventanas hasta el techo y miró los jardines. Algo lo preocupaba, pero se guardó sus pensamientos para sí mismo, dejando a los otros dos hombres perplejos e intercambiando miradas perplejas.

Vincent Gideon no pudo evitar preguntarse cómo era posible que Blair Thomas, a quien Kowalski y él acababan de rescatar en el restaurante Din Ho, también fuera la persona que había encarcelado a Ava O'Neill en la habitación secreta junto al estudio. El médico había confirmado que Blair estaba muy enferma y no parecía haber ninguna razón para que mintiera. Solo Givens conocía la identidad de Blair, ya que el jefe de detectives lo había traído para que lo ayudara.

Ava afirmó que Blair la había visitado poco antes de que la encontraran y la rescataran de la habitación secreta. Además, Blair no podía estar en dos lugares a la vez ya que actualmente estaba descansando en la casa de Gideon, recuperándose de su terrible experiencia en Chinatown.

Gideon sacó su libreta y tomó notas basadas en la historia de Ava. Kowalski rompió el silencio y se dirigió a Ava: "¿Mi querida niña, estás absolutamente segura de que no soñaste lo que acabas de decirnos?"

"¡Sueño! ¡Dios mío, le digo la verdad! No, señor, no me imaginaba nada de eso", respondió Ava, asombrada de que él dudara de sus palabras.

Gideon se dio la vuelta, deteniendo su escritura, queriendo escuchar lo que preguntaba Kowalski. "No me refería, señorita O'Neill, a su terrible experiencia o a cómo la trataron, sino a la participación de Blair en el horrible trato que sufrió y la amenaza a su vida. Debo decirle", dudó un momento, mirando a Gideon, quien asintió con la cabeza, "en el momento que mencionaste, Blair estaba prisionero en Chinatown en Din Ho's. Esta noche, está en la casa de Gideon, recuperándose de la terrible tortura que sufrió".

"Blair... ¡un prisionero! ¿Está en la casa del señor Gideon? Eso no puede ser", dijo Ava, con la voz llena de asombro.

Gideon se acercó a la cama para continuar donde lo había dejado Kowalski. "Ava, viste la cara del hombre? ¿Puedes jurar que era Blair?".

Después de una breve pausa, mientras Ava seguía cautivada por las palabras de Kowalski, respondió: "No. La habitación siempre estaba muy oscura y la luz era tenue. Cuando hablaba, podría jurar que era la voz de Blair", insistió.

Gedeón sonrió. "Las voces se pueden imitar fácilmente". Caminó hacia las ventanas, de espaldas a Ava, perdido en sus pensamientos. Se dio la vuelta y dijo: "El hombre no tuvo una conversación prolongada contigo. Se aseguró de que no tuvieras una vista clara de su rostro. Además, si él fuera Blair, no le habría importado lo mucho que vio su rostro".

Kowalski desarrolló un cariño por Ava debido a su belleza y porque tenía aproximadamente la misma edad que su hija menor. Puso su mano sobre su brazo y la tranquilizó: "Querida, quiero que estés segura de que Blair no tuvo nada que ver con tu trágico secuestro. De hecho, hizo todo lo posible para protegerte. Casi sacrificó su vida por ti". beneficio."

"Estoy tan contenta de escucharlo decir eso, señor Kowalski", dijo Ava, levantando la cara y mirándolo, con lágrimas en los ojos. "Todavía lo amo mucho. ¿Cuándo podré verlo?"

Gideon regresó e interrumpió: "Pronto. Debo pedirte que te quedes en esta cama un día más. Todavía no eres lo suficientemente fuerte para emprender un viaje. Theodore seguirá alimentándote".

"Puedo al menos llamarlo por teléfono?"

"La persona que asesinó a Wolfgang podría haber intervenido la línea telefónica para escuchar a escondidas. Ahora, Ava", Gideon hizo una pausa, mirándola mientras se limpiaba las lágrimas de sus ojos, "¿estás segura de que el hombre que te mantuvo cautiva dijo que regresaría mañana?"

"Sí. Dejó muy claro que quería mi respuesta cuando regresó. O tenía que ir con él, o no me dejaría con vida para que alguien más me encontrara", respondió Ava, estremeciéndose.

"Vincent, me quedaré con la señorita O'Neill esta noche en caso de que el asesino cambie de opinión y regrese esta noche".

"Muy bien, Jonathan. Regresaré para ver cómo está Blair. Y Joe, si pudieras reunirte aquí mañana a las nueve de la mañana, describiré nuestros planes para detener al asesino".

Gideon llegó a casa y Billy Bob lo ayudó con algunos mandados rápidos. Mientras tanto, Gideon visitó a Blair y lo encontró despierto y de mejor humor que antes.

El joven tenía curiosidad y le preguntó al detective sobre los eventos en la casa de su tío. Gideon compartió los últimos desarrollos, observando cuidadosamente las reacciones del niño. Se sintió agradecido de saber que Ava había sido rescatada.

El rostro del chico se oscureció cuando Vincent mencionó el disfraz y la suplantación del otro hombre. No podía imaginar quién podría ser.

Las piezas del rompecabezas estaban casi ensambladas, y si la intuición de Gideon resultaba correcta, otro caso se resolvería con una conclusión inesperada.

Gideon se retiró por la noche, sin tener ninguna duda de que Blair no estaba involucrado en el asesinato de su tío.

A las nueve en punto de la mañana siguiente, los tres detectives se reunieron en el comedor, donde Theodore les sirvió una abundante comida para comenzar el día. Discutieron los eventos del día anterior y los relatos que habían escuchado de Blair Thomas y Ava O'Neill.

Todos coincidieron en que Ava, en su estado de confusión, había confundido a Ludwig Hoffmann con Blair Thomas. Ambos hombres tenían altura y peso similares. Sin embargo, no pudieron entender por qué Ludwig había engañado a Ava a propósito. ¿Cuál pudo haber sido su motivo? A menos, por supuesto, que fuera su amor por ella.

Kowalski subió las escaleras para traer a Ava para que se uniera a los hombres. Ella había recuperado su fuerza. Gideon miró y comentó: "Bien, Jonathan. Debemos sacarla de la casa". Se volvió hacia Theodore, que se acercó a la mesa del comedor. "Theo, puedes acompañar a la señorita O'Neill a mi casa para ver a Blair?"

Después de que Ava salió de la casa, los tres detectives regresaron al salón. En el camino, se detuvieron en el estudio y discretamente tomaron tres habanos de la caja de tabaco de caoba de Wolfgang en su escritorio.

"Joe, quiero que traigas a algunos hombres a la casa esta noche. Usa la entrada trasera y, si aún no he llegado, espérame en el pasillo. Asegúrate de que Bulldog te acompañe. Enfatiza la importancia de su presencia para la trampa que estamos planeando."

"De verdad crees que podremos atraparlo, ¿Gideon?" preguntó Givens, recogiendo su sombrero.

"Sí. Sé cómo piensa este hombre. Vendrá a la casa esta noche, desprevenido. ¡No se imaginará que alguien estará allí para recibirlo como se merece!" La confianza que emanaba del Gran Vincent Gideon impresionó al detective de policía.

"¿Entonces ya sabes quién es el asesino, Vincent?"

"No estoy cien por ciento seguro. Pero tengo mis sospechas. No lo sabré con certeza hasta esta noche. Ven, Joe, vayamos al banco de Klein y veamos si los cuatrocientos cincuenta mil dólares todavía están allí".

Mientras Gideon y Givens conducían hacia el banco, contemplaron si MacDonald todavía estaba bajo sospecha. No podía haber sido él quien había mantenido cautiva a Ava. Su apariencia y tamaño no coincidían en absoluto con los de Blair. Pero había estado oscuro esa noche.

Al llegar al banco, Jacob Hoffmann los dirigió a Phillip Simms. Gideon preguntó: "Phil, sabes si MacDonald estuvo aquí hoy?".

"No, señor. Uno de los cajeros podría responder esa pregunta por usted".

"Olvídalo. El contenido de la caja de seguridad me dirá lo que necesito saber".

Acercándose a la caja, Simms insertó su llave y abrió la tapa. "¡Maldita sea! Tal como lo sospechaba, ¡la caja está vacía! Todo el dinero se ha ido", exclamó Gideon, asombrado.

El detective no estaba seguro de lo que estaba mirando, pero no tenía nada que ver con MacDonald. "Hace dos días, Kowalski y yo entrevistamos a MacDonald. Él no tenía planes de retirar el dinero de su banco. ¿Por qué de repente vació la caja?".

"Claramente, Vincent, él debe ser el autor intelectual detrás del asesinato de Wolfgang Klein. Desde entonces, con todo ese dinero que mencionaste, debe haber contratado a hombres para ayudarlo a secuestrar a Ava O'Neill y mantener cautiva a Blair en Din Ho's", dedujo Kowalski.

"Buen punto, Joe. Pero el asesino actuó solo cuando se trataba de Ava. Jugó un juego en solitario a lo largo de este caso, a excepción de Blair Thomas. Estoy de acuerdo contigo en el relato de Blair de que el asesino contrató a hombres para ayudar a retenerlo en Chinatown. "

Los detectives se apresuraron a regresar a la casa, donde se encontraron con Kowalski esperándolos. "Bueno, Vincent, ¿había dinero en la caja de MacDonald?"

"Nop. Completamente vacío".

"Tal vez se fue a ese viaje que mencionó el otro día cuando hablamos con él", sugirió cínicamente Kowalski, su tono indicaba que en realidad no lo creía.

"De hecho, un viaje que probablemente terminará antes de que comience. Su razón para huir debe ser porque mató a Wolfgang Klein". El detective mayor se echó a reír. "Es increíblemente astuto y sin escrúpulos. No me sorprendería que tuviera un par de asesinatos en su haber".

Gideon miró a Kowalski y murmuró: "Prueba con veintinueve".

"Qué dijiste, Vicente?"

"Oh, nada. Solo estaba pensando en voz alta. Una cosa que sí sé es que MacDonald no asesinó a Wolfgang Klein".

CAPÍTULO VEINTIUNO
LA ÚLTIMA PIEZA DEL ROMPECABEZAS

Gideon y Kowalski se embarcaron en un viaje para discutir el caso en privado y recuperar a Blair y Ava, llevándolas a la propiedad junto al río. El día había sido hermoso, con el sol hundiéndose en el cielo a medida que llegaba a su fin. A medida que se desvanecía la luz del día, descendía la oscuridad aterciopelada de la noche, acompañada por el canto rítmico de los grillos.

Vincent aparcó su Ford Treinta y cuatro a dos manzanas de distancia, cerca de la nítida sombra de un poste de luz, confundiéndose con la oscuridad de la acera. Esto aseguró que el asesino, al regresar a la finca de Klein esa noche, permanecería ajeno a su presencia.

Kowalski ayudó a Ava a cargar a Blair por los escalones traseros de la casa. Los dos amantes fueron esenciales para la identificación ya que ambos fueron víctimas de las acciones del asesino.

Gideon volvió a estacionar su auto una cuadra más lejos de la casa, asegurándose de que no se viera. Luego se dirigió al ala de los sirvientes, entrando en el pasillo que conducía a la casa principal. Al ver a tres de los hombres de Givens, les ordenó que se escondieran discretamente entre los arbustos de la finca, sin ser vistos. Además, si los detectives encendían la luz del estudio, los hombres debían moverse rápidamente hacia la entrada secreta.

Antes de entrar a la casa con Gideon, Givens se acercó a los hombres y les indicó que no dejaran escapar al asesino bajo ninguna circunstancia. ¡Si pasaba corriendo junto a ellos, tenían su permiso para disparar!

Los tres detectives, acompañados de Ava, Blair y Bulldog, entraron en la parte central de la casa. Cerca del estudio, al final del pasillo, se detuvieron frente a la pequeña oficina de Adolph Keiser. "Quiero que ustedes dos se queden en esta habitación hasta que los llame. Bajo ninguna circunstancia enciendan ninguna luz. Esperen hasta que Jonathan o yo vayamos a buscarlos. ¿Entendido?" instruyó Gedeón.

Blair respondió: "Sí, señor".

Los dos no necesitaban más estímulo. Gideon los vio intercambiar una mirada antes de entrar a la oficina. No pudo evitar envidiar su felicidad, encontrando consuelo en los brazos del otro, mientras estaba solo en el pasillo pensando en Abby, encerrada donde su toque cariñoso no podía alcanzarla.

Gideon avanzó por el pasillo y entró en el estudio. Todavía había un tenue brillo de la luz del día que se filtraba a través de las puertas francesas, lo que permitía discernir los contornos de los muebles.

Kowalski ya había reunido tres sillas cerca del escritorio de Klein, colocándolas lo suficientemente lejos de la caja fuerte del armario para permanecer ocultas cuando el asesino emergió a través del panel secreto. Se colocó otra silla contra la pared para Givens, quien se sentaría justo al lado de la puerta secreta de la caja fuerte.

Mientras Kowalski arreglaba las sillas, Gideon se acercó y bajó las persianas, dejando alrededor de un pie abierto en la parte inferior para permitir que se filtrara la luz del estudio. Esto serviría como una señal para que los tres policías que estaban afuera se dirigieran a la entrada secreta de la casa.

"Bueno, caballeros, creo que estamos preparados. No sabemos cuánto tardará en llegar nuestro invitado. Podría ser dentro de una hora o hasta la medianoche. Debemos permanecer extremadamente callados", declaró Gideon.

Givens respondió: "Vince, he estado vigilando durante días. Esto será pan comido. No hay problema".

"Debo recalcarles a todos", hizo una pausa Gideon, mirando a los hombres, "cualquier movimiento en falso, cualquier ruido fuerte, cualquier cosa mal, y podemos perder todas las ventajas que tenemos y el asesino también".

Givens se levantó, siguiendo el plan. Se acercó y se colocó contra la pared junto a la puerta de la caja fuerte, con las esposas de metal en la mano, listo para colocarlas en las muñecas del asesino tan pronto como emergiera por la puerta de la caja fuerte del armario.

Bulldog Dennison, Kowalski y Gideon ocuparon sus lugares designados en el escritorio.

Pasaron las horas, y Gideon miró a través de la habitación a Givens, notando que su barbilla descansaba sobre su pecho mientras dormía profundamente. No molestó a Gideon; parecía un perro guardián vigilante, listo para despertar al menor indicio de peligro.

Bulldog observó la mirada de Gideon hacia Givens y sonrió. Se recostó en su silla, intentando encontrar la paciencia necesaria para el silencio, esperando mientras el tiempo parecía detenerse. Después de todo, él era el fiscal del distrito, no un detective experimentado acostumbrado a las vigilancias.

Gideon permaneció inmóvil en su silla mientras Jonathan se sentaba a su lado, sabiendo ambos que Ludwig Hoffmann era el culpable del crimen. MacDonald pareció ser exonerado.

El detective mayor giró lentamente la cabeza de izquierda a derecha, luchando por comprender por qué Ludwig se pondría en peligro una vez más, a pesar de haber sido absuelto del crimen inicial por Derek Gunther. Quizás él y Gideon se equivocaron al creer el relato de Gunther. ¿Quién fue Gunther? No tenían ninguna prueba de que su historia fuera cierta. Tal vez le pagaron para engañarlos, desviando su atención del potencial de Ludwig para cometer otro crimen a pesar de ser inocente del primero.

Pasaron dos horas más mientras los hombres se sentaban en el cuarto oscuro, manteniendo el silencio solicitado por Gideon desde el principio.

Luego, sin más dilación, se encendió la lámpara del escritorio. Los hombres se sacudieron en sus sillas. De los cuatro, solo uno no había sido parte de una operación encubierta similar. Bulldog permaneció congelado, vencido por el miedo que corría por sus venas. Su tez palideció, sus ojos fijos en la puerta del armario como si estuviera comprando un par de zapatos. Dejó escapar un suspiro tenue, sin apartar la atención de la puerta.

Givens se sentó en el borde de su silla, con un nudo de tensión en el estómago. Su pulso reverberaba en sus oídos, cada golpe resonaba como un tambor de guerra. Una oleada de adrenalina corrió por sus venas, electrizando sus sentidos. En ese momento, todo su ser estaba preparado para el caos inminente. ¿Pelea o vuela? La pregunta persistió, flotando en el aire como una espesa niebla. Este fue el crisol donde prosperó Givens, y se puso a prueba su temple. La perspectiva del peligro solo encendió el fuego dentro de él. ¿Comenzaría la sinfonía entrecortada de las balas, zumbando peligrosamente cerca, una danza con el destino? Lo desconocido yacía ante ellos, envuelto en incertidumbre, burlándose y burlándose de cada uno de sus movimientos.

Un chasquido resonó en la puerta de la caja fuerte. La lámpara se había activado con un solo propósito: ¡la mano del asesino que presionaba el interruptor en la caja fuerte del armario iluminaba la habitación!

Kowalski contuvo el aliento, con la mirada fija en la puerta. No quería ver a Ludwig emerger del pasadizo secreto.

Hacer clic. Hacer clic.

Cada hombre reconoció el sonido de las esposas de metal al cerrarse. Givens había capturado su objetivo. Un gruñido escapó de los labios del asesino, lo que indica que los detectives lo habían atrapado hábilmente, como atrapar a un animal peligroso en el desierto.

Kowalski corrió hacia adelante y cerró de golpe la puerta del armario. Givens mantuvo su puntería con el revólver presionado contra la nuca del intruso. Bulldog sonrió, satisfecho con su participación en esta operación.

Givens guió al criminal hasta el escritorio donde habían asesinado a Klein.

El hombre que estaba ante ellos era Ian MacDonald, el aspirante a abogado.

"¡Esto es un ultraje absoluto! ¿Cómo te atreves a someterme a tal indignidad? ¡Quítate estas esposas de inmediato! ¡Lo exijo!" MacDonald exclamó, erguido y desafiante, sus ojos escaneando a cada hombre que lo rodeaba.

El único hombre que no se había acercado a MacDonald era Vincent Gideon. Luego, sin dudarlo, dio un paso adelante, cerrando la distancia entre ellos. "Esperaba que el criminal saliera por esa puerta secreta ya que solo él posee la llave. En cambio, apareciste tú, y Givens rompió las pulseras de metal. ¡Parece que fuiste tú!" declaró el renombrado detective, su tono extrañamente cortés.

"Lo entendiste todo mal. Estaba revisando algunos de los papeles de Wolfgang y encontré un sobre sellado con mi nombre escrito a mano por Wolfgang. Dentro, descubrí una llave y una explicación de la entrada secreta. Él compartió esta información conmigo, en caso de que le pasara algo", explicó MacDonald. Hizo una pausa por un momento, su mirada fija intensamente en Gideon. "Dado mi interés en el trabajo de detective, como usted, señor Gideon", asintió levemente en dirección a Vincent, "aproveché esta oportunidad para realizar mi propia investigación".

Gideon se acercó a MacDonald. Estaban de pie a la misma altura, con los ojos fijos en una mirada intensa.

Los otros detectives permanecieron en silencio, reconociendo que se trataba de una confrontación uno a uno. Retrocedieron, esperando el resultado.

"Debo admitir que es bastante ingenioso, pero no aguantará", comentó Gideon con una pizca de sarcasmo. "Supongo que Wolf también compartió contigo la combinación de seis letras que cambié para cerrar la caja fuerte. ¡Después de que él estuviera muerto!"

MacDonald lo tomó por sorpresa por primera vez, se sonrojó y se mordió el labio. Antes de que pudiera dar una respuesta adecuada, Gideon se acercó y lo miró a los ojos. Sin mirar a Givens, dijo: "No necesitarás usar tu arma, Joe. Llama a los demás".

Los dos hombres continuaron con su mirada intensa, esperando que el otro hiciera un movimiento.

"Jonathan, ve a buscar a Ava y Blair".

Kowalski enfundó su revólver y regresó rápidamente con Ava y Blair. Los ojos de MacDonald se oscurecieron cuando entraron en la habitación, ardiendo de furia cuando se posaron sobre Ava, que caminaba al lado de Blair. Ella lo guió suavemente a una silla cercana, y la expresión del criminal se agrió.

Kowalski preguntó: "¿Señorita O'Neill, alguna vez se ha encontrado con este hombre?"

La joven escudriñó a MacDonald, estudiándolo de pies a cabeza, observando sus zapatos y su vibrante cabello rojo. Sacudiendo la cabeza de un lado a otro, respondió simplemente: "No, señor Kowalski, nunca lo había visto antes".

"Ahora, caballeros, confío en que estén completamente convencidos", exclamó el asesino acusado, con un brillo de triunfo brillando en sus ojos. "¡Ahora, quítame estas esposas!"

Givens regresó justo a tiempo para escuchar la declaración de Ava de que nunca había conocido a MacDonald. Metió la mano en su bolsillo para recuperar la llave y soltar las esposas.

"Espera un segundo, Joe. Lo siento, pero debo insistir en que no le quites las esposas, al menos no todavía", intervino Gideon. Se giró para mirar al hombre que estaba frente a él y comentó: "Sin duda, eres incluso más inteligente de lo que pensaba, de lo contrario no habrías evitado la captura por tanto tiempo". Acercándose a MacDonald, lo miró a los ojos una vez más. "El problema contigo, como todos los criminales astutos, es que eres el hombre más egoísta que he conocido".

"Lo siento, señor Gideon, pero debo estar en desacuerdo".

"Ciertamente. Cometes un crimen y escapas ileso, y de repente crees que eres el criminal vivo más inteligente, superior a la policía y cualquier detective en tu camino. No tienes miedo de ser atrapado ", continuó Gideon, su voz firme.

"No existe tal cosa como un crimen infalible o perfecto. Es posible que te hayas escapado una o incluso treinta veces", el famoso detective se acercó al asesino, sus rostros estaban separados unos centímetros. "Amas a Ava O'Neill, así que regresaste por ella. ¡Es por eso que te detuvimos, y ahora te enfrentas a un arresto por asesinato!"

"Espere, señor Gideon. ¿Cómo puede estar enamorado de mí? Le dije que nunca antes había conocido a ese hombre", intervino Ava.

MacDonald sonrió con frialdad. "Verá, mi querido detective, no tiene ninguna prueba... ninguna prueba en absoluto", replicó con dureza.

"¿Exige pruebas? Se las proporcionaré. Sé el motivo detrás del asesinato. Sé por qué Abby fue incriminada. De hecho, ¡sé exactamente lo que ocurrió en esta habitación la noche del siete de octubre!"

Mientras Givens se preparaba para salir de la habitación, una sonrisa se dibujó gradualmente en el rostro de Gideon, reflejada en el prisionero. Sus miradas se encontraron, y en ese intercambio silencioso, surgió un torrente de emociones, superando el poder de cualquier palabra hablada. Fue una contienda feroz, donde el triunfo cobró un alto precio.

Entonces, en un momento que se apoderó del aire, la voz de Gideon atravesó el silencio, pero con una vacilación que electrificó la habitación. "MacDonald?" Hizo una pausa muy breve, alargando el suspenso. "O debería decir..." Siguió otra pausa, esta vez de cinco agonizantes segundos. "¡ROSENTHALL!"

El nombre quedó suspendido en el aire, su revelación lanzó ondas de choque que resonaron en las mentes de todos los presentes, dejándolos asombrados y desconcertados por la verdad que acababan de descubrir.

Los ojos de Kowalski se agrandaron. Se quedó sin palabras mientras miraba a un hombre que había matado a veintiséis mujeres y cuatro hombres que se cruzaron en su camino. Solo podía murmurar para sí mismo: "¡Maldita sea! Gideon consiguió a su hombre. ¡Finalmente!"

Gideon y Rosenthall se quedaron congelados uno frente al otro. Gideon, a pesar de ser el más sorprendido, se dio cuenta de que la pieza final del rompecabezas lo había convencido de que el hombre al que había perseguido durante seis años, el hombre al que había dejado ir en una estación de tren, el mismo hombre cuyo hijo lo había eludido durante seis meses. antes, se paró justo en frente de él.

Sin dejar de mirar a Rosenthall, Gideon declaró: "¡Caballeros, conozcan a Rosenthall! El único hombre que he conocido que es como un camaleón, un verdadero maestro del disfraz. Si alguien merece un título, sería '¡El transformista!'".

"Sí, Gideon. Su rostro está en los carteles de búsqueda en la sede. Una vez que le quitas la barba y el cabello, es sin duda el hombre más buscado de Estados Unidos por sus crímenes. Ha evadido la captura durante décadas", dijo Joe, acercándose. al asesino. "Treinta hombres y mujeres, esos son los que conocemos y podemos probar con evidencia sólida. Hay más, pero la falta de evidencia nos impide determinar cuántos más hay".

Rosenthall levantó la barbilla y se encontró con la mirada gélida de Gideon. "Bueno, viejo amigo, parece que hemos cerrado el círculo. Nos encontramos de nuevo".

—Sí, por supuesto —respondió Gideon, tragando saliva, levantando la barbilla y devolviéndole la mirada a Rosenthall con audacia—.

El fiscal de distrito, Bulldog, se mantuvo al margen, observando cómo se desarrollaba la investigación. No podía imaginarse el resultado de la vigilancia. El hombre más buscado de Estados Unidos fue capturado y retenido como prisionero. Se recostó en su silla, observando al famoso detective interrogar al hombre esposado que estaba parado frente a él.

Después de deleitarse con su éxito, Gideon finalmente habló: "Rosenthall, por qué? ¿Por qué considerarías regresar a esta casa con cuatrocientos cincuenta mil dólares en efectivo? ¿Cuándo creía que eras el criminal más inteligente que jamás había perseguido, por qué?"

"Tú, Gideon. Tú eres la razón. Fue el desafío", respondió Rosenthall, su tono incluso, tratando de mantener la compostura.

"Entonces déjame preguntarte algo que todavía me inquieta. ¿Quién era el hombre que fue encontrado muerto en esta habitación, acostado en esa silla?" Gideon señaló la silla del escritorio de la oficina. "Quién era el hombre que enterramos seis pies bajo el nombre de Wolfgang Klein?" La comprensión repentina derivada de las palabras de Gideon cruzó por la mente de los otros dos detectives.

"Era que...?" Su mirada atravesó al asesino, la fría acusación era evidente.

"¡Sobresaliente, Vicente!" Rosenthall respondió. "El hombre asesinado brutalmente en esta habitación el siete de octubre era..." Vaciló un poco, sus ojos de halcón fijos en Gideon.

Justo cuando todo parecía en calma, Rosenthall gruñó de rabia. Liberándose de la presencia de los detectives, se lanzó hacia la caja fuerte del armario.

Givens corrió tras él, pero Gideon se echó a reír. "¡Déjalo ir, Joe! Los hombres que hemos colocado en el camino sin duda lo traerán de regreso. No irá a ninguna parte".

Rosenthall, siempre sereno, hizo una pausa después de la risa de Gideon. Se volvió, con el rostro contraído por el odio, hacia los otros hombres. Después de un breve momento, recuperó la compostura y regresó con calma a su lugar anterior, de pie nuevamente ante el renombrado detective.

Estaba a punto de convertirse en un déjà vu. El asesino en serie habló: "¡Tú ganas, Vincent!" Luchando por mantener un tono conciliador, añadió: "Qué quieres de mí?"

"Siéntate en esa silla frente a ti y te lo explicaré. Con tu corroboración, desentrañaremos exactamente lo que ocurrió en este estudio esa noche".

"Un momento, amigo mío. Déjame contarte lo que pasó aquí. Sé muy bien que tú ya lo sabes. De lo contrario, no me habrías desenmascarado", sugirió Rosenthall mirando a Givens. "Quítame estas esposas de las muñecas. Me están volviendo loco. Dame uno de esos puros cubanos del escritorio de Wolf. Luego, te revelaré todo".

Los hombres miraron a Rosenthall como si estuviera jugando con ellos. ¿Cómo podría pedir ser liberado? ¿Cómo se atrevía a tomar el asunto con tanta indiferencia, pidiendo un cigarro como si estuvieran sentados para compartir un cigarrillo después de una comida satisfactoria?

Kowalski miró a Gideon. "Vince, no puedes estar considerando seriamente su pedido. ¿No es así como escapó la última vez que lo alcanzaste? ¡Está jugando contigo!"

Gideon dio un paso adelante, manteniendo el contacto visual con Rosenthall, sus rostros separados por apenas quince centímetros. Se quedaron allí, encerrados en una mirada prolongada. Sin desviar la mirada, Gideon pronunció: "Joe, dame la llave".

Rosenthall se dio la vuelta y Gideon le quitó las esposas. Regresó al escritorio y sacó cinco puros de la caja del fumador. Le entregó uno a cada uno de los hombres.

Rosenthall aceptó el puro e hizo una ligera reverencia en dirección a los demás hombres antes de acercar una silla al centro del círculo donde se sentaron todos. Se reclinó hacia atrás con indiferencia mientras los otros hombres no podían creer lo que veían. Rosenthall comenzó su relato de la fatídica noche y todos escucharon con atención.

CAPÍTULO VEINTIDOS
LA SOLEDAD Y LA CONFUSIÓN SE UNEN

E l humo comenzó a llenar el estudio, volutas de gris que se enroscaban en el aire como zarcillos etéreos. Evocó recuerdos de la primera vez que Rosenthall extinguió una vida, envolviendo una habitación llena de humo ese ominoso 12 de junio de 1920, durante la convención republicana en Chicago.

El nombre Warren Harding resonó en las páginas de la historia, ligado para siempre a la frase críptica escrita por Associated Press: "Hombres en una habitación llena de humo nominaron a Warren Harding". Ahora, mientras cinco hombres se entregaban al rico aroma de los puros cubanos, el estudio se transformó en una cámara empapada de neblina velada por intrigas y secretos.

El humo se hinchaba con cada bocanada de sus cigarros, saturando rápidamente el estudio. La habitación se convirtió en un cuadro atmosférico envuelto en una espesa capa de neblina humeante. Era como si el mismo aire conspirara para reflejar la oscuridad que envolvía las acciones de Rosenthall.

Rosenthall comenzó su narración, su voz mezclada con una escalofriante mezcla de fría determinación y recuerdos inquietantes. "Wolfgang, obediente a todas las órdenes de su padre, maniobró a través de la vida, desesperado por no perder su oportunidad de hacerse con la fortuna familiar. La muerte de su hermano y la enigmática partida de su hermana dejaron el camino libre para que él heredara la riqueza acumulada".

ideado meticulosamente un plan seis meses antes, un cebo tentador para sacar a Vincent de su escondite y desviar la riqueza de Wolfgang. La amenaza de matar a la tía de Abigail no logró que Vincent entrara en acción, lo que llevó a Rosenthall a regresar, impulsado por el deseo de desafiar a su némesis por última vez. Después de todo, Vincent era el único individuo que lo había capturado en su reinado de terror de veinticinco años.

Haciendo una pausa momentánea de su narración, la mente del asesino se aceleró, tramando planes de escape mientras los tres detectives y el fiscal del distrito permanecían ajenos. Ágil como un gimnasta olímpico, se imaginaba a sí mismo como un ninja sigiloso, preparado para evadir la captura en cada giro y vuelta.

Rosenthall reanudó su relato, su rostro prístino adornado con una sonrisa fingida que rezumaba arrogancia. "Resultó fácil manipular a Wolfgang para que me contratara, prometiéndole ayuda para asegurar la riqueza de su padre. Durante los últimos seis meses, ideé meticulosamente una estrategia para matar dos pájaros de un tiro: desafiarte por última vez y robar la fortuna de Klein".

Los detectives y el fiscal del distrito, sin que sus rostros revelaran ninguna emoción, intercambiaron miradas de complicidad, contabilizando otra víctima en el macabro recuento de Rosenthall.

"Cuatro meses después de mi plan, Klein insinuó eliminar a su padre, un medio para reclamar su herencia", divulgó Rosenthall, disfrutando de las complejidades de su perversa orquestación. "Dentro de una semana, su padre se encontró con un fallecimiento repentino".

El silencio se instaló entre los detectives y el fiscal de distrito, el peso de otra muerte subrayado en su mirada compartida.

"Klein cumplió con mis expectativas, dilapidando rápidamente su fortuna en dos meses, un secreto que solo guardamos entre nosotros", reveló Rosenthall, su voz teñida de fría satisfacción. "Cuando mi hijo se unió a mí hace seis meses, compartió noticias sobre usted, Vincent, y su nuevo amor, Abigail. El conocimiento de su riqueza sustancial despertó mi interés. Por lo tanto, ideé un camino de distracción para Wolf: hacerse amigo del hermano de Abigail, el clave para acceder a su riqueza. También había anotado sus intenciones de casarse con ella en los periódicos. Presentó una oportunidad para que Wolf lograra sus deseos y para mí alcanzar los míos".

Una sonrisa astuta se dibujó en los labios de Rosenthall mientras continuaba con su relato. "Sabía que Abigail nunca abandonaría su matrimonio inminente con un hombre al que apenas conocía a menos que el destino interviniera con un evento que cambiara su vida. Así que convencí a Klein para que formara un vínculo con Ludwig. Después de un mes, Wolf puso en marcha el plan".

Atrayendo a Ludwig a un establecimiento de juego en Black Rock Cove, Rosenthall atrapó al joven, intoxicándolo hasta que estuvo completamente ebrio . Aprovechando el momento, Rosenthall contrató a un presidiario para provocar una pelea, que finalmente culminó con la muerte de Ludwig. Colocó el revólver en las manos de Ludwig con mano hábil, convenciéndolo de que había cometido el acto fatal.

Los hombres quedaron cautivados por el escalofriante relato del asesino. Su intriga se mezclaba con una sensación de aprensión.

"Al regresar a Portland, Wolf le contó los hechos a Abigail y la obligó a casarse para salvar a su hermano de la silla eléctrica, un acto del que era inocente", narró Rosenthall, sus palabras puntuadas por bocanadas de humo de cigarro que bailaban hacia el techo. Su mirada se demoró en los detectives rodeados, disfrutando de su admiración y repulsión simultáneas, como una presa atrapada en la mirada de un depredador.

de Rosenthall zumbaba, un zumbido inútil que se esforzaba por formular un plan de escape de su situación actual. Si intentaba huir, los detectives lo detendrían. Si evadía sus garras, los hombres estacionados afuera ya lo largo del corredor interceptarían su vuelo. Permanecer en esta peligrosa situación lo dejaba como muerto. El asesino reconoció solo una opción viable.

Kowalski negó con la cabeza con vehemencia, una inconfundible repugnancia grabada en su rostro. No encontró admiración en la astucia del asesino, solo una comprensión escalofriante de las profundidades de la depravación y la sangre fría en las que se había hundido Rosenthall.

"Como abogado de Klein, redacté los documentos que renunciaban a los derechos de Abigail sobre su riqueza y sus joyas, todo en un intento desesperado por salvar a su hermano", reveló Rosenthall, su voz mezclada con una retorcida sensación de indiferencia. "Gideon, si es que importa, Wolf nunca amó a Abigail como tú. Su matrimonio no fue más que una farsa aburrida, ya que con frecuencia salía de la casa para disfrutar de la compañía de mujeres en los clubes de hombres de toda la ciudad".

Basta de esas trivialidades. Rosenthall volvió a centrarse en su narrativa, las mareas del destino alterando sus planes. Un ex cajero de Klein's Savings and Loan, Derek Gunther, surgió como un catalizador para el cambio.

Aquella fatídica noche en que Klein, inmerso en el garito, le disparó a Ned Reynolds, Gunther deshizo la red de engaños tejida por Wolf.

"Wolf descubrió la relación de Gunther con Ludwig", explicó Rosenthall, con un destello de júbilo brillando en sus ojos. "El plan requirió algunos ajustes cuando Ludwig envió una carta a Wolf, divulgando las revelaciones de Gunther. Después de discutirlo con Klein, decidí asumir el disfraz de MacDonald y viajé a Black Rock Cové para acabar con la vida de Ludwig yo mismo".

Rosenthall entabló una conversación con Ludwig dentro de Cove, solidificando un plan para atacar a tres víctimas de un solo golpe. "Cristalizó en mi mente: un plan para eliminar a Klein sin las restricciones del matrimonio, retener la fortuna y devolver tu amor, Gideon, una mujer que perdiste pero que ahora te fue devuelta, privada de un centavo a su nombre".

Fingiendo ser el abogado de Ludwig, Rosenthall lo manipuló para que regresara a Portland, instándolo a discutir asuntos con Wolfgang, un arreglo en el que insistió Klein antes de otorgarle el divorcio de su hermana. El muchacho desprevenido caminó directamente hacia la trampa de Rosenthall.

Una vez más, el asesino saboreó una larga calada de su cigarro y su mirada se posó en los detectives con un aire extrañamente triunfante. Algo crucial estaba cristalizando en los recovecos de su mente.

Gideon condujo rápidamente a Rosenthall hacia los segmentos de su historia que tenían mayor interés. "Cuéntanos sobre el asesinato. Estamos cansados y ansiosos por encerrarte tras las rejas donde perteneces".

"Cuando se descubre a un hombre muerto a tiros en su estudio, dedicado a reescribir su testamento, disfrazado para parecerse a Wolfgang Klein, es natural que el mundo crea que el difunto es la persona que parecía ser", afirmó Rosenthall. Describió cómo, después de transformar hábilmente el cuerpo para reflejar la apariencia de Wolf, siguió confiando en que el engaño pasaría desapercibido. La miopía de Keiser y los encuentros limitados de Gideon con el niño, sin barba, jugaron a favor de Rosenthall.

Solo quedaba un obstáculo: Blair, el perspicaz sobrino de Wolfgang. Blair entendió profundamente a su tío y el plan requería su eliminación. Al hacerle una pregunta a Wolfgang, Rosenthall encendió la chispa de la comprensión. "La respuesta está justo delante de ti, mirándote a la cara, Ava O'Neill".

Wolf aprovechó la oportunidad que se le presentó esa fatídica noche del seis de octubre cuando Ava compartió la noticia de su anillo roto. Sirvió como catalizador para deshacerse de Blair.

"Ahora, caballeros, aquí es donde mi plan sale bien", declaró Rosenthall, con una sonrisa astuta dirigida a Gideon. "Originalmente, tenía la intención de enmarcar a Abigail como una viuda afligida. Sin embargo, cuando Keizer le mostró a Wolf la carta de amor que te había escrito, Gideon, vi la oportunidad de convertirla en el chivo expiatorio del crimen".

Guiando las acciones de Wolf, Rosenthall le indicó que ensamblara la carta rota y la colocara en su cajón. Wolf había quedado cautivado por la belleza de Ava, incapaz de resistir su encanto. A pesar de mis advertencias, él la persiguió y finalmente la invitó a pasar a la hora oscura de las doce cuarenta y cinco de la mañana. Además, había hecho arreglos para que Ludwig llegara poco después.

Continuando ayudando a Wolf en su plan, llamó a Abigail a su estudio a las doce y media. Amenazándote con hacerte daño, Vincent, infundió miedo en ella, incitándola a revelar su intención de convocarte. Abigail, sin darse cuenta, le hizo el juego a Wolf y se convirtió en un componente crucial del plan.

Sin que ellos lo supieran, me escondí en la habitación secreta, brindando asistencia en cada paso del camino. Cuando Abigail salió de la habitación para enviarte su mensaje, Vincent, aproveché la oportunidad para cerrar la puerta.

Volviendo a mi escondite en el armario, esperé mientras Ludwig entraba inesperadamente por la ventana. Durante unos treinta minutos, él y Wolf conversaron, el joven vacilaba en llevar a cabo su tarea asignada a tu llegada, Vincent.

Ludwig persistió en su deseo de ver a Abigail. Al escuchar el sonido de un automóvil afuera, supe que era hora de poner en marcha el plan. Mientras él estaba de espaldas, absorto en la conversación con Wolf, salí sigilosamente del armario y me acerqué a Ludwig, cubriendo rápidamente su rostro con un pañuelo empapado en cloroformo.

Mientras se desplomaba en el suelo, lo arrastré de vuelta al armario y al cuarto secreto. Wolf abrió la puerta, volvió a su escritorio y llamó a Keizer a su estudio. Wolf pidió a su secretaria que lo viera sentado en su escritorio. Una vez que Keizer salió de la habitación, Wolf volvió a cerrar la puerta.

Klein descendió a la habitación secreta y vestimos a Ludwig con su ropa. La barba del niño era más larga que la de Wolf, así que la recortamos con cuidado para que coincidiera con su apariencia. Incluso colocamos los anteojos con montura dorada de Wolf en la cara de Ludwig.

Luego, le entregué a Wolf su revólver, recordándole que ya había matado al hombre en Black Rock Cove y que una vida más no importaría. Le aseguré que yo estaba allí para ayudarlo a escapar. Después de un poco de persuasión, reunió la determinación, acercándose a Ludwig varias veces, contemplando si apretar el gatillo".

Gideon intervino, su voz llena de incredulidad. "Por qué esconderías su crimen? No lo entiendo".

"Cuatrocientos cincuenta mil dólares. Klein me entregó ese dinero en efectivo a cambio de darle tiempo para huir del país y evadir la detección. Con más persuasión, Wolf tomó el revólver, lo presionó contra el pecho del niño y disparó el tiro fatal. Después de levantar el cuerpo sin vida y colocarlo en el escritorio de Wolf, notamos el anillo en el dedo de Ludwig. Como Wolf nunca usaba anillos, luchamos por quitárselos.

Devolvimos el cuerpo a la habitación y lo colocamos meticulosamente en el escritorio de Wolf. Mientras arreglábamos todo correctamente, escuchamos pasos acercándose. Wolf apagó la luz y nos escondimos detrás de las cortinas de la habitación. Cuando entró, le tiré mi abrigo por la cabeza y la llevé a la habitación secreta debajo del dormitorio de Klein. Con un pañuelo empapado en cloroformo, rápidamente la dejé inconsciente.

Le ordené a Klein que partiera de inmediato, instándolo a que abandonara el país. Un tren con destino a Canadá estaba programado para partir a las cuatro en punto y no podía permitirse el lujo de perderlo.

Una vez que todo estuvo meticulosamente arreglado, me acerqué a la puerta y la abrí, preparándome para la segunda parte de mi plan. No quería que nada impidiera que Abigail entrara en la habitación.

Regresé a la caja fuerte del armario y noté un pañuelo tirado a medio camino entre la puerta y el escritorio de Wolf. Al recogerlo, me di cuenta de que carecía de la fragancia de Rose Petal Essence, lo que indica que pertenecía a Abigail. En ese momento, se me ocurrió una idea: mancharlo con la sangre de Ludwig y colocarlo en su mano serviría como evidencia que la implicaría en el asesinato".

Gideon preguntó: "Cómo supiste que Abby vendría al estudio, Rosenthall?"

"Porque, Vincent, te conozco demasiado bien. Tal vez incluso mejor de lo que te conoces a ti mismo. Te atraje a la casa esa noche como parte de mi plan. ¡Amas a la mujer, Gideon! Temías lo que Wolf podría hacer si retenía posesión de esa carta de amor.

Todo era parte del plan de Wolf para mostrarle la carta a Abigail y luego tirarla en su cajón superior. Gideon, sabía que la instarías a recuperar la carta ya que Wolf le informó que se iría de su oficina en un momento.

Mantuve las luces apagadas y me agaché junto al escritorio. Cuando entró en la habitación, con solo un rayo de luz filtrándose a través de la puerta abierta, disparé el revólver de Wolf. Al ver su reacción de sorpresa, lancé el arma hacia su pierna mientras retrocedía, asegurándome de que cayera cerca de sus pies.

Crucé apresuradamente la habitación y encendí la lámpara de mesa. Luego, me deslicé a través de la puerta oculta, cerrándola detrás de mí. Permanecí escondido detrás de la puerta, presionando mi oreja contra la pared, escuchando los eventos que siguieron.

Al día siguiente, después de un breve respiro, regresé a la investigación como MacDonald.

"Muy bien, Rosenthall. Ahora, qué pasa con Ava y Blair? ¿Cómo encajaron en tu plan?" preguntó Givens.

"Cuando la investigación concluyó que Abigail era culpable del crimen, me di cuenta de que era imperativo eliminar a Blair, ya que él estaba al tanto de la presencia de Ava en la casa esa noche. Lo atraje lejos de su paradero habitual, organizando un grupo de hombres para secuestrarlo y llevarlo a casa de Din Ho. Decidí mantenerlo cautivo hasta que Ruth fuera condenada por el crimen.

"Espera un segundo, Rosenthall. Me estás diciendo que, después de cometer docenas de asesinatos, elegiste no matar al niño para deshacerte de él? Eso no tiene sentido para mí", interrumpió Gideon.

"Tiene sentido. Después de todos estos años, Vincent, deberías conocerme. Te advertí hace seis meses que tenías un tiempo limitado para detenerme o seguiría matando hasta treinta personas. Asumir la responsabilidad del asesinato de Ludwig, eso hace treinta. No es necesario tomar más vidas ".

"Ciertamente. Continúe por favor", instó Givens.

"Entonces mi plan se centró en Ava. Regresar a la casa esa noche era demasiado arriesgado debido a la presencia policial. Esperé hasta la mañana siguiente y encontré a Ava despierta en la habitación secreta. Era demasiado peligroso reubicarla en otro lugar, así que me fui. asumir la identidad de Blair y fingir su suicidio. Creí que eso extinguiría su amor por él, permitiéndome abalanzarme y ganarme su afecto. ¿Ella es realmente una mujer deslumbrante, sabes?

"La amas, ¿Rosenthall?" preguntó Gideon, su tono era serio.

Una sonrisa cruzó el rostro de Rosenthall. "Sí, y ya puedo anticipar tus próximas palabras, Vincent. 'Nunca dejes que una mujer se meta debajo de tu piel'. Bueno, ¿qué puedo decir? Algunas batallas son imposibles de ganar".

Los otros hombres quedaron hechizados, cautivados por el relato de Rosenthall. Kowalski, en particular, siguió la narración, vinculándola con la evidencia que habían reunido. Rosenthall continuó, contando los intrincados detalles de su plan.

Cuando llegó a la conclusión, la mirada de Rosenthall recorrió la habitación, con lágrimas en los ojos. Cuando los hombres bajaron la guardia, saltó de su silla y corrió hacia la caja fuerte del armario. Antes de cerrar la puerta, gritó desafiante: "¡Vincent, eres inteligente! Todavía no me has atrapado. ¡Nadie con vida puede encarcelarme!". Con un golpe resonante, cerró la caja fuerte, girando las letras de la cerradura de combinación, GIDEON.

Givens reaccionó rápidamente, disparando su revólver. Sin embargo, su bala solo golpeó la pared al lado de la caja fuerte. Gideon corrió hacia la caja fuerte, girando las letras en la cerradura de combinación. En su prisa, se perdió uno y tuvo que restablecerlo.

Los hombres bajaron corriendo la escalera e intentaron abrir la puerta del pasillo que conducía al exterior. Rosenthall lo había asegurado con una llave maestra y Gideon no pudo abrirlo.

Derrotados en su persecución, los detectives y el fiscal de distrito regresaron al estudio y finalmente se encontraron con los tres policías estacionados cerca de la puerta secreta en el costado de la casa.

Givens preguntó: "Dónde está? ¿Dónde está Rosenthall?"

"Uno de los policías respondió: 'Quién?'

"Olvídalo. ¿Alguien ha salido por esta puerta?"

"Sí, señor", respondió uno de los oficiales. "¡Señor Dennison!"

Los dos detectives y Givens intercambiaron miradas cuando Bulldog Dennison los alcanzó.

Una vez más, los policías exclamaron: "¡Ahí está!"

"¡Maldición!" Givens maldijo. "Ese hijo de puta se escapó". Sacudió la cabeza con frustración.

Mirando hacia la oscuridad, Gideon pudo escuchar el sonido del río cercano. Las palabras de Rosenthall resonaron dentro de él, causándole más dolor del que esperaba.

Terminal. Me dice que no habrá más cumpleaños ni será testigo de otra temporada que pasa. Sus días restantes estarán confinados a cuatro paredes y analgésicos hasta su inevitable fallecimiento. Rosenthall no quiere eso. Podía sentir su deseo de que la bala de Givens diera en el blanco. Pero no fue así, y se escapó, destinado a morir solo.

El detective de policía y su equipo permanecieron en la casa, continuando su búsqueda de Rosenthall. Se pidió ayuda a personal adicional, pero sus esfuerzos resultaron infructuosos.

Gideon sabía que no había posibilidad de que las autoridades encontraran al Maestro del Disfraz. Él y Kowalski caminaron unas pocas cuadras hasta su automóvil, en dirección a la prisión de Seaside, donde Abigail esperaba el juicio. Bulldog Dennison había hecho arreglos previos para acelerar el papeleo y asegurar su liberación.

Durante el viaje, Kowalski preguntó sobre las deducciones de Gideon que revelaron la verdad sobre Rosenthall. El Gran Vincent Gideon accedió amablemente, reconociendo la contribución de Ava O'Neill al dejar la pista que descubrieron en la habitación secreta. Inicialmente, no sospechó toda la verdad hasta que se encontraron con el anillo. Al principio, simplemente cuestionó la confiabilidad de MacDonald debido a su estrecha participación en el caso.

"Había una pregunta crucial que resolver: ¿Dónde estaba Klein? ¿Se había quedado en Portland o había huido del país? No podía quitarme de encima la sensación de que MacDonald jugó algún papel en el asunto. Estaba demasiado conectado con el caso y su comportamiento y forma de hablar me molestaron. Sin embargo, no pude reconstruirlo todo hasta esta noche".

Kowalski insistió más y preguntó: "Qué pasó esta noche? ¿Qué te convenció, Vincent?".

"Sus ojos. Rosenthall es quizás el mayor maestro del disfraz que he conocido. Su capacidad de transformación no tiene paralelo. Sin embargo, uno no puede cambiar sus ojos. Cuando cruzamos miradas, lo reconocí. ¡Era mi archienemigo, Rosenthall!"

Gideon se detuvo frente a Seaside Prison y se volvió hacia su amigo. "Jonathan, gracias a ti, la vida de Abby se ha salvado. Nunca podré pagarte por lo que has hecho". Extendió su mano para agarrar la de Jonathan.

"No hay necesidad de darme crédito por salvar la vida de la mujer que amas, Vincent. Resolviste este caso con una ayuda mínima de mi parte".

"Tonterías, amigo mío. No habría resuelto el caso sin tu ayuda. No te subestimes. Cuando estaba luchando, tú fuiste quien me animó a enfrentar la verdad de frente, recuerdas?"

"Bueno, yo ah-"

"No 'bueno, yo ah', amigo mío. Si no me hubieras hecho entrar en razón, no habría resuelto este caso, y Abby todavía estaría encerrada".

Un taxi esperaba en la puerta, listo para llevar a Abby a casa. Gideon miró a su amigo y dijo: "Bueno, debo despedirme de ti, Jonathan. Confío en que Abby y yo tendremos muchos años juntos. Gracias una vez más". Abrió la puerta, la cerró detrás de él y caminó hacia el taxi que esperaba. Mientras cruzaba la calle, saludó a Gideon antes de subir al taxi.

Al momento siguiente, Abby estaba segura envuelta en los brazos del hombre que amaba.

EL FIN.

Also by Sidney St. James

Bridget Flynn Detective Series
Bridget Flynn - A Female Detective
Bridget Flynn - A Female Detective
A Prince of Their Own

Demon Gorge Trilogy
Room of Death - Here Today and Gone Tomorrow
Fate - Eventually Everything Connects
Standing in the Shadow of Death - The Sword of Damascus
Demon Gorge Trilogy Box Set

Gideon Detective Series
Rosenthall - Bete Malefique des Bois
Gideon Returns - A Damsel in Distress
The Dusty Adler Murder Mystery
Phantom of Black Rock Cove
The Transformist
El Transformista
Ace of Spades - Volume 1
Gideon - The Final Chapter (Volume 2)
Lady in Red
Ace of Spades (Vol. 1) & Gideon - The Final Chapter (Vol. 2)

Gideon Detective Murder Mysteries Box Set: Books 7-9

James' Recipe Series
Wild Game Recipes - Squirrels, Bullfrogs, Alligators, Rabbits, Armadillos and More
Recipes that Won Chili Cookoffs in Texas
Duck and Goose Recipes from the Wilds of Eagle Lake, Texas and the Rock Island Prairies
Grandma's Homestyle Cooking Recipes

Lincoln Assassination Series
The Lost Cause - Lincoln Assassination
Lincoln Assassination Series Box Set: Books 1 - 5
Lincoln - Pursuit and Capture of John Wilkes Booth
Lewis Thornton Powell - The Conspiracy to Kill Abraham Lincoln
The Knights of the Golden Circle
Mary Elizabeth Surratt - "Please Don't Let Me Fall!"

Love Lost Series
It Takes Two to Tango (Volume 1)
It Takes Two to Tango (Volume 2)
Tears Are Words from the Heart
Let Me Drive
Belem Towers - Only Two Will Ever Know
The Curse of Knight's Island
Norderney Island
The Winds of Destiny

Omega Chronicles

Omega - The Lost City of Altinova
Nevaeh - The Lost City of Nemea
Bonaventure - Three Years on the Island
Crux Ansata - The Lost City of Ankara
Nevaeh & Crux Ansata Part I & 2 Anthology in the Omega Chronicles
Omega Chronicles Books 1 - 3 - An Anthology

Texas Outlaw Series
Sam Bass - A Dead Man's Hand, Aces and Eights

The Faith Chronicles
The Rose of Brays Bayou - The Runaway Scrape
Adversity - Keeping the Faith
Faith - Seventy Times Seven
Genesis - Stepping Onto the Shore and Finding It is Heaven
Hallelujah - He is not Here; He Has Risen (Luke 24: 6)
Seeing the Power of God
Living in God's Word
The Faith Chronicles: Books 1 - 3: An Anthology
The Faith Chronicles Box Set: Books 4-6

The Storm Lord Trilogy Series
The Flaming Blue Sword
Nine Months Will Tell
The Three Keys to Armageddon
The Storm Lord Trilogy Box Set: Books 1 - 3 An Anthology

The Whodunnit Series
Murder in Horseshoe Bay - Death Comes Quietly

Jaded Lover - Things Are Getting Heavy
Under Cover Queen - Sequel to Jaded Lover
The Amaryllis Murder Mystery
Murder at Morgan Park
Checker Cab Murder Mystery
Destiny Waits - Murder at the Lakeside Museum
Lollapalooza - The Case of the Woman in Black

Victorian Mystery Series
This Old House - A Lily Blooms in the Jaws of Hell
I Am Woman - I Am Invincible

Victorian Romance Series
I Am Woman - Hear Me Roar

Standalone
True Love Ways
I Go to Pieces - Part 2: Sequel to True Love Ways
Guitar - Truth is Strange - Stranger Than Fiction
Refuge of Death - A Kiss for a Kiss

Watch for more at https://www.facebook.com/sidneystjamesshow.